UNIVERSALE
ECONOMICA
FELTRINELLI

G000145733

Stefano Benni è nato a Bologna nel 1947. Con Feltrinelli ha pubblicato anche: *Prima o poi l'amore arriva* (1981), *Terra!* (1983), *Stranalandia*, con disegni di Pirro Cuniberti (1984), *Comici spaventati guerrieri* (1986), *Il bar sotto il mare* (1987), *Baol* (1990), *Ballate* (1991), *La Compagnia dei Celestini* (1992), *L'ultima lacrima* (1994), *Elianto* (1996), *Bar Sport* (1996; Edizione speciale, 2016), *Bar Sport Duemila* (1997), *Blues in sedici* (1998), *Teatro* (1999), *Dottor Niù. Corsivi diabolici per tragedie evitabili* (2001), *Saltatempo* (2001), *Teatro 2* (2003), *Achille piè veloce* (2003), *Margherita Dolcevita* (2005), *Misterioso. Viaggio nel silenzio di Thelonious Monk* (2005), *La grammatica di Dio. Storie di solitudine e allegria* (2007), *Pane e tempesta* (2009), *Le Beatrici* (2011; "Audiolibri Emons-Feltrinelli", 2012), *Fen il fenomeno* (con Luca Ralli; 2011), *Di tutte le ricchezze* (2012; "Audiolibri Emons-Feltrinelli", 2012), *Pantera* (con Luca Ralli; 2014), *Cari mostri* (2015), *Prendiluna* (2017), *Teatro 3* (2017), *Dancing Paradiso* (2019) e, nella collana digitale "Zoom Flash", *Frate Zitto* (2011) e *L'ora più bella* (2012). Nell'area audiolibri ha letto: *La terra desolata* di T.S. Eliot (Full Color Sound), *Novecento* di Alessandro Baricco ("Emons-Feltrinelli", 2011) e il suo *Di tutte le ricchezze* ("Emons-Feltrinelli", 2012).

STEFANO BENNI
Spiriti

Prima edizione ne "I Narratori" febbraio 2000
Prima edizione nell'"Universale Economica" marzo 2002
Undicesima edizione luglio 2019

Stampa Nuovo Istituto Italiano d'Arti Grafiche - BG

ISBN 978-88-07-88226-5

A Fabrizio De André

Al maestro di scuola Paolo e ai suoi colleghi

A Ljuba e Zako

Personaggi

JOHN MORTON MAX, presidente dell'Impero
SYBIL, sua consorte
BAYWATCH, cane presidenziale
STAN E OWL, guardie del corpo
MISS CORDAY, segretario di stato
BOB CIOCIA, primo generale
HACARUS, il re delle armi e degli affari
SOLDOUT, il re dello show-bisnes e della propaganda
SYS REQ, re del virtuale
BOTTOM, leader britanno
POROS IL DIPLOMATICO, spirito della parola
KIMALA, spirito del fuoco e del bosco
MELINDA, spirito libero
ZELDA, strega
BEHEMOTH, spirito attore
ALADINO, spirito cacciatore
BES BUDRUR GHEMEUS, protodemone innamorato
ASMODEO, spirito dei tonni
UKOBACCO, spirito delle zanzare
FARFARO, mago imbroglione
NECTON, spirito dell'acqua abissale
ENOMA, spirito oscuro
GHEWELRODE, AMEUNSIS E FRAIE, sciamani
SALVO E MIRIAM, i magici gemelli
NONNA JANA, nonna di Salvo e Miriam
OFELIA, amica di Salvo
Il tenore PETOLONI
Il tenore PLATIRRON

Galina Travabanskaia, generalessa sovieta
Von Tudor, direttore di cori in playback
Rik, idolo del rock
Crotalo, Eremo e Tremor, gruppo rock di Rik
Orango e Gibbone, gorilla
Pataz, manager di Rik
Zenzero, cantante positivo neoagico nuoverico
Gragnocca Gragna, sex symbol
Felina Fox, attrice pasionaria
I Bi Zuvnot, noto complesso britanno
I Raz, complesso di reich-rock
Michael Teflon, cantante sottaceto
Belsito, comico
Sapone, comico
Madoska, cantante
Frappa e Polipone, presentatori
Rutalini, sindaco moderista
Pancetta, assessore moderista
Berlanga, leader moderato e proprietario di Trivù
Queen Pepper, cuoca
Ciliegina, bimba saggia
Balaclan, truccatore
Porthos, architetto
Il duro sergente Madigan
La signora Graine, trovaguerre
Il duro tenente Korpzynsky
Il califfo Almibel
Alobar, elefante
Poldo e Perla, piloti di Cignomobile
Dio
San Zaino Martire
Elvis Presley
Musashimaru, capo dei tonni surgelati

Si ringraziano gli altri tonni, spiriti e demoni minori, i bambini del coro, i soldati, gli spettatori, i tecnici del palco, gli abitanti dell'Isola, l'università delle streghe, i cani di Velázquez, il pesciaccio, il cybergatto Filex, l'isola di Hakalamalakaneheilemeneilani, altri tre elefanti e Adieu.

Tutto ciò che un paese forte e ricco
decide, intraprende e sceglie ogni giorno
ha come conseguenza e necessità:
preparare la guerra
coltivare la guerra
prevedere la guerra
accettare la guerra
avere bisogno della guerra
scegliere, ogni tanto, per quale guerra
indignarsi e quale guerra dimenticare.

(*dai cinque comandamenti di* HACARUS)

Ciò che è troppo diverso da quello che siamo soliti pensare, ciò che ci è impossibile pensare, quello lo chiamiamo nulla.

(CORNELIUS NOON)

Fesso chi cce crede, cchiù fesso chi nun ce crede.

(*proverbio*)

PROLOGO

Una notte un uomo si svegliò in mezzo al deserto, senza sapere quanto aveva camminato, né perché.

Quando l'ultima nuvola scivolò via dalla luna, l'ombra dell'uomo si allungò come se sgorgasse dalla terra. Un filo d'acqua scorreva tenace nel greto screpolato del fiume, e non faceva più rumore di un respiro.

Alla nota del fiume si accordò un altro suono. L'uomo, con un bastoncino, batteva sul fango secco. Quel rumore ritmico, il pulsare di un cuore, richiamò qualcuno.

Dalle crepe della terra uscirono per prime le formiche rosse, dapprima in piccoli gruppi, poi in schiere compatte. Le seguirono le formiche nere dalle grosse teste dondolanti, le snelle dulciarie odorose di miele e le tagliatrici, reggendo le loro foglie come bandiere. Quel pulviscolo di piccole vite si radunò davanti all'uomo, che iniziò a intonare una sola profonda nota, come il vento dentro a un albero cavo. Uno sciame di vespe gli rispose da lontano, con un crescendo di violoncello. Gigantesche, arrivarono le libellule, posandosi in prima fila, e poi le locuste dagli occhi rotondi e le cavallette color berillio. La macchia sul suolo si agitava, disegnata da un pennello invisibile e delirante, gonfiata da rivoli di altre creature, le cocciniglie e le termiti, i porcellini di terra dal guscio corazzato e le scolopendre dalle cento zampe.

Vennero i ragni violinisti, volando appesi a un filo sospeso nel cielo.

Venne la tarantola pelosa come la mano di un mostro.

Venne il ragno dei sette punti, il cui morso non lascia tempo per i pentimenti.

Venne l'amaranta, che al sole sembra una goccia di sangue.

Vennero gli scorpioni, con le code ritte come lance, e dietro a loro i lombrichi rossi, le tremoline viscide e i vermi bianchi e ciechi che nuotano nel fango salmastro.

Una processione di scarabei lenti come dinosauri avanzò con leggero rumore di foglie secche, e dietro a loro si schierarono le mantidi coreute, con aggraziati inchini. Grigie ed enormi, brandelli di fantasma, si posarono le farfalle notturne. Giunsero volando le ammenofile cannibali, gli scelifron dal vitino sottile, le rissose vespe soldato. Sonoro come un accordo d'organo, si avvicinò lo sciame delle api, la cui ombra coprì per un istante la luna, e scese facendo grappolo intorno all'unico albero secco.

Venne il macaone sulle cui ali era scritta la storia del mondo.

Venne la lucciola lupo, che vive negli occhi dei teschi.

Venne l'alipigio, che nuota nelle lacrime.

Vennero i grilli con i loro strumenti sottobraccio.

Poi venne l'insetto che nessuno aveva mai visto, il corpo d'oro e le ali tatuate, e si mise in prima fila, muovendo le antenne al ritmo della nenia.

La canzone dell'uomo cessò, e fu silenzio.

Né un'antenna, né un'ala si muoveva.

Sul viso dell'uomo c'erano quattro segni rossi, quattro strisce sanguinose, e gli occhi erano chiusi. Ma quando si mise a cantare, gli occhi incendiarono il buio.

Il canto crebbe, e non sembrava più venire dalla gola dell'uomo, ma da una profonda caverna. I primi a unirsi furono i grilli, sfregando le zampe. Poi le farfalle batterono le ali, gli scarabei vorticarono le elitre, le cicale impazzirono, le api ronzarono e tutti gli insetti si unirono a quel rumore, e da ogni piccolo corpo la vibrazione si unì alle altre, si ingigantì e diventò un frastuono, un microbico sabba, gli sciami si alzarono in volo, e la terra iniziò a tremare.

Le nuvole apparvero improvvise, spinte e risucchiate dal vento delle ali, mentre dalla gola dell'uomo il grido si impennava, e il cielo era nero di voli e al rumore risposero gli uccelli dai boschi e le rane dagli stagni, e gemette il legno degli alberi, e le pietre delle montagne iniziarono a rotolare.

Allora l'atteso, il mostro, il Dio arrivò.

Ruotando immenso e nero sul suo unico piede, vorticando ebbro di velocità, col rumore di un fiume gigantesco, aria dentro aria, strappando forza al cielo e scagliandola dentro la terra, sciabolando intorno la sua coda di serpente.

Il re dei tornadi si avvicinava, ai suoi piedi esplodevano i fulmini e lo precedeva un esercito di grandine e pioggia.

Una goccia cadde sul volto dell'uomo, mescolandosi ai segni rossi, e poi ne caddero altre, e risuonò più vicino il tuono. La macchia degli insetti vibrò di gioia, zampe e antenne si sollevarono a ricevere quell'acqua.

La terra fu incantata dal rumore di pioggia notturna.

Ogni altro suono cessò.

Poi lo scroscio diminuì lentamente, come un'orchestra ben diretta, restò solo un'eco d'archi, e l'ultimo tuono lontano annunciò che tutto era finito.

L'uomo lasciò cadere il bastoncino e si accasciò, stremato. Sul volto i segni rossi si erano mescolati in una maschera sanguinosa.

Un'argia velenosa gli salì lentamente lungo il collo, dove la carotide pulsava, fino al mento e alle labbra chiuse, e lo morse.

L'uomo ebbe un sussulto. Subito fu in piedi, pieno di una nuova energia. Urlò, alzando le braccia al cielo, un grido vittorioso.

Da oriente a occidente, i lampi illuminavano l'Isola.

Il tornado, con un ultimo grido, entrò nelle viscere della terra e sparì. Tutto intorno restavano rami spezzati, rocce frantumate, pozze di pioggia. Ma del mostro non v'era più nessuna traccia.

L'uomo batté le mani e in un istante tutti gli insetti sparirono.

Sotto le ultime gocce leggere l'uomo, che aveva nome Fraie, tornò verso il suo villaggio. Una roccia a forma di testa di lupo gli indicava la strada. Alzò la testa e sentì nell'aria odore di incendio. Lontano, vide il riflesso delle fiamme. Sentì il lamento di un legno che conosceva. Era la sua casa. Allora iniziò a correre.

Inatteso, si udì lo sparo.

Ma l'uomo, pur colpito, continuò a correre, i suoi piedi non facevano rumore sul fango umido, il rumore era tutto nella sua testa e nel suo affanno, spararono ancora, e l'uomo morì, ma per dieci passi ancora continuò a correre da morto, spararono di nuovo, e da morto corse ancora per altri cento passi.

Solo quando capì che il tempo non finiva quella notte, rallentò i suoi passi impossibili, si fermò, e cadde.

– Proteggeteli, spiriti – disse, la bocca contro la terra.

Così cominciò la fine del mondo.

1.
IL PRESIDENTE NON CONTA NIENTE

La grande Villa Bianca, simbolo per tutti, focolare per alcuni, e davanti un prato dove pascolano quattro limousine blu lunghe come megattere, e l'erba così verde da sembrare sintetica, infatti in parte lo è, una misteriosa tigna erbacea la tormenta e la spela come una schiena di iena. In mezzo all'ipererba, una grande piscina azzurra intossicata di cloro, dove pinneggia un gorilla presidenziale in bermuda d'ordinanza. Con una retina in mano sta combattendo contro le foglie gialle, i pappi e gli insetti sovversivi che vorrebbero deturpare il perfetto cilestrino dell'acqua. L'anno prima il presidente, ranando, ingoiò un corpo ostile e furono attimi d'asma e terrore. Oltre la piscina, una fascia di ortensie rosa e blu che è la toilette preferita dei cani presidenziali, e poi ghiaia immacolata e un altro manipolo di guardie del corpo all'ombra di un tendone bianco, ed ecco il green sconfinato del golf, lustrato e annaffiato da sessanta bocchettoni che da soli potrebbero abbeverare il Ruanda. Qua e là pini, larici, ontani, laghetti con carpe obese e creole, frullare di scoiattolini, ronzare di piccole telecamere nascoste tra le pigne. Torrette con sentinelle e voli di cornacchie recintano il tutto. Lontano i grattacieli, la metropoli, le gang, il mare, il resto del mondo ormai troppo conosciuto.

Sono le nove di mattina di un giorno sicuramente più vicino alla fine del mondo che al suo inizio. Il presidente dell'Impero John Morton Max, uomo assai potente ma che non conta niente, è alla terza buca del percorso golfistico. Ha colorito roseo e capelli argentati ed era un bell'uomo prima di gonfiarsi, giorno dopo giorno, in ogni parte del corpo, dal mento alla pancia, fino ai polpacci rotondi e adorni di peluria bionda. È alto circa ottanta pollici e ha i gesti lenti e l'andatura strascicata di un tredicenne cresciuto troppo in fretta. Indossa una maglietta nera, un cappellino con elica e vasti bermuda kaki con un buco di pallottola, dono del Quarto Corpo d'Armata. Dietro a lui, trascinando due barilotti portamazze, le sue gigantesche guardie del corpo, ex pugili supermassimi con nasi larghi e carnosi come fiori tropicali, e muscoli anche nelle gengive. Si chiamano Stan e Owl. Stan è nero e ha sotto l'ascella una pistola da sfondare un ippopotamo per il lungo. Owl è orientale ed è specialista di trenta arti marziali tra cui l'antichissimo yat-wongchu, una tecnica così segreta che anche i suoi adepti ne ignorano i colpi. Stan e Owl comunicano tra loro tramite auricolare. L'impulso partito da Stan si fionda fino a un satellite in orbita sull'Artico che lo trasmette a un gemello antennuto ronzante sopra la Caledonia, che a sua volta spara il messaggio a un colossale e accogliente schermo radar nel deserto che lo rimbalza al satellite più lontano e solitario, un eremita di titanio nel cielo rosso marziano. Da lassù l'impulso viene sputato giù verso una superantenna tricuspide nascosta nelle Montagne Rocciose da dove finalmente raggiunge Owl, esattamente a sessanta centimetri da dove è partito. Il tutto in un secondo. Questa è la tecnologia, baby.

Sono le nove e un minuto di mattina e il presidente sta valutando la situazione da diversi punti di vista.

La situazione nell'Impero è agitata. I giornali riferiscono di un alunno delle elementari che è entrato nella sua scuola con un mitra Uzi e ha freddato nove compagni. – Ero decimo nella valutazione trimestrale – ha spiegato alla polizia – adesso finalmente sarò il primo della classe.

La situazione della partita di golf non è entusiasmante. Dieci colpi per le prime due buche, tre sopra il par, nonostante un buon mezzo metro rubato a ogni tiro. Ora la pallina sonnecchia in un cuscino di muschio all'ombra di una quercia fronzuta, settanta metri dalla buca tre, ma con angolazione ostica. Il primo tiro è stato uno schifo tale che Stan e Owl non hanno potuto simulare neanche una stilla di approvazione. Fa caldo e una mosca fastidiosa beve una goccia di sudore sulla punta del naso presidenziale. Le scarpette sono strette, la schiena fa male. Ma il presidente deve giocare perché, come dice il re della propaganda Soldout, "presidente che si svaga, popolo tranquillo". E il presidente Max conta meno del re della propaganda.

Fa caldo, trentotto gradi, i due giganti si sciolgono come liquerizia e l'elica sul berretto del presidente è immota. Neanche un filo di vento, ma da lontano si vede una cupola nera, una torva nuvolaglia d'inchiostro che annuncia tempesta e forse il novantesimo tornado dell'anno. Il clima del paese, del mondo, del cosmo è mutato, bufere e calure stremano i terrestri, nuovi virus e batteri impazzano. Ma la Conferenza Mondiale per il Rischio Climatico, tenutasi il mese scorso a Lutezia, ha detto che tutto rientra nella norma, compresi i tornadi e i terremoti, compresa la desertificazione africana, compresi gli iceberg nella Senna, compresa la morte del presidente della Conferenza, il finlandese Jiasarvi, centrato da un macrochicco di grandine, una granita da un quintale in un pomeriggio caldo di agosto. Alla fine dei lavori, il re degli affari Hacarus ha detto che non c'è alcun inquinamento globale né rischio di catastrofe ambientale. E il presidente Max conta meno del re degli affari.

Il presidente sospira democraticamente, come il più modesto dei suoi sudditi. Non voleva essere lì, voleva andare in vacanza nella sua isola personale, Hakalamakomahumihailani, isola della Micronesia sgomberata degli abitanti dopo una finta eruzione lavica costruita da specialisti di Hollywood. Ma tutte le navi sono impegnate in guerre o film di guerra, e non c'è possibilità di scortarlo e proteggerlo. Il presidente vorrebbe ogni tanto destinare almeno una portaerei a uso civile, ad esempio campo da golf galleggiante, ma il primo generale Ciocia è contrario. E il presidente Max conta meno del primo generale Ciocia.

Il pomeriggio stende un lenzuolo caldo sull'erba bagnata, che esala miraggi. Le cicale cantano senza passione, per pura inerzia genetica. Owl sogna il suo monolocale con aria condizionata e collezione di film porno. Stan canticchia il *Blues del pugile stanco*.

Dopo le botte
Dopo le botte
I cerotti baby mi metterai
Tutta la notte
Tutta la notte
Coi tuoi baci tu mi curerai.

Il presidente pensa a Melinda.

La ragazza è lassù, in qualche corridoio sconfinato della Villa Bianca, tra sguardi di agenti e odore di fiori freschi. Magari è in uno degli uffici riservati, con le gambe abbronzate che dondolano da qualche poltrona ministeriale, i piedini su un dossier segreto, la spallina della canottiera rosa abbandonata sulla spalla, la spalla rotonda che il presidente ama mordicchiare con caparbietà da neonato. Melinda dagli occhi viola, ti desidero da un anno e solo mezzi toccamenti e bacetti e raid e frugatine e semipompe interrotte per crudeltà del destino o del tuo volere. Melinda labbra di seta, che lo eccita e lo svigora, delirio e castigo della sua virilità prepensionabile. Melinda che tende agguati sotto i tavoli e dietro i tendaggi, ape diabolica e polipetto dispettoso, per poi lasciarlo solo a massacrarsi di seghe solitarie e furiose, probabilmente diffuse via Cosmonet nei siti appositi Maxpig.com. Come quella volta che l'ambasciatore baltico lo minacciava per telefono e fu convinto dalla sua voce spezzata e ansante. "Vedo che il problema non le è indifferente," aveva detto Anatoli Crevcenko stupito, ma non era per l'Azukistan che Max sospirava, ma per ciò che Melinda inventava col musetto tra le sue cosce. Oh baby, bad bad baby, cattiva dolce ragazza, giovane stagista del Sud cotoniero e schiavista, quanto vorrei farti mia odalisca, ruotare sulla mia poltrona di cuoio cigolante con te sulle ginocchia, come vorrei rincorrerti tra gli orsi impagliati della sala storica, come vorrei stenderti sul plastico di guerra e martellarti tra un ponticello e l'altro, sotto gli sguardi curiosi dei soldatini di piombo. Ma neanche stasera potrò vederti, perché il presidente deve essere un uomo quasi interamente fedele, lo dice il segretario di stato Corday e soprattutto il re dei servizi segreti, generale Y. E il presidente Max conta meno eccetera.

– E se smettessi di giocare? – dice il presidente di colpo, guardando la buca tre lontana, il cielo metà azzurro e metà nero, il velo di calura che fa ballare come gelatina i grattacieli lontani.

– Abbiamo l'ordine di farla giocare ancora dieci minuti – dice Stan con un sorriso bonario ma direttivo, e gli porge la mazza. Il presidente sospira, si mette in posizione di tiro, guarda la sua ombra sul green e nota che la sua sagoma è ancora ingrossata, dieci anni fa sembrava il Cile, ora ricorda il Canada, nelle occasioni ufficiali dovrà rimettere il busto. Scalpita un po' sistemando i piedi, e i due giganti iniziano a raschiarsi la gola rumorosamente. C'è infatti l'ordine, quando il presidente fa movimenti strani, di dare adeguata copertura sonora a sue eventuali ventosità. Soffre di aerofagia, specialmente nei momenti di stress. Incontenibile soprattutto nei viaggi aerei, tanto da far nascere florilegi di battute sull'uso migliore della maschera a ossigeno. "Spiritosi, fottuti, comunisti bastardi," pensa il presidente Max e solleva la mazza preparandosi a vibrare il colpo. Ma in quel momento lo folgora l'immagine di lei, riversa sulla scrivania, con una guardia del corpo che la ammanetta. Dio, come gli piacerebbe ammanettarla, solo a pensarlo si eccita, e il presidente sferra il colpo con contemporanea erezione. Per un attimo ha il sospetto che la mazza gli abbia troncato in due il membro, facendone volare metà nel cielo. Ma il presidente non ce l'ha così lungo, è notorio che ce l'ha di quattordici virgola sei centimetri, tutta la rete Cosmonet lo sa per merito della sua segretaria del 1996, troia di una Mrs Harrison. La pallina vola e il colpo è incredibilmente buono, atterra a meno di un metro dalla buca. I giganti ruttano di soddisfazione. Il presidente si sente meglio per alcuni secondi, poi torna depresso. Ha visto da lontano una limousine candida e imbandierata ammarare davanti alla Villa. Sicuramente grane in vista.

Eccolo davanti alla buca tre. Basta un colpetto facile. Proprio quelli che lui sbaglia sempre. Più è vicino, più fa cilecca, con Melinda e col golf. I giganti lo circondano premurosi.

– Se imbuca sta nel par, signore – dice Stan.

– Oggi gioca proprio bene – conferma Owl.

In quel momento il presidente guarda verso la Villa. E dietro una finestra, gli sembra di vedere lei, Melinda, la sua febbre, la sua gioia. Ha la canottiera rosa e ha il collo avvolto da una strana sciarpa nera, larga come un paio di ali. Anzi, sembra proprio che lo sciarpone palpiti nell'aria preparandosi al decollo. Max si strofina gli occhi. Lo direbbe al suo psicanalista, se non avessero appena scoperto che è una spia bulgara. La finestra si spalanca. È proprio Melinda, e alle sue spalle c'è una figura altissima e scura, qualcuno mai visto prima.

– Ehi, chi è quello? – chiede il presidente, indicando la finestra.

Stan e Owl guardano. Non vedono niente. E la visione si dissolve anche per Max.

– Mi era sembrato – dice il presidente, turbato. Sotto i suoi piedi la terra ha una breve vibrazione. Il solito tremoto di fine settimana. Si ode un tuono lontano, piove a scroscio per dieci secondi, poi torna l'afa. Il presidente mette i piedi paralleli, accosta la mazza alla pallina e sta per tirare. Ma la pallina parte da sola, senza che lui la tocchi, e va in buca.

– Bel colpo, presidente – dice Stan.

– È stato così leggero che sembra che c'abbia soffiato sopra – dice Owl.

J. M. Max è incerto se essere spaventato o contento. Sceglie l'emozione numero due. Forse l'ha colpita davvero, appena un po'.

Così ora infila la mano nella buchetta per raccogliere la pallina. La buca è più profonda di quello che credeva. Mette dentro tutto il polso e mentre fruga, qualcosa di gelido lo sfiora, una mano viscida lo afferra e lo trattiene. Il presidente resta paralizzato dal terrore, nessun suono gli esce di bocca. Guarda Stan e Owl senza riuscire a parlare, gli occhi bovinamente spalancati. La mano lo stringe e lo tira sotto, è la mano fredda di un morto e dalla buca viene un odore pestilenziale. Ora il presidente ha il braccio conficcato fino al gomito, e i due giganti sono perplessi. Formulano ipotesi su quell'ennesima stramberia del loro protetto. Sta scavando per rendere la buca più larga e centrabile? Ha qualche fantasia erotico-veterinaria? Cerca tartufi? Poi notano un pallore mortale sul volto di Max, e l'odore giunge anche a loro. Stan tocca il presidente su una spalla.

– Qualcosa non va, signore?

– Aiuto – dice Max con un filo di voce, mentre sente risuonare una risata sotterranea, uno scherno dal centro del mondo, ed ecco che di colpo la mano lo lascia e si ritrova in braccio a Stan.

– Cosa le succede, non si sente bene?

– Una mano... gelida, Stan, una mano sottoterra, che mi voleva portare con sé.

Stan rotea le pupille sul nero del volto.

– Forse è troppo caldo per continuare la partita, presidente.

Li interrompe un colpo di fucile. Dalla buca due sta avanzando una coppia inconfondibile. Lei è il segretario di stato Corday, magra ed efficiente, in tailleur aragosta e scarpette da ginnastica. I capelli argentei sfavillano al sole. Al suo fianco la mole massiccia del generale Bob Ciocia, come sempre in sgargiante tuta mimetica, ben visibile sull'erba. Il generale è celebre per l'interpretazione personale del concetto di mimetismo. Nella giungla verde indossa tute gialle e rosse, nel deserto iraquegno indossava una tuta bianca, sui ghiacci nella guerra contro la Skania, era tutto fiori e pampini. Qualcuno una volta osò dirgli che non basta indossare una tuta mimetica per mimetizzarsi, ma bisogna che la tuta sia mimetica a ciò che vuole mimare. Il generale fornì la famosa risposta: "È il mondo che deve cambiare colore, non io". Sul green echeggia uno sparo. Ciocia porta sempre con sé un fucile perché è cacciatore a tempo pieno. Passeri, topi, talpe, farfalle, cecchini, immigrati abusivi, ladruncoli e brucamaglia meticcia, c'è sempre qualche bersaglio su cui esercitarsi. Perciò ora sta martellando un branco di oche del laghetto, nove oche particolarmente care alla figlia del presidente che d'ora in avanti dovrà accontentarsi di quattro. Poi spara a un movimento sospetto nell'erba e fa esplodere un bocchettone dell'acqua. Nel cielo risuona un tuono e lui risponde al fuoco. Non ha paura di nessuno, il generale Ciocia.

– Buongiorno, Max – trilla il segretario di stato, saltellando verso la buca.

– Non una parola su ciò che è appena successo – sussurra il presidente ai giganti – o niente biglietti gratis per la partita.

Il presidente Max sa che basta un'altra crisi di nervi e lo destituiranno. Maledetti, fottuti, comunisti eccetera.

– Carissimi – sorride – vi siete appena persi un gran colpo.

– Tutto bene? – dice la Corday un po' sospettosa, vedendolo pallido e annusando un odoraccio nell'aria.

I giganti dondolano la testa tre volte. In codice segreto vuole dire "*sì, tutto bene davvero*". Due volte "*diciamo sì ma è no*". Una volta significa "*non possiamo parlare*".

Quattro volte...

– Il golf è uno sport da checche – dice Ciocia appoggiandosi alla canna del fucile, operazione che già una volta gli costò una pepatura di pallini nel mento. – Tutto questo spazio potrebbe ospitare un accampamento di tremila soldati o un aeroporto, o un campo di rieducazione per...

– Il golf è uno sport che rilassa e abbiamo bisogno di un presidente rilassato per avere un paese rilassato – taglia corto il segretario Corday.

– Chi lo dice? – ringhia il generale.

– Lo dice Hacarus – sorride il segretario.

Bob Ciocia tace. Hacarus è il re delle armi e degli affari, la prima divinità: nemmeno un generale può contestare le sue decisioni.

– Abbiamo buone notizie per lei – dice il segretario – prepari le valigie.

– Hakalamaihukamalakenhulele? – si illumina il presidente. – Mi concedete la vacanza?

– No – dice il generale – lei presenzierà al concerto per il decennale della Dolce Guerra. Festeggeremo dieci anni di bombardamenti con un grande spettacolo per le truppe, nonché aiuti ai profughi e beneficenza per i figli dei caduti. Tutto in mondovisione. Ogni alleato manderà il meglio. Ci saranno Petoloni, i Bi Zuvnot, Von Tudor e se riescono a montarlo in tempo anche Michael Teflon. E poi il re dei comici Belsito e la Gragnocca Gragna. Non s'erano mai visti tanti nomi tutti insieme, neanche a Woodstock o a Yalta. E poi sfilate di moda, una partita di calcio tra Cantanti e Condannati a morte, gadget, sponsor e popcorn. Lo slogan sarà: "Lo spettacolo più bello per la guerra più lunga".

– Bello ma sbagliato – lo interrompe la Corday – la nostra guerra più lunga è quella contro il Lunistan, che dura da sedici anni.

– Ma cosa dice – sbuffa Ciocia – la guerra del Lunistan è finita da un pezzo. Vero, presidente?

– Io... ecco, non ricordo bene, ma mi sembra di sì – risponde Max imbarazzato. – Almeno, io non ne ho sentito più parlare.

I tre si guardano in volto. Un sospetto li pugnala, ma nessuno ha il coraggio di esternarlo.

– Comunque – taglia corto Ciocia – la guerra più importante è la Dolce Guerra.

– Ha ancora una discreta audience – conviene la Corday – ha ritmi assai adatti alla nostra industria militare, poche perdite e un nucleo di profughi ragionevole e remissivo. Lei deve essere grato a questa guerra, ai suoi soldati e alle sue vittime, ed è giusto che festeggi il decennale recandosi sul posto.

– Io... sì, capisco che è importante, ma è un viaggio lungo. Non che io abbia paura, ma...

– Che strano odore – dice il generale fiutando l'aria – sembra napalm scadente.

– Non sento niente – dice il presidente. Ma in quel momento avverte del molliccio sulla coscia destra, e constata che durante lo spaventevole momento alla buca tre se l'è fatta addosso.

– Accetto il viaggio – dice il presidente – ma adesso è ora del mio footing. – E parte di corsa verso la Villa.

Corre e quasi piange per l'umiliazione. Si precipita nel bagno, nasconde mutande e bermuda in un cesto di biancheria sporca, si infila sotto la doccia. Lacrime e schiuma gli scorrono sulla pancia.

Fu in quel momento che lei entrò.

Sorridente, con un vestito nero cortissimo. Come aveva potuto eludere la guardia di Stan e Owl?

– Prendimi – disse, e sparì dietro la porta, su per le scale che portavano alla sala del telescopio.

Il presidente non esitò un istante, nudo com'era si lanciò all'inseguimento, correva ansante di desiderio e fatica, lasciando impronte di bagnoschiuma sulla moquette. Alle sue spalle, sentiva risuonare i passi da mandria della scorta. Lassù, pochi scalini davanti, il culo di Melinda si dimenava deliziosamente, trasfigurando in rotondo mambo l'erta spigolosa. Si arrampicava agile come una gatta e trovava il tempo di voltarsi e lanciare occhiate di sfida. Melinda, Melinda, unica luce della mia misera vita, gattina che mi sbrana l'anima, fighetta scalatrice, tu che sola sai darmi la pace, tu che mi torturi e mi curi, baby ora ti prendo, vieni dall'uomo più potente del mondo, ti regalerò tutto quello che vuoi, tutto quello che desideri è tuo, la piscina, il campo da golf e la città, i sobborghi e le sparatorie e gli stereo e le sedie elettriche e i roghi d'auto sulle autostrade e l'oceano solcato dalle nostre cannoniere e i galeoni e i paesi lontani dove i nostri eserciti insanguinano l'erba e i sospiri dei morti e le grida e la fuga senza speranza come senza speranza io ti amo, ebbene tutto questo è tuo, tutto tra le tue cosce che brillano lassù mentre saliamo in cima al mondo e vedo i boschi lontani e la mia città e sento il tuo respiro corto, ormai sei in trappola, scoiattolina, questo è l'ultimo piano e poi sarai mia e... – Presa! – gridò il presidente, ma nella sala tutta vetri c'era solo il telescopio, immenso e argenteo, e ruotò lo sguardo ai quattro angoli del cielo, per scoprire che...

Melinda non c'era.

C'era un corvo nero, in bilico su una grondaia, che gli gracchiò contro la sua derisione. Sudato, nudo, peloso, arrabbiato, esplose in una serie di bestemmie da dimezzare i suoi elettori.

In quel momento piombarono nella stanza Stan, Owl e due gorilla di media taglia, Stan scivolò su una pozza di bagnoschiuma e tutti insieme rotolarono ai piedi del presidente.

– Era qui, quella troietta, era qui! – gridò il presidente, rosso in volto. – Come può essere sparita?

– Allude alla stagista, a quella Melinda? – chiese Stan.

– E chi se no?

Stan lo guidò verso la finestra, e puntò tristemente il ditone in direzione del paesaggio sottostante. Laggiù, sul bordo della piscina, Melinda stava prendendo il sole in un costumino nero con frange. Li salutò con la mano. Iniziò di colpo a grandinare.

– L'ho trovato più scosso del solito – disse la Corday, salendo sulla limousine.

– Lo facciamo fuori? – disse Ciocia.

La Corday ebbe un incantevole gesto di fastidio con la mano guantata.

– Come siete rozzi, voi militari. Abbiamo due magazzini pieni di dossier compromettenti su di lui, materiale video per fare un festival del porno, testimonianze scritte che a sei anni vendeva limonate annacquate per strada. E lei vuole ancora sparare! Piuttosto, si informi su quella guerra nel Lunistan.

– Le dico che l'abbiamo vinta – disse Ciocia – se l'avessimo persa, lo saprei.

– E i nostri soldati sono tornati?

– Credo di sì – disse Ciocia.

– Si informi.

– Signorsì – disse Ciocia. Estrasse il suo computer e ci mise un po' di tempo a liberare la tastiera dalle foglie e dalle pigne con cui l'aveva mimetizzato. Poi mandò un messaggio segretissimo:

Generale Ciocia a Stato Maggiore, operazioni zona Est sedici.
Chiediamo notizie su ritiro di truppe da Lunistan e loro rientro a casa, nonché situazione politica attuale del paese e bilancio delle perdite...

La risposta arrivò rapida, mentre l'auto era ancora nel vasto parco della Villa.

Stato Maggiore a generale Ciocia. Non è mai giunto a questo comando alcun ordine di ritiro, in quanto la guerra è tuttora in corso. Sono impegnati dodicimila uomini e duecento aerei che bombardano ventiquattr'ore su ventiquattro. La situazione nel territorio del Lunistan, dopo duecentosettantamila missioni aeree, è tranquilla non rilevandosi da tempo tracce di vita a eccezione di qualche lombrico. Le perdite sono di quattro suicidi per noia nella truppa e circa duecentomila tra militari e civili lunistani, ma è difficile precisarlo perché da quando è andata via l'ultima troupe televisiva, non abbiamo più notizie. Non sappiamo nemmeno dove sono finiti i profughi, nessuno di loro ci ha spedito neanche una cartolina. Attendiamo ordini.
P.S. Per favore, mandateci delle sigarette.

– Porco cane – disse Ciocia guardando la Corday – ci siamo dimenticati una guerra.

2.
HACARUS

1. Tutto ciò che un paese forte e ricco decide, intraprende e sceglie ogni giorno ha come conseguenza e necessità:
preparare la guerra
coltivare la guerra
prevedere la guerra
accettare la guerra
avere bisogno della guerra
scegliere, ogni tanto, per quale guerra indignarsi e quale guerra dimenticare.
2. Arma e alleva un dittatore, se un giorno vuoi avere il merito di combatterlo.
3. Chi è più debole massacra, chi è più forte interviene.
4. Non esiste guerra tanto crudele da non scomparire appena si smette di parlarne...
5. Ogni multinazionale economica ha bisogno di invadere, sfruttare, scacciare e uccidere proprio come un esercito.

Queste parole, incise su una lastra di acciaio, erano bene in vista all'entrata del grattacielo Hacarus, e nessuno poteva entrare senza guardarle. Erano il pentalogo su cui Hacarus aveva costruito la sua fortuna, e non si vergognava certo a esporle. L'ufficio di Hacarus era al settantesimo piano, e vi si arrivava con un ascensore tappezzato di velluto nero. Hacarus si divertiva ogni tanto a rallentarlo, bloccarlo e spararlo come un missile, per godersi le reazioni attraverso una telecamera interna.

Lassù in cima al grattacielo la grandine rimbalzava sui vetri neri dei finestroni, da cui si dominava la città. Il salone che occupava l'intero piano sembrava una tomba, marmo grigio ovunque e un filo di luce alogena. Una volta era il caveau di una banca. Là viveva, senza uscirne quasi mai, il re di tutti gli affari. Il tavolo nero rifletteva il suo pallore e i suoi capelli trapiantati da un donatore coreano quasi consenziente. Numerose operazioni di plastica facciale avevano reso il suo volto una maschera mortuaria da trentenne, ma in realtà aveva più di ottant'anni. La leggenda diceva che le sue orecchie seguivano l'andamento del mercato: se il trend era favorevole si rizzavano faunesche, se la Borsa perdeva pendevano come quelle di un segugio. Non si conosceva con certezza il suo nome, né di che nazionalità fosse, il suo passato era nascosto da una caligine di sigle e società fantasma. Per lui un giornalista aveva coniato il termine di "bieconomia", intesa come attività economica bieca, o con doppio binario morale. Il giornalista, per la sua inventiva, aveva avuto in premio un'auto nuova, ma non aveva fatto in tempo a salirci perché era stata l'auto a salire su di lui.

Seduto davanti a Hacarus stava il re dell'informatica, Sys Req. Da anni soffriva della sindrome di Bowser, la più grave delle malattie da ipercomputerismo. Era allergico al novantasei per cento delle forme di realtà, e poteva resistere lontano dallo schermo solo per brevi periodi. Aveva trent'anni ma dopo la paura del Bug ne dimostrava il doppio: aveva perso il 70% del software di capelli e diottrie. I rotondi occhiali gialli gli davano l'aspetto di un pesce abissale, ed esibiva il suo tic caratteristico continuando a diteggiare su un'immaginaria tastiera mentre parlava. Tra le sue braccia sonnecchiava il leggendario Filex, un computer a comando vocale contenuto in un gatto.

– Il presidente Max è davvero al capolinea – disse Hacarus – ha i nervi a pezzi. Non so per quanto ancora potremo utilizzarlo.

Sys Req sorrise carezzando il cybergatto, che emise fusa e dati: – Maxpopdox è in calo – disse. – Ma il cinquantasette per cento del paese lo confermerebbe. Piace perché è mediocre. Ci vorrebbe troppo tempo per farne un altro così obbediente. Sostmaxplan. Almeno dodici mesi, dice il collarino di Filex.

– Teniamocelo. Ma è un disastro. Corre dietro a quella Melinda come un ragazzino. Stamattina al campo da golf se l'è fatta addirittura addosso. A proposito, come mai ha così pochi dati su quella Melinda?

– Melisecrdos. C'è stata una cancellazione, forse da parte della Cia. Il novanta per cento delle informazioni è finito in un Inferno, un file segreto, e adesso non riescono a recuperarlo. Ci vorrà un po' di tempo. Comunque, la ragazza è sotto controllo.

– Vuole un sigaro? – disse Hacarus, aprendo una scatola dorata. Erano i sigari di un industriale giapponese, suicida per fallimento. Tutte le volte che Hacarus distruggeva qualche concorrente, prendeva uno scalpo dalla sua scrivania. La penna davanti a lui era appartenuta al re degli hamburger, la gondolina di Venezia era vissuta a lungo sulla scrivania di un industriale usitaliano dell'auto.

– Medcardresp. No, grazie – rispose Sys Req. – Ho fumato troppo negli ultimi sei mesi.

– Non l'ho mai vista fumare – disse Hacarus.

– Fumo virtualmente – disse Sys, azzurrandosi timidamente in volto – frequento un sito di tabagisti.

– Dovevo supporlo – disse Hacarus, soffiandogli fumo in faccia. – Bene, dottor Req, l'ho chiamata qui esponendola a pericolose radiazioni di realtà per un motivo importante. Lei dovrà curare il cyberufficio stampa e diffusione Cosmonet del Megaconcerto. Ci saranno molti spettatori, più o meno il mondo.

– Miaoprevspet – scodinzolò Filex.

– Lasci perdere i sondaggi. Saranno più di un miliardo, ma ormai di concerti e celebrazioni ne abbiamo fatti anche troppi. Non siamo in Usitalia, dove basta qualche televisione a rincoglionire tutti. Stavolta ci vuole un'idea, un'idea forte. Qualcosa che faccia capire che questa guerra, come ogni guerra, è ancora necessaria. Dopo dieci anni e un milione di morti, compresi i nostri ventisette, la gente comincia ad averne piene le palle. E anche le altre tre guerre iniziano a stancare.

– Quattro – disse Sys Req – c'è anche il Lunistan.

– Ma non era finita?

– No – disse Sys Req – mi risulta che stiano dando l'ordine di rientro solo adesso.

– Ma quella è una guerricciola, una rissa da bar – disse Hacarus, mordicchiando il sigaro. – Ce ne vorrebbe una nuova, in grande stile, in Oriente. Ma prima bisogna rilanciare in bellezza la Dolce Guerra, con un grande evento che coinvolga soldati, profughi, sponsor e giovani, tanti giovani.

– Una Woodstock di guerra? Non sarà pericolosa?

– Caro Sys, c'è una grande differenza tra i raduni di adesso e quelli di una volta. Una volta, ascoltata la musica e tolte le tende, i ragazzi non tornavano pecoroni come prima. Molti non dimenticavano più le parole che avevano detto e ascoltato. Perciò ogni giorno della loro vita era come un giorno di concerto, un'avventura, una sfida. Diventavano testardi, pericolosi anticonformisti, che poi la vita tritava regolarmente. Ora è tutto il contrario. Il concerto moderno è il luogo sacro e stabilito ove sentire certe parole e certe emozioni, consumarle, per poi tornare alla vita di tutti i giorni senza doverle mettere in pratica. Una volta il concerto era un contagio, adesso è un sedativo. Amen.

– Sarà – disse Sys Req – però bisogna prepararlo bene. Di questi grandi eventi ce ne sono troppi.

– Per questo dobbiamo curare ogni particolare, dobbiamo renderlo unico e necessario, un mix di spettacolo, virtù filantropiche e ardore bellico. Io ho una grande idea. Si ricorda come rilanciammo l'interesse per la Dolce Guerra dopo il primo mese?

– Propwarpast. Allude ai due gemelli?

– Sì. La foto dell'allora presidente con in braccio i due gemellini, maschietto e femminuccia, nati sotto i bombardamenti. "Li abbiamo salvati dalla furia del nemico," disse. "Li guarderemo crescere. Saranno i nostri figli. I tuoi figli, cittadino."

– E poi?

– Dopo un anno, nessuno li ricordava più. Ma potrebbero venire buoni adesso. Adesso avrebbero dieci anni, e ripresentarli potrebbe essere un gran colpo. "Questi sono i pargoli di allora, ora sono dei ragazzi fiduciosi e felici, perché noi li abbiamo salvati. Salviamone altri, in ogni parte del mondo." Che gliene pare?

– Micamiao. Ma dove sono quei due?

– Il maschietto è morto, abbiamo bombardato la sua classe per errore. Volevamo colpire solo le quarte e le quinte elementari, ma una bomba a grappolo colpì anche una prima. La femmina, invece, fu spedita in Usitalia, dove sparì dal campo profughi. Se ne persero le tracce. Ecco l'ultima foto, a quattro anni, si chiama Miriam. Scateni tutti i suoi navigatori per trovarla. Ci basta avere lei, il gemello lo faremo fare a un giovane attore.

– Cybchildlab. E se li facessimo virtuali tutti e due?

– No. Il rischio di farci scoprire è troppo grande. La gente vuole vederci chiaro, dopo che hanno smascherato il nostro falso centrosauro, il tirannosauro moderato, e soprattutto il falso ritorno di John Lennon. Voglio Miriam. Quante probabilità abbiamo di trovarla in tempo?

– Non lo so – disse Sys Req – Filex non funziona più. È arrabbiato.

– Sovraccarico di input?

– No, gli dà fastidio la pila nel sedere. È abituato con la spina.

– Capisco. E una sua previsione personale?

– Non sarà facile – sospirò Sys Req.

– Per queste tre parole – disse Hacarus sorridendo – ho già licenziato almeno un centinaio di miei dipendenti.

– Sarà difficile, ma ci riusciremo.

3.
QUELLO CHE C'È NEL BUIO

– Anche stasera al buio – sospirò la vecchia, cercando a tentoni la candela dentro la scatola di latta. L'accese e la mise davanti alla finestra. Poi le venne da ridere. Il cielo era così pieno di stelle che non c'era proprio bisogno di altra luce. Una polvere di astri riempiva il blu sopra il mare, se non c'era energia sulla sua piccola isola, be', nell'universo ce n'era anche troppa. Alla luce lunare raggiunse il lavatoio e si mise a pulire lo scorfano per la cena, in mezzo a un'estasi di gatti affamati.

– Sei un pesciaccio brutto, pieno di spine velenose – disse nonna Jana, raschiando con prudenza le squame – sei proprio come me. Chissà se quando morirò farò un buon brodo?

– Quando morirai, nonna? – sembrò dire il pesciaccio, spalancando la bocca.

– La prossima volta che sentirò i colpi dei soldati contro la porta – sospirò Jana – so che il cuore non reggerà. Si spezzerà, come la catena del pozzo, ha portato su e giù troppi secchi pesanti.

– Così è la vita, piena di brutte sorprese – disse il pesciaccio – pensa che tuo nipote mi ha pescato con una mosca finta, fatta di colla e peli di cane. Io che sono stato furbo e prudente tutta la vita, fregato da un bambino.

– È un bambino speciale – disse la vecchia.

– Tutti i bambini sono speciali – disse il pesciaccio – io ne ho avuti quattro milioni e sai quanti ne sono diventati adulti? Tre.

– Mi dispiace – disse la vecchia, aprendogli la pancia.

– Ti dispiace? – disse il pesciaccio. – Ma è quasi un record, in mare. Dai, smetti di parlare da sola e dai da mangiare al tuo avannotto.

– Salvo, dove sei? – chiamò la vecchia, ma il ragazzo non rispose. Uscì nel giardino e guardò verso la riva del mare, ma non lo vide. Vide solo le quattro barche ormai ferme da un mese. Lontano, sentì il rombo di un aereo e bestemmiò.

– Vi scoppino le bombe sotto il culo, uccellacci! – gridò. – Salvo, torna dentro, non senti che attaccano ancora?

– Non c'è pericolo, nonna – disse una voce, da qualche parte dietro le dune – non succederà nulla.

Diavolo di un ragazzo. Eppure aveva ragione. Se lui diceva che non sarebbe accaduto nulla, non c'era pericolo. Sentiva il bene e il male nella scatola dei dadi che scuoteva, proprio come sua madre e suo padre. Ma lei non amava più quel dono pericoloso. Scese giù per il sentiero, tra i buchi nella sabbia dove dormivano i colibrì e gli scheletri dei soldati antichi, rattrappiti nelle anfore. La brezza di mare le allargò la sottana in un ventaglio da gran dama. Lontano, sentì nitrire i cavalli e una fisarmonica che suonava una danza di streghe. Ci si preparava alla festa paesana della settimana dopo. Maledetta festa, dopo dieci anni di guerra. O forse, benedetta sia la festa.

Camminò sulla riva tra le barche finché lo vide, chino sulla sabbia. Magro e ossuto, con un costume blu che aveva coperto le pudende di tre generazioni. Parlava piano, da solo, con il mare alle spalle. Nonna Jana sentì un alito di felicità staccarsi dai pensieri del ragazzo ed entrare in lei, come una medicina. L'aereo sganciò da qualche parte, un lampo verso ovest. Davanti a lei, sospeso nell'aria, stava un falco pescatore. Planò lentamente alle sue spalle. La nonna si voltò e vide Poros, il Diplomatico. Alto, il viso affilato disteso in un sorriso regale. Le grandi ali erano richiuse in un caffetano azzurro. Ai suoi piedi una cassetta con accendini, cappelli da basket e teli da spiaggia. Era nero come il più nero dei re Magi.

– Bel travestimento, Diplomatico – rise la nonna.

– Anche il tuo, Jana mannara. Vuoi comprare qualcosa?

– Hai la crema magica per ringiovanire?

– Non la vuole più nessuno – sospirò Poros – ci sono cliniche dove fanno lo stesso lavoro, e non chiedono l'anima, solo una carta di credito.

– Perché vieni di notte, amico – disse la vecchia, sospettosa – sei venuto a portarci qualche brutta notizia? Navi pirata, vomito di vulcano, un sudario di petrolio per il nostro mare?

– Nessuna brutta notizia – disse il Diplomatico sorridendo – sono venuto a salutare Salvo. Compie undici anni tra qualche mese, no?

Il ragazzo sembrava non accorgersi dei due, e parlava da solo, o a un compagno di giochi nascosto nella sabbia. Continuava a gesticolare, come se dirigesse un minuscolo minuetto, da qualche parte nel buio.

– Fa ballare i ragni – disse la vecchia, cupa – li comanda, gli parla.

– E ci vede al buio, proprio come suo padre – disse il Diplomatico.

– Ma non finirà come lui – disse la vecchia, scura in volto – io lo proteggerò da tutti, anche da te. Il suo dono non deve portarlo alla morte.

– Io voglio solo assicurarmi che stia bene – disse calmo Poros – temo che tra poco molti lo cercheranno. Tienilo ben nascosto, Jana. E fidati di me.

– A volte penso che siete tutti uguali – sospirò la vecchia – tu, e Kimala lo spirito del fuoco, e gli usitaliani, e quelli degli aerei e i kuduin. Volete tutti la stessa cosa, il nostro sangue.

– Anche voi avete bevuto il sangue degli altri – disse il Diplomatico – ma non è tempo di pensare al passato. Succederà tutto in pochi giorni, Jana, siamo appesi a un filo. Ma proteggerò il ragazzo, te lo prometto. Proprio perché non ho saputo proteggere Fraie, suo padre.

– Poros – disse il ragazzo, alzandosi in piedi – sei tu? Stai corteggiando mia nonna?

– Sì, e tu sei cresciuto, piccola volpe. Vuoi diventare alto come me? Cosa stai facendo laggiù?

– Gioco con i miei soldatini.

– La malmignatta è velenosa, e il ragnodiferro è anche peggio – disse Poros scuotendo la testa. – Anche se sembra che ti obbediscano, è pericoloso stargli vicino.

Con un salto, o forse un volo, il Diplomatico Poros fu a fianco del ragazzo. E vide sulla sabbia una decina di ragni immobili, perfettamente allineati. Lentamente si mossero verso i piedi dello spirito. Poi un gesto del ragazzo li fermò.

– Sai già fare anche questo? – disse lo spirito.

– So anche farli ballare, e combattere per finta tra loro, e farmi regalare una goccia di veleno – rise Salvo – e un giorno la metterò sulla punta di una freccia.

Lo spirito si inginocchiò sulla sabbia. Ora era alto esattamente come il ragazzo.

– Non tirerai nessuna freccia. Nessuno deve sapere che sai fare queste cose, Salvo. Ricordati il patto.

– Lo so – disse il ragazzo – ma ci sono così poche cose con cui divertirsi su quest'isola. Come possiamo giocare, se appena cominciamo suona la sirena e dobbiamo nasconderci sottoterra? La pineta è piena di mine, non possiamo più andarci in bicicletta. La strada della montagna è chiusa dai soldati. Il ponte è crollato. Sott'acqua anche i pesci hanno paura. Me lo dicono, spirito, sento i loro lamenti di paura, la notte.

– Nonna Jana non vuole che tu vada in giro la notte. Soprattutto con Ofelia.

– Perché è una kuduin?

– Forse. Tua nonna ha visto cose che tu non hai visto. Devi perdonarla se odia i kuduin.

– Non ne parla mai. Ma io so che li odia.

Nonna Jana era tornata a preparare da mangiare. Sapeva quando era il momento di non ascoltare. Dalla finestra, versando il brodo del pesciaccio sul pane, vedeva Poros e Salvo camminare vicini, tra i banchi di alghe soffici, finché scomparvero dietro la punta della baia. Una nuvola coprì la luna.

– Io sento che stanno per accadere cose strane, Poros – disse il ragazzo, con un brivido.

Poros gli coprì il capo con un telo del suo campionario e rise.

– Ora sembri proprio tua sorella – disse.

– Perché non posso conoscerla?

– Un giorno la incontrerai. Ti basti sapere che è viva.

In quel momento il mare piatto fu squassato da uno spasimo. Un'onda anomala sorse nel mezzo della baia e avanzò verso la riva, argentea e minacciosa. Poros, con un balzo, prese il ragazzo tra le braccia e lo portò trenta metri più in alto. L'onda si abbatté sulla riva, schiantando le barche. Dalle case dei pescatori vennero voci concitate.

– Questo è Kimala, vero? – chiese il ragazzo.

– Sì, questa è la sua ira – disse Poros – non riesco più a farlo ragionare. La guerra gli è entrata dentro.

– È vero che sa fabbricare i tornadi? – disse Salvo eccitato. – È vero che ogni volta che qualcuno brucia una foresta, gli nasce una cicatrice nel petto? È vero che tutto quello che crea, lo plasma dal buio, come creta? È vero che vive in una caverna sotterranea, difesa da tigri di pietra e pesci elettrici? È vero che vuole distruggere il mondo?

– Kimala può fare questo e molto di più – rispose Poros, guardando verso il vulcano – è ombra, linfa, foglia che cresce, erba che cura. Ma se gira il vento del suo cuore, può alzare nubi di fumo e polvere ardente che cancellano le isole. Fabbrica fulmini più veloci di un pensiero. Apre in due la terra con un taglio del suo coltello, fa sprofondare le montagne e i paesi. Suo è il veleno del ragno e sua la palude che inghiotte, suo l'artiglio del leopardo e suo il tormento della siccità. Ma niente di questo può cancellare il mondo. Solo l'uomo può farlo. Anche se Kimala è mio fratello, dovrò fermarlo. Se viene da te, non ascoltare le sue parole. Lo prometti?

Il ragazzo esitò un istante, poi rispose:

– Se viene da me, lo ascolterò, come ascolto te. Io devo vendicare mio padre.

Poros chinò la testa. Temeva quella risposta.

– E tua sorella? La tua gemella? Vuoi salvare almeno lei?

– Lei sta bene, la sento, ogni tanto ci sognamo. Sta in un palazzo giallo da dove si vede la ruota di un luna-park, nella città ricca e triste, dall'altra parte del mare. È questo che volevi sapere fin dall'inizio, vero? Ma non so che nome abbia adesso. Io la chiamo sempre Miriam.

– Grazie – disse Poros.

– Grazie non basta. Falla venire qui. Con una formula magica, su un albatro o col traghetto, ma presto.

Poros sorrise. C'era ancora molto di buono, in quel ragazzo ferito e iroso. Pensò se andarsene sotto le sembianze di un falco, o come venditore ambulante, così come era venuto. Scelse la seconda strada. Arrancò su per la salita e passando sul lungomare vendette tre accendini e un telo da spiaggia, senza usare nessuno dei suoi poteri.

4.
MORTE DI UN TENORE

Il presidente Max, munito di succhiello, stava trapanando in gran segreto la porta del bagno presidenziale. Dodici telecamere lo inquadravano e altrettanti agenti della scorta, davanti ai monitor della Sala controllo, spiavano il presidente che trapanava la porta per spiare Melinda che faceva il bagno. Il presidente sudava e trivellava. Quando l'ultimo diaframma di legno cedette, Max accostò il bulbo ingordo al buco. Vide la grande vasca presidenziale in granito rosa delle Montagne Rocciose impreziosito da mattonelle amalfitane raffiguranti un valzer di mazzancolle, il tutto sormontato da rubinetti a becco d'aquila. La vasca era colma di schiuma, e dalla schiuma emergeva il piedino affusolato di Melinda. Melinda era a mollo da qualche parte in quel mare di bolle odorose e cantava:

A good man is hard to find.

Il presidente accostò ancor di più l'occhio, l'avrebbe fatto passare attraverso il buco se avesse potuto, e dalle acque affiorò il volto di Melinda, coi capelli bagnati e gli occhi socchiusi per una goccia di schiuma malandrina. La ragazza posò sulla mano un ricciolo di schiuma e lo soffiò via. Una schiera di bolle iridescenti danzò nell'aria, ognuna portava riflessa una bocca di Melinda che soffiava e il presidente scalpitò, conficcò il bulbo oculare nel buco, puntando i piedi come un toro alla carica.

– Melinda, fammi entrare – implorò – ti lavo la schiena e faccio il bravo, lo giuro.

– No – disse la ragazza – ti conosco, furbone.

– Melinda, sii buona – disse lui – se mi fai entrare ti porto con me a Hakalareaimalagahakane. Mi hanno promesso tre giorni di vacanza. Senza mia moglie. Io e te da soli, in mezzo alla giungla tropicale.

– Non è vero – gorgheggiò lei – devi andare in Usitalia, nelle basi della Dolce Guerra.

– Chi te l'ha detto?

– Uno della scorta.

– Te la fai con la scorta? – disse il presidente furente. – Bada, se te la fai con la mia scorta io sfondo questa porta.

Questo dipanarsi di rime non turbò Melinda che alzò il piedino, stavolta il sinistro, e continuò a cantare. La sua mano carezzava la caviglia. Ma che strana mano, pensò il presidente. Una mano assai poco femminile e pelosa, e che strane unghie! Poi nella nebbia di vapore vide profilarsi qualcosa che poteva essere una pinna di pescecane, o un'ala nera, che sfiorava il collo di Melinda. Il presidente urlò e...

– Qualcosa non va, presidente? – disse la voce secca del segretario Corday, alle sue spalle.

– No – disse Max, ancora incollato alla porta. – Io... stavo cercando una cosa che mi è caduta.

– Forse quel succhiello? – disse il segretario con voce dura. Max notò che aveva lo stesso tono da pubblico ministero di sua moglie Sybil. – Presidente, cosa direbbero i suoi avversari politici se un giornale pubblicasse questa foto? Il presidente dell'Impero intento a spiare dentro al bagno una giovane stagista, dopo avere bucherellato la porta in un punto strategico.

– Non è vero – borbottò il presidente, rialzandosi.

– Presidente – sospirò la Corday – abbiamo già contato ventisei buchi in varie porte della Villa, e li abbiamo tappati tutti.

– Allora siete stati voi!

– E chi se no?

– Non fraintenda. Io trivello per spiare la situazione – disse il presidente, con tono piagnucoloso – stanno accadendo strane cose qua intorno. Non mi sento al sicuro. Prima al campo da golf... poi nella vasca... e poi...

– E poi in clinica psichiatrica, se continua così, presidente.

– Non mi credete, lo so – disse Max. Subito impallidì e disse: – Sente?

– Sento cosa?

Alla dolce voce cantante di Melinda, si era unita una voce roca, mostruosa, un barrito di orco che alternava brani vocali a rutti e risate.

– C'è qualcuno là dentro, signora Corday, qualcuno insieme a Melinda. Guardi dal buco.

– Non occorre guardare dal buco. Ci sono tre telecamere attualmente in funzione e sei addetti ai monitor, tutti intenti a godersi il bagno della sua amata. Crede che se ci fosse qualcosa di sospetto non saremmo intervenuti? Presidente, qua dentro lei ha un solo nemico: se stesso. Se vuole suicidarsi politicamente, faccia pure. Ma non chieda la mia approvazione. Io ho visto passare tre presidenti, sciami di amanti, centododici guerre, Sexgates, Moneygates, Hamburgergates, e ultimamente anche qualche migliaio di tornadi e iceberg giganti. Mi creda, sono un po' stanca anch'io...

– Io... forse sono solo un po' stressato – disse il presidente tenendo le orecchie ben tese verso la stanza da bagno. Ora la voce misteriosa era scomparsa. Si sentiva solo lo sciacquio nella vasca e il ronzare dei sistemi di allarme.

– Andiamo, ora – disse la Corday – la aspettano Petoloni, il tenore, e Gam Boy Ozzy, il generale addetto al morale truppe. Vogliono concordare il duetto per il Megaconcerto. Sono giù nella piscina coperta.

– Vengo.

– Prima si cambi i pantaloni. È tutto macchiato nel solito punto.

Il presidente, in una nebbia di vapore, apparve nella piscina in bermuda rossi a fiori, ricordo di Hakalareihamalahakaseilani. Petoloni, in accappatoio color panna e sciarpa di seta, giaceva sul lettino dei massaggi, dove Stan cercava qualche muscolo da massaggiare tra le dune di trippa. Il celebre tenore stava consumando un frugale spuntino di pizzette e champagne, e a ogni tentativo dimagrante di Stan rispondeva con un boccone rinvigorente. In fondo alla piscina, nella zona ginnica, brillavano le onorificenze del generale Gam Boy Ozzy. Gam Boy si distingueva dai suoi colleghi perché, accanto alle medaglie, aveva tre file di badge raffiguranti i più famosi gruppi rock degli ultimi anni. Egli era soprattutto orgoglioso del MTV, il Michael Teflon al Valore per la sua campagna di rilancio morale in Iraqui, e del Golden Bud assegnatogli per essere stato ferito dalla lattina lanciata da uno spettatore. Ozzy spingeva pesi con le caviglie intelaiato in una macchina rassodaglutei. Era in divisa e i folti capelli biondi stillavano sudore per lo sforzo.

– Presidente Max, che piacere – disse Petoloni, levandosi lentamente a sedere.

– Il piacere è mio, Petoloni – disse il presidente, togliendosi la maglietta e apparendo in tutto il suo curvilineo splendore. – Che ne dice, facciamo una nuotata?

– Oh no, per carità – rispose Petoloni in re bemolle – sono un pessimo nuotatore. Ho terrore dell'acqua.

– Come vuole – disse il presidente, e con un agile tuffo si fiondò a centro piscina. Il fedele Baywatch, cane presidenziale, lo seguì, riempiendo l'acqua di pulci presidenziali. Il generale Ozzy storse la bocca.

– Dobbiamo proprio discutere qui dentro?

– Fa caldo oggi – disse il presidente – e qui è il posto ideale. – Il generale Ozzy era uno dei pochi generali che contava un po' meno del presidente.

– Veramente venendo qui abbiamo incontrato due uragani, Chico e Pallina – disse il generale. – Lo so che è disfattista parlare del clima, ma è due settimane che prendo un tornado al giorno. Due giorni fa, al concertone di beneficenza per i bombardati guatzechi, mi son volati giù dal palco metà dei cantanti. Stella Stricnick ha dovuto cantare ammanettata alla batteria.

– Vorrei altre dieci pizzette, un frullatino e parlare di lavoro – disse annoiato Petoloni.

– Sono a sua disposizione – disse il presidente – ha qualche idea?

– Be', pensavo che il nostro duetto voce-oboe sul remix Parsifal-Prince abbia ben funzionato, l'ultima volta. Ma il pubblico si aspetta qualcosa di nuovo da noi – disse Petoloni – qualcosa di forte e guerresco e insieme dolce e seduttivo.

– Che ne dice di una versione techno di *Scalinatella*? – disse Ozzy.

– Per carità, basta roba napoletana. Deja vu, dicono a Posillipo.

– Allora un bel coretto tipo Beatles. *Please please me*. Lei, il presidente e due Bomb girls che sono anche carine.

– No – disse Petoloni con gesto ispirato – ho pensato a questo. Entro io vestito da angelo. Con me un coro di cinquanta pargoletti, e cantiamo l'*Alleluiah* di Händel. Poi, su un carro armato bianco o qualsivoglia blindato, entra lei, presidente...

– Vestito da padreterno?

– Non scherzi. Entra lei vestito da bambino con le braghe corte e lo zainetto firmato, quello è necessario per gli sponsor. Che straordinaria suggestione per il pubblico: il presidente dell'Impero è un bambino come tanti, un umile bambino col suo oboino che si unisce a noi nel coro, per chiedere a Dio la pace.

– No, no e poi no – protestò il presidente – vestito da bambino no. Magari volete anche che mi metta le dita nel naso. No, ne va della mia dignità.

– Presidente – disse Ozzy – mi dispiace ma è già deciso. Il generale Ciocia, Soldout e Hacarus in persona hanno letto e sottoscritto il programma artistico del concerto.

Il presidente si tuffò sott'acqua per nascondere il broncio. "Non conto proprio niente, cazzo, meno di niente," ripeteva al fondo ondulante e bluastro. Si esibì in alcune bracciate furiose e si schiantò con la testa contro il bordo della piscina. Virò facendo finta di niente. Il rumore dell'acqua nelle orecchie lo stordiva. "Voglio restare così," pensò, "in questa salamoia clorata per un mese, senza vedere e sentire nulla." In quel momento un dolore al braccio lo risvegliò dalla trance. Il fedele Baywatch, cane da recupero acquatico, lo aveva gentilmente azzannato e lo portava su. Lo trascinò fin sul bordo della piscina.

– Bravissimo! – disse Petoloni, battendo le mani. – Che cane intelligente!

Baywatch scodinzolò e fissò il presidente negli occhi. Max notò che aveva una strana espressione, eccitata. Prima che il presidente potesse reagire, Baywatch lo bloccò con una zampa e iniziò a praticargli la respirazione bocca a bocca, usando la lingua come un manicotto.

– Basta, Baywatch, giù – gridò il presidente, sottraendosi e sputando – ma è pazzo, non lo ha mai fatto!

– Forse vuole giocare – disse Stan.

– Fa il suo dovere fino in fondo – commentò Ozzy.

– O forse la ama – rise Petoloni.

Baywatch scodinzolava, soddisfatto.

– Be', mi sono proprio divertito – disse Petoloni – ma ora, se l'auto è pronta, devo andare. Ho un concerto a Boston domani sera. L'*Aida* con la Mitipopoulos, quella laidona, si ciuccia un coro ogni volta. E quella checca di Vanak che fa Amonasro. E il direttore Padelli, che potrebbe dirigere tutt'al più un coro di gatti, per non dire del primo violino...

Il trillo della linea di sicurezza interruppe il delicato sfogo del cantante. La faccia di Stan si rabbuiò. Passò la linea a Ozzy, che bestemmiò militarmente.

– Maestro Petoloni – disse il colonnello – c'è un piccolo inconveniente. L'auto che doveva accompagnarla all'aeroporto... Be', non so come dire, è stata attaccata da uno sciame di moscerini.

– Moscerini?

– Lo può vedere anche da qui – disse Ozzy, indicando il prato. In effetti la limousine nera sembrava foderata di pelo. Una massa ronzante e frizzante la avvolgeva tutta. Quattro soldati armati di getti d'acqua cercavano di combattere l'invasione.

– È la fine del mondo – modulò drammaticamente Petoloni – caldo e gelo, moscerini impazziti, tornado e indagini sulle mie tasse... Cosa può accadere ancora?

Un luce rossa prese a pulsare sul soffitto. Il leggero ronzio che aveva accompagnato la conversazione cessò di colpo.

– È saltato l'impianto dell'aria condizionata – disse il presidente. – Non è un problema, la staccano dieci minuti e poi riprende.

– Dieci minuti? – si lagnò Petoloni. – Ma in dieci minuti io mi squaglio, e poi quando tornerà l'aria condizionata subirò uno choc termico, la mia voce non sopporta sbalzi di temperatura, è una iattura, è una tragedia, io...

– Si faccia un bagno – disse una voce da qualche parte. Max avrebbe giurato che provenisse da Baywatch.

– Sì, è una buona idea – disse Petoloni, con strana aria sognante. – Ma ribadisco e itero che non so nuotare.

– È una buona occasione per vedere in azione Baywatch – disse Max. – Si tuffi e lui la sosterrà, è come avere un salvagente. È un Labrador Water Ranger. È nato per questo.

– Veramente? – disse Petoloni. Baywatch scodinzolò, rassicurante.

– Vada – disse Max – l'acqua è tiepida.

Petoloni si tolse l'accappatoio bianco. Sotto indossava un delizioso paio di bermuda con la maschera mortuaria di Beethoven. Entrò nella parte della piscina dove si toccava, avanzando come un grosso tricheco. Si diresse verso la zona blu e profonda, diede due bracciate goffe e quando si accorse che non toccava più cominciò ad annaspare.

– Vai, Baywatch – ordinò Max.

Baywatch si grattò un orecchio con la zampa.

Petoloni emergeva solo con mezza testa, non si capiva se rideva o ansimava, ma riusciva ancora a tenersi faticosamente a galla.

– Niente paura – lo rassicurò Max – Baywatch non può resistere all'istinto di tuffarsi, è nel suo diennea. Vai, Bay.

Baywatch sbadigliò. Il suo diennea pure.

Petoloni stava affondando in un brodo di bolle.

– Cristo, vai, Baywatch – gridò Max – ma cosa ti succede?!

Baywatch appoggiò la testa sulle zampe e si mise a sonnecchiare.

– Vada lei, si butti, Ozzy.

– Sono un generale di forze terrestri. Non so nuotare neanche io...

– Allora vado io – disse Max, e si tuffò. Ma Petoloni era già colato a picco e giaceva sul fondo, centocinquanta chili di ciccia e cloro ingerito. Il presidente ci mise due minuti a riportarlo all'asciutto. Non c'era più nulla da fare. Così finì il più grande tenore del mondo, anche se i giornali parlarono di fatale malore. Il generale Ozzy perse il posto. Baywatch, esaminato dal più grande psicocanalista del paese, non rivelò turbe particolari. Sola stranezza, il suo pelo emanava un insolito odore di spezie orientali.

5.
IL SIGNORE DEI FULMINI

Il vulcano sparava lapilli, fumo e macigni roventi. L'Isola tremava. Una nube nerastra impediva agli aerei di decollare, e due di loro erano scomparsi, come inghiottiti dal cratere. Le colate di lava solidificata e fumante formavano il disegno di una gigantesca mano che dalla cima si protendeva verso il mare. Mentre Poros saliva lo stretto sentiero nella roccia, pietre infuocate sibilavano sopra la sua testa e andavano a tuffarsi fumigando tra le onde scure. Il vento a forza otto cambiava direzione ogni minuto, e strappava gli ormeggi delle barche. Al largo la portaerei *Dread* era tutta cosparsa di cenere, e per strani rigurgiti sottomarini, una piovra gigantesca era piombata sulla pista di lancio stritolando due caccia F16, prima di venire abbattuta e bollita. Un boato scosse il cielo e una colata di lava guizzò minacciosa a pochi metri da Poros.

– Adesso basta, Kimala – urlò il Diplomatico – puoi essere arrabbiato finché vuoi, ma sono sempre tuo fratello.

Il vulcano emise un sordo brontolio. Dalla parete di roccia davanti a Poros si staccò un masso, mostrando l'entrata di una galleria rossa e viscida come il palato di un mostro. Nubi solforose accolsero Poros all'entrata. Tossendo, avanzò strascicando i piedi nella fanghiglia calda. Un nugolo di salamandre gli correva davanti. Poi la galleria si allargò in una caverna sotterranea, una fornace fumosa con stalagmiti alte come obelischi, i pipistrelli gridarono, una vampata strinò le sopracciglia del Diplomatico. Un vento sotterraneo e impetuoso sibilava in alto, nel buio voltone di roccia, e una vibrazione misteriosa agitava la fanghiglia e faceva rotolare i ciottoli. Vide mostruose rane rosse il cui dorso emanava fiammelle azzurre, in un flambé perenne. Vide un gruppo di urophon, il drago degli abissi che credeva estinto da secoli, corpo di sauro e grandi ali di libellula. Tenevano la coda fosforescente alzata, illuminando la scena come un candeliere. E al centro di un lago di lava, Poros vide Kimala.

– Benvenuto, fratellino – rise lo spirito. Era alto come un albero, sul viso nero spiccavano gli occhi rossi contornati dal kajal, i lunghi capelli erano attorti a tralci d'edera e foglie rosse, rosse erano le unghie delle mani. Le ali, che una volta erano maestose e ampie come quelle dell'antico pterodonte, ora erano grigie e bruciate, brandelli di membrana pendevano qua e là, e c'erano evidenti segni di rattoppi. Lo spirito tossiva, sputando boli di fuoco tutto intorno. Colpì con una mazza ferrata un macigno e ne fece scaturire lava liquida, come tuorlo d'uovo. Gli schizzi giunsero fino a Poros.

– Grazie del benvenuto – disse il Diplomatico.

– Ti stai rammollendo a vivere lì fuori, fratello – disse Kimala – e dire che di fuoco ne avete anche voi, anche se chimico e innaturale. Seicento esplosioni ho sentito, solo questa settimana. La caverna sta crollando, le pareti si crepano. La lava esce da tutte le parti.

– Non sembra che ti dispiaccia.

– Se gli uomini vogliono distruggersi, non vedo perché ostacolarli – rise Kimala. Spaccò un altro uovo, versò la lava in un paiolo di roccia e cominciò a soffiare con la bocca come un mantice.

– Non puoi agire così – disse Poros – hai giurato. Il nostro compito è di intonare le forze del mondo, non possiamo interferire.

– Loro interferiscono, Poros – disse Kimala, col volto arrossato dal calore e dall'ira – loro hanno allontanato le armonie, loro hanno incendiato i boschi di quest'Isola e bombardato mare e montagne, loro hanno avvelenato l'acqua. Il fiume era cristallo vivo, ora è fiele giallastro. Il bosco degli eucalipti è un deserto di cenere, i pesci dello stagno muoiono boccheggiando con le branchie strangolate dall'alga velenosa, il vento porta l'odore della loro putrefazione. La terra vuole difendersi, e chiede aiuto. Siamo rimasti solo noi ad ascoltarla. E io ho deciso: per salvare la terra, bisogna aiutare gli uomini nel loro sogno di autodistruzione.

– Tu sei impazzito, Kimala. Non tutti gli uomini vogliono questo.

– Forse è una piccola parte di loro – disse Kimala – ma è una piccola parte che può tutto. – Smise di soffiare, da qualche parte nel fondo della caverna due urophon gli portarono un blocco di ghiaccio. Kimala lo buttò dentro al paiolo di pietra, e la reazione con la lava provocò una nube densa e fischiante, che Kimala prese a plasmare delicatamente, come modellasse un'anfora.

– Stai ancora costruendo tornadi – disse Poros.

– Bellissimi, rotondi, funzionali tornadi – rispose Kimala, manipolando il getto d'aria con maestria – ne ho cinquantasette pronti, in fondo alla caverna. Ognuno legato alla sua catena. E quando ne ho bisogno, li libero. Lo vedi questo? Fa i trecento all'ora, rotazione oraria molleggiata, ottima tenuta anche su terreno accidentato. Ha seicento fulmini come optional, più l'effetto trivella per i centri abitati. Entra dai tetti come un Babbo Natale, e porta in dono un cambio totale di arredamento. Trasforma le auto in bellissime torte di metallo. Annoda i tralicci, spettina i giardini, fa volare i camion. Si chiama Neropius Vertigotropus. Come mi fa incazzare il fatto che lo chiameranno Cindy, Willy o con un altro di quei nomignoli da peto.

– Ne hai liberati troppi questo mese – disse Poros – e scommetto che quello che sta succedendo alla Villa Bianca è opera tua.

– Proprio così, fratellino – ammise Kimala, tirando in aria il tornado e riprendendolo al volo come pasta da pizza – ho lì due miei soldati, Melinda e Bes Budrur, con Ukobacco come aiutante. Lei tira matto il presidente. E Bes scalda l'atmosfera con qualche scherzo.

– Ho subito pensato che fosse opera sua, solo lui sa comandare così gli animali. I moscerini, quel povero cane posseduto.

– L'ha usato solo qualche minuto. Ma lo abiterà ancora. Abbiamo un sacco di sorprese in serbo.

Poros e Kimala si guardarono negli occhi, con sfida. Era accaduto molte volte nei secoli, ma stavolta la faccenda sembrava assai seria.

– Anch'io ho i miei soldati – disse deciso Poros. – Uno spirito cacciatore sta per raggiungermi, e lo manderò a cercare qualcosa di molto prezioso. Se tu combatti per distruggere gli uomini, io cercherò di salvarli, Kimala. Vuoi proprio essere mio nemico?

– Per adesso no. Diciamo che è una gara sportiva. Ce la giochiamo?

– Bada, Kimala. Tu sai che posso essere forte almeno quanto te.

Kimala prese il tornado, lo chiuse in un otre e se lo mise sulle spalle. Il tornado scalciò.

– Né tu né io possiamo fare nulla, fratello Poros, spirito della musica e della parola. Le armonie si sono allontanate, gli spiriti sono dispersi e divisi, e non potrai mai più riunirli. Il mondo sta tornando indietro, il suo orologio ha preso a girare al contrario, verso il buio e il deserto dell'inizio, e corre sempre più in fretta. Il suo tam-tam è un cuore che si spegne.

– Dammi tempo, Kimala. Possiamo ancora fare qualcosa.

– Buona fortuna, fratello – disse Kimala scomparendo nel buio – mentre tu parli, le foreste bruciano.

– Questo è il cielo – disse Salvo, indicando la duna bianca su cui lui e Ofelia erano sdraiati. – In questo grande cielo, con il bastoncino io traccio un cerchio che contiene me e te. Il cerchio è la nostra Isola. Dentro questo cerchio io metto un sasso che è il nostro piccolo paese. Ecco, la Storia contiene questo: il cielo, l'oceano e tutto il mondo, fino al paese e a questa spiaggia. Chi sa di abitare in tutti questi posti, conosce la Storia.

– E io e te dove siamo? – disse Ofelia. Era magra, con le trecce adorne di perline, gli occhi scuri e malinconici dei kuduin.

– Io e te siamo qui – disse Salvo, indicando con un gesto tutto intorno.

– E cosa facciamo nella Storia?

– Io devo vendicare mio padre – disse Salvo tranquillo – devo solo aspettare il momento giusto. Sarà una notte piena di gente e musica. Il cielo sarà dipinto di colori. Lui verrà, con la sua canna da pesca. E mi dirà cosa devo fare.

– E perché devi vendicarlo?

– Per giustizia.

– Non mi piace questa parola. Tutte le volte che l'ho sentita pronunciare, è successo qualcosa di terribile sull'Isola. Prima hanno ucciso i miei, poi i tuoi. La giustizia è una bella parola quando nasce, ma per strada perde calore e forza, diventa fredda e crudele. La giustizia è come il corallo. Sott'acqua è rosso fuoco, in terra muore e si scolora.

Salvo lanciò un sasso nell'acqua, e il corpo magro sembrò scosso da un brivido.

– A te posso perdonare tutto, Ofelia. Ma tuo zio Mekan ha ucciso la mia gente, stanandola casa per casa. E non ha mai pagato, ora ride con gli amici al bar. È giusto questo?

– Non lo so. So che una settimana fa qualcuno gli ha messo della sabbia nella pompa dell'olio, e il motore della barca ha fuso.

– Non era sabbia, era zucchero.

– Ti ho beccato, sabotatore.

– Meriterebbe di peggio.

– Vuoi che ti parli anch'io dei miei morti? – disse Ofelia, con voce triste.

– No – disse Salvo – so che anche tu hai sofferto. Ma allora dimmi, cosa ci metti al posto della giustizia?

– Io ci metterei una scuola.

– Una scuola? – rise Salvo, saltando in piedi allegro, come avesse subito dimenticato le parole di prima.

– Una scuola – ripeté Ofelia – una piccola scuola, come quella di Ostelj, con le carte geografiche sui muri, gli animali e le stagioni. Coi banchi pieni di messaggi d'amore e parolacce. Con l'odore di minestra in ogni angolo.

– E cosa farai in questa scuola?

– Farò la maestra. Entrerò in classe e tutti si alzeranno in piedi e diranno in coro "Buongiorno signora professoressa, possa star tu come sta essa". E poi mi riempiranno di pernacchie e aeroplanini. Ma non farò l'autoritaria. Non sgriderò nessuno perché ride. Starò lì a guardarli mentre fanno il tema, con le teste chinate, ognuna diversa dall'altra, ognuna matta a modo suo. Imparerò le loro parole strambe e gli insegnerò le mie. Riconoscerò subito da dove vengono, appena fanno merenda.

– La merenda?

– Sì. Noi kuduin facciamo il pane a treccia. Voi il pane duro a ciabatta. I montanari mettono i semi di cumino, gli usi fan tutta crosta, i maureddini la mollica compatta, i plavi la focaccia di segale, i pastori dell'interno delle gran fette gialle. Ma sempre pane è.

– Io invece – disse Salvo – se potessi comandare in una scuola, farei la processione di San Zaino Martire.

– E cos'è?

– Una volta all'anno i professori della scuola sono obbligati a chiedere perdono per tutti i libri pesanti e costosi con cui caricano la schiena degli alunni. Tutti in fila, ognuno con un sacco carico dei libri di tutta la classe, i maestri salgono il ripido sentiero di montagna che porta alla basilica di San Zaino Martire. Qua, stremati, cadono in ginocchio e pregano per le ossa e le gobbe dei loro scolari.

– È una vendetta terribile – ammise Ofelia – saresti davvero un preside severo.

– E tu sarai severa?

– Severissima, con quelli come te – rise Ofelia. – Dirò: "Vai nell'ultimo banco, giustiziere, anzi per punizione vai fuori e gioca coi ragni finché non sei stanco".

– E dopo la scuola cosa farai?

– Dopo la scuola verrà a prendermi il mio fidanzato.

– Cioè io.

– Fossi matta. Un marinaio come quelli della base, con la divisa blu e la pistola.

– E se io divento marinaio?

– Be' – rise Ofelia, scendendo dalla duna ed entrando con i piedi nell'acqua. – Dovresti farmi dei regali.

– Io lo so cosa ti regalerei – disse Salvo, seguendola. – Ti regalerei una pelle di urophon, che se qualcuno ti manca di rispetto si trasforma in quattro leopardi furiosi che lo sbranano, e quando nevica cresce come il tendone di un circo e può coprire mille persone, e se vuoi nasconderla diventa un fazzolettino, e può spalancarsi e farti volare come il mantello di uno scoiattolo volante, si mimetizza come la pelle del camaleonte, brucia di elettricità come la torpedine e punge come lo scorfano.

– Invece io sai cosa ti regalerei? – disse Ofelia. – Un bellissimo astuccio da scuola, con trentasei matite colorate, quattro azzurri diversi e quei viola che non sai mai dove usare, e il righello, e due gomme morbide che camminano da sole e cancellano le parole danzando, e un temperino per il tuo naso.

– Vuoi dire che ho il naso lungo?

– Non l'ho detto – disse Ofelia, saltando su una roccia che affiorava, tra una fuga di granchiolini.

Salvo la spruzzò d'acqua. Iniziarono a rincorrersi sul bagnasciuga. Salvo, con le gambe più lunghe, si lasciava rincorrere e avvicinare e poi faceva una capriola rapidissima, toccando terra con una mano, e ripartiva nella direzione opposta. Poi si fermò di colpo e lei lo afferrò per un braccio.

– Preso! – gridò Ofelia.

Salvo, col fiato rotto per la corsa, le fece cenno di tacere.

– Ascolta – disse.

Ofelia non aveva l'udito straordinario del ragazzo, ma presto sentì. Era un rombo lontano e regolare. Sull'orizzonte apparvero quattro punti neri. Poi ci fu un bagliore in mezzo al mare, e un rumore sordo. I punti si avvicinarono. Erano quattro elicotteri da guerra.

– Forse hanno colpito una barca – disse Ofelia. – Oh Dio, mio padre è in mare.

– No, la barca di tuo padre è in porto. È quella con la fila di bandierine gialle, la vedi?

Ofelia si prese il volto tra le mani.

– Perché non ci lasciano pescare? – sospirò. – Che male gli facciamo?

– Hanno paura che le barche trasportino armi. Solo loro vogliono essere armati.

– Corro da mio padre – disse Ofelia.

– Lo vedi? – disse Salvo. – Tu puoi correre da lui ogni giorno. Io no. Capisci adesso?

– Forse sì – disse Ofelia. – Che gli spiriti ti proteggano, Salvo. Qualunque cosa farai, io so che tu sei buono.

Ofelia corse via, saltando tra le corde degli ormeggi, verso le capanne di falasco del villaggio. Un tuono lontano annunciava il risveglio di Kimala.

– Non sono buono! – gridò Salvo, con tutta la voce che aveva in corpo.

Poros aspettava, sotto la pioggia scrosciante. L'uragano di Kimala squassava il mare. Da lontano vide sbandare nel vento l'albatro. L'uccello tentò un atterraggio di fortuna e si schiantò nella sabbia ai suoi piedi. Si rialzò goffamente, puntellandosi sulle ali e si trasformò nella seicentotrentesima forma tra le mille del suo repertorio. Un giovane orientale, con un orecchino d'oro e ampi pantaloni rossi. Lo spirito cacciatore Aladino Hazael Hirundo si inchinò al suo maestro.

– Scusa il ritardo, Poros. Un tempaccio.

– Tutta opera di Kimala. È impazzito, non so più come fermarlo – disse Poros.

– Devo fermarlo io?

– Ti incenerirebbe in un attimo. Tu hai una missione importante: trovare subito la gemella di Salvo. La stanno cercando, è in pericolo. Non sappiamo che volto abbia, né come si chiami adesso, forse ha mantenuto il suo nome, Miriam. Conosciamo soltanto la città in cui vive, e sappiamo che abita in un palazzo giallo a cinque piani, da dove si vede un luna-park. Vai in Usitalia e trovala. Ma ricordati: dovrà venire spontaneamente con te, non potrai rapirla...

– Una città, un luna-park, un palazzo giallo. Ma allora sarà facile.

– Non lo sarà. La ragazza ha dieci anni ma sa difendersi. Ha magia nelle vene. Conosce tutti i trucchi per mascherarsi, proprio come te. Sa che chiunque la cerca può essere un nemico. Se la trovi, mostrale questo ramo di corallo. Apparteneva a lei. E non parlare con nessuno di questa storia. Prima o poi ti scopriranno, ma hai un piccolo vantaggio su tutti. Vai veloce.

Aladino fiutò il corallo. Sentì l'odore della bambina, della sua camera in riva al mare, delle notti insonni nell'orfanotrofio, delle sue lacrime e della nuova città nebbiosa. Il vento gli gonfiò i pantaloni di seta e il viso gli si deformò mentre iniziava a trasformarsi.

– Vado – disse con voce flebile, mentre la sua statura si riduceva vistosamente.

– Andrai come albatro?

– No, come topolino.

– Ma sei pazzo? Un topolino volante. Come farai?

– Nessun problema. Basta nascondersi tra le valigie e prendere l'aereo giusto.

6.
USITALIA

Il paese esprime sempre una volontà di cambiamento, e questa è la miglior garanzia dell'immutabilità politica. Basta non cambiare mai, di modo che il popolo possa continuare a esprimere la sua volontà di cambiamento. Perciò in Usitalia si era deciso che tutti dovevano assomigliarsi, virtuosi e gangster, modernisti e passatisti, moderati e moderisti. Decine di facce promettevano, incominciavano, interrompevano, ribadivano le solite cose, dentro e fuori gli schermi, e in quel rutilante scorrere di nulla ogni cittadino trovava le sue ragioni e subito le dimenticava, e gli restava dentro solo l'eco di un disagio rabbioso. Così il Reame del Gangster Catodico e dei suoi maggiordomi neri e rosa, sembrava volere le stesse cose del Misterioso Grande Centro o del Monastero dei Beati Progressisti, identiche erano le orazioni, i rosari e le parolacce, identica la miseria di idee e la sudditanza ai forti. Chi aveva idee, in quel paese, se le portava addosso da solo, come una gerla, e le scambiava coi passanti. Per il resto, lotte da città a città e da ducato a ducato, tenzoni proporzionali e maggioritarie, fulmineo scorrere di risse e insulti poi trasformabili in alleanze e bicamerali con bagno, promesse d'odio eterno ed eterni compromessi, e poi referendi e tradimenti e rimpasti e ribollite e ribaltoni e insulti alla storia, alle vittime, ai deboli. Si demandava ai magistrati di giudicare quello che spetta a ogni coscienza civile: se ai potenti sia concesso qualsiasi reato e delitto. Sì, era la risposta, e ogni dignitoso sogno aveva abbandonato le anime di quel popolo, lasciandoli lieti di affidare la loro libertà a gangster e mafiosi, e sentirla minacciata dal mendicante all'angolo. La loro indignazione aveva respiro meno che settimanale, e durava più per un rigore non concesso che per un delitto non svelato. Sì, senza coscienza civile, senza storia, senza giustizia, la vita in quel paese aveva il lento scorrere di un funerale.

Così anche nella città ove si reca la nostra storia, città già un tempo simbolo del progressismo, che tutta si industriava per preparare il suo infausto destino, il dover essere deflorata dalle armate di destra. Ma allora nessuno lo credeva, nel suo beato accecamento. Guai a perdere quel prezioso pezzetto di potere. Guai a interrompere feste celebrazioni e affari coi fratelli di rinfresco e di loggia. Guai a essere troppo diversi dagli altri. Perciò nessuno avrebbe visto, in quel palazzo del governo cittadino, gogne di speculatori, roghi di finanzieri, fluire di popolo padrone e fiero. Anzi, una lapide che ricordava una bomba lontana si stava ossidando, alla luce di neon pronti a illuminare concerti di cantautori fedeli alla causa. Ingialliva come una grande foglia, e così ingialliva nell'animo delle persone la verità dell'evento. Era stato vero, o forse un film, di cui nemmeno ricordavano più il titolo? E perché mai, dicevano i governanti di Usitalia, i giovani non ricordano ciò che ogni giorno noi cerchiamo di fargli dimenticare?

Aladino Hirundo, spirito cacciatore, arrivò sotto spoglie di piccione e considerò la situazione prima di prendere sembianze umane. La situazione era politicamente ed emozionalmente tranquilla. Un consiglio comunale si preparava a ratificare ciò che era già stato deciso la notte prima davanti a una carbonara, intesa come spaghettata e non già come rivoltosa risorgimentale. Auto blu andavano e venivano nel cortile dell'antico palazzo. Uomini di scorta facevano scendere i loro protetti con collaudate coreografie. Una telecamera vagolava qua e là, riprendendo nuche, un microfono inseguiva un assessore finto riottoso. Aladino prese le sembianze di un fotografo anni trenta, con Borsalino e Leica col flash. Salendo su per lo scalone, si incontravano vigili e vigilesse e poi, tra un'armatura quasi antica e un distributore di bevande quasi calde, si spalancava un corridoio, guarnito sul pavimento da una colata di mirtilli, un tappeto violaceo cardinalizio. In fondo c'era la segreteria del sindaco, tutto un pulsare di fax e ticchettare di tastiere e squillare di telefoni. Oltre quel luogo prezioso dove la nuova rapidità tecnologica si sposava con l'antica tenacia segretariale, stava l'ufficio del sindaco moderista Rutalini, eletto con quarantaseimilatrecentoquaranta preferenze di cui aveva sentito tutta la responsabilità, almeno nelle prime ventiquattr'ore. Il sindaco beveva il caffè, leggeva i giornali e si grattava l'uccello, operazioni che sapeva abbinare a riprova della duttilità governativa del suo partito. Era rotondetto ma assai elegante in un impeccabile completo color blu elettrico e cravatta con sciame d'api: bisognava essere all'altezza degli altri in tutto, anche nell'eleganza. A un tavolo d'angolo una segretaria magra e triste carezzava i tasti di un computer e guardava amoreggiare i piccioni su un tetto lontano. Il sindaco le chiese quali fossero gli impegni della giornata.

La segretaria, sempre guardando i piccioni, li elencò. Il sindaco sospirò.

L'agenda era ben farcita. Per prima cosa, bisognava prendere durissimi provvedimenti preventivi contro l'occupazione di case. Poi bisognava pronunciare almeno dodici volte, in pubblico e in privato, la parola "microcriminalità". In seguito bisognava preparare il dibattito pubblico di lunedì curando il particolare politico più importante, e cioè la presenza del telepresentatore Polipone in qualità di moderatore. Poscia bisognava inaugurare la Fiera della Marmitta e il Clacson Show. Poi a pranzo con un noto finanziere fascista ma farcito d'oro, per via di una certa cessione di un ex manicomio che qualcuno voleva adibire a uso pubblico, orrore, quando sarebbe diventato un utile e splendente centro commerciale. Poi la consueta telefonata pomeridiana col cardinale, per ascoltare le sue reprimende. Due collegamenti televisivi. La sera, cena in loggia col Magifico Rettore per la laurea honoris causa al celebre fotografo Olimpio che portava in dote miliardi di sponsorizzazione. Era gradito il cappuccio scuro. In tutto questo bisognava inserire un fastidioso incontro con operai in sciopero, il problema di una scuola che cadeva a pezzi e di nuovo alcuni senegalesi sfrattati.

– Non riuscirò a fare tutto – pensò.

In quel momento il telefono squillò. La voce eccitata della segretaria annunciava una telefonata importante. Il sindaco impugnò il ricevitore. Disse nell'ordine un "mah", tre "proprio così" e vari "okay". Poi sospirò e disse altri sei "certo". Quindi riattaccò. Non era del tutto convinto di avere esposto le sue idee, ma aveva capito. Convocò immediatamente nel suo ufficio l'assessore alla cultura, derattizzazione e politiche sociali Pancetta. Ma costui, in giacca blu sopra informali jeans, quella mattina non aveva voglia di nulla. Allungato sulla poltrona, le scarpe sulla scrivania, aveva messo tra sé e il mondo il velo rosa di una gazzetta sportiva. Reggeva quel sipario e la crisi del suo ciclista preferito lo atterriva più di tutti i Chiapas del mondo. Ma ahimè, poiché il telefono continuava a suonare, rispose all'appello del sindaco e decise di affrontare la giornata. Uscì nei vasti corridoi adorni di stemmi araldici e regolamenti sulla pesca in acque fluviali. Scansò un paio di commercianti con un documento di protesta sulla microcriminalità e una scolaresca che veniva a visitare il famoso quadro *Gentiluomo con lasagne* di Angelo Caroselli, anche se il quadro era stato noleggiato a suon di dollari a un museo americano e al momento c'erano solo le foto, naturalmente di Olimpio. Raggiunse il distributore delle bibite quasi calde, calpestando una mota di zucchero e caffè versato. E proprio lì, appoggiato al muro con aria beffarda, c'era uno strano figuro. Un uomo alto e magro, vestito anni trenta, con un Borsalino color panna e una macchina fotografica antidiluviana.

– Allora, assessore?

– Non ho tempo per le interviste – disse l'assessore.

– Volevo solo farle una domanda. Secondo lei è più popolare Zenzero o Rik?

– Non ho tempo da perdere – rispose sgarbato l'assessore. Da lontano, il manipolo dei senegalesi avanzava minaccioso nel corridoio. Scappò via e si precipitò nell'ufficio del sindaco.

– Pancetta, una domanda – lo folgorò Rutalini appena lo vide. – Secondo lei è più popolare Zenzero o Rik?

Pancetta ebbe un attimo di smarrimento. Si voltò per vedere se l'uomo col Borsalino non fosse per caso nella stanza. Poi rispose:

– Sono tutti e due sulla cresta dell'onda. Forse Rik piace di più ai giovani. Ma perché me lo chiede?

– Mi ha chiamato il leader Massimo. Gli hanno telefonato direttamente dall'Impero. Ci sarà un Megaconcerto per il decennale della Dolce Guerra. E poiché siamo alleati in armi, dobbiamo esserlo anche sul palco. Il gangster ha già messo a disposizione tutti gli artisti della Trivideo. E a noi hanno chiesto i migliori. Il tenore Petoloni e il comico Belsito sono già nostri fedeli ambasciatori nell'Impero. Poi schiereremo Felina Fox contro Gragnocca Gragna. Ma loro avranno Zenzero, il cantante mistico, neoagico e positivo. C'è un solo cantante rock che lo uguagli in popolarità, ed è Rik: dobbiamo assolutamente convincerlo.

– Sarà dura – disse Pancetta – Rik è notoriamente un fifone. Teme la politica, l'aereo, le malattie, è superstizioso marcio, figuriamoci mandarlo in zona di guerra.

– Dovremo farlo – disse il sindaco. – È un ordine dell'Impero. Guai se fallisci. Ti rimetto all'assessorato parcheggi e carri attrezzi.

Pancetta uscì di malumore. E subito, vicino al distributore di bibite, rivide Aladino, cioè l'uomo col Borsalino. Quello lo guardò, sorrise, mise una moneta nella fessura, aprì lo sportellino e invece di un'aranciata ne fece uscire due uccellini rossi e gialli, che volarono fuori dalla finestra.

– Cos'è lei, un prestigiatore? – disse Pancetta, secco. – Guardi che il cartellone degli spettacoli comunali è al completo.

– E i soldi tutti assegnati, lo so – disse Aladino. – Allora, ha scelto Rik?

– Sono affari miei – disse Pancetta – si può sapere cosa vuole?

– Dov'è il vostro computer con le planimetrie cittadine?

– Non può essere consultato dal pubblico – disse Pancetta. – Chi è lei, una spia degli squatter? Se ne vada, non ho tempo.

– Non avete mai tempo per chi, secondo voi, non conta, vero? – disse Aladino. – Proprio come gli altri.

– Mi fa la predica? Io ho delle responsabilità politiche e delle priorità.

– Ma lei è sempre stato così?

– Certamente – disse Pancetta. Lo colse un capogiro improvviso, si appoggiò al braccio dell'uomo, sentì uno strano odore di spezie orientali e svenne. Quando riaprì gli occhi, era in una piazza. Qualcosa gli ondeggiava davanti agli occhi. Erano capelli, aveva nuovamente i capelli lunghi, la barba e reggeva uno striscione! Davanti a lui, uno schieramento di polizia. L'uomo col Borsalino era al suo fianco, del tutto incongruo in una schiera di ragazzi con l'eskimo. C'era il sindaco, magro ed esagitato, che urlava minacce contro quattro dei cinque continenti. C'era l'assessore al traffico. C'era Bettelli, che adesso dirigeva un giornale di destra. C'era il povero Marco. E Cristiana, bionda e bellissima.

– Che scherzo è questo. Cos'è lei, un ipnotizzatore? Dove siamo?

– Davanti al suo ufficio, vede quella finestra lassù? Avevo ragione io. Lei una volta era diverso. Ha dimenticato tutto?

– I tempi... sono cambiati – disse Pancetta. La piazza svanì, come nella dissolvenza di un film. Ora erano a un tavolo di un bar, in una città che assomigliava a Parigi.

– Io la preferivo coi capelli lunghi – disse Aladino, alzando un calice di Pernod. – Lei diceva spesso parole superficiali e velleitarie ma ne diceva anche di giuste e generose. Perché le ha vendute? E perché per così poco?

Pancetta si guardava intorno stupito. I battelli passavano sulla Senna. Sul quai, transitavano vecchie Citroën ballonzolanti. Ma soprattutto, al tavolo vicino aveva riconosciuto Lenin che leggeva un giornale rosa a lui ben noto. Un battello fece risuonare la sirena, si udì un grido: "Chi vuole cambiare idea, si parte".

– Noi siamo dovuti diventare un po' come gli altri, ma era necessario. Abbiamo responsabilità, riforme, errrr... (si schiarì la gola). Abbiamo un avversario politico crudele, quando è maggioranza ci opprime, quando è opposizione ci giudica.

Lenin si alzò dal tavolo, si slacciò il cravattino e gli si sedette di fronte, irato.

– Chi vi giudica? – gridò. – I pensatori della destra? Quei quattro fighetti che vedo scodinzolare in televisione? Le logge affariste che chiedono luce su ogni passato meno che sul loro? Sono questi ipocriti che hanno sostituito lo sguardo della nostra storia, dei nostri amici, di chi ha pensato e lottato per noi? No, non c'è nessun moloch che vi sovrasta. No, tutto quello che fate lo fate perché lo volete, ogni giorno. Perché scegliete i vostri amici con cura. Perché dimenticate gli oppressi e ignorate gli oppressori. Ma un giorno qualcosa tornerà, sangue e rabbia e steppa, e vi azzannerà alla gola.

Lenin parlava e diventava sempre più grande, una statua. Poi iniziò a dondolare avanti e indietro, come volesse cadergli addosso. E infatti crollò, e si schiantò in una nube di coriandoli rosa. Tutti nel bar sghignazzarono.

– Agenti – gridò Pancetta – servizio d'ordine, aiuto! – E si svegliò. Una segretaria premurosa gli porgeva un bicchiere d'acqua.

– È svenuto, assessore. Sta meglio adesso?

– Non è niente – disse Pancetta – mi son scordato di fare colazione. – Si passò la mano sul cranio spelacchiato e si guardò intorno. Nessun uomo col Borsalino. Ma sul distributore, un uccellino scuoteva le penne.

– Là – indicò col dito – là, guardate.

– Un cardellino – disse la segretaria – carino, no?

Il sindaco piombò nel corridoio sventolando un fax. La notizia della morte di Petoloni complicava i piani del Megaconcerto. Tutti erano agitatissimi, meno il cardellino, che sorbì due gocce di caffè e poi volò fuori. Cercò una finestrella bassa, sul pavé del cortile, e si infilò nello scantinato attraverso un buco nella rete antizanzare. Aladino si trovava ora in un lungo corridoio diviso da séparé, in ogni séparé pulsava il riflesso azzurro di un computer. Una donna piccola e occhialuta si fece avanti sospettosa.

– Chi l'ha fatta entrare?

Aladino le sparò il flash in faccia. La donna aprì il volto in un sorriso entusiasta.

– Mister Gates, è un onore averla tra di noi. Il computer con la planimetria cittadina è qui, case palazzi e proprietà, naturalmente segretissime. Lo può consultare senza problemi. La parola d'accesso è "Squadra e compasso". Che buon profumo di spezie orientali, è il suo dopobarba?

– È per coprire la puzza di zolfo – disse Aladino – mi lasci solo.

La donna si allontanò, barcollando stordita, con la luce del flash ancora negli occhi. Aladino accese il computer senza premere alcun tasto. I nomi delle vie della città scorrevano a velocità spasmodica. Improvvisamente il computer emanò un bagliore purpureo, e sullo schermo apparvero la pianta di un edificio e un indirizzo.

– Grazie – disse Aladino.

– Non c'è di che – disse il computer – salutami il capo.

7.
QUALCOSA DI SEMPRE PIÙ STRANO

– Quattro guerre alla volta sono l'ideale – disse Hacarus al suo interlocutore, un uomo elegante con un vestito azzurro steward. – Possiamo sostituire i missili lanciati, ricostruire gli aeroporti, assuefare i profughi ai Mac D'Onald, sminare le mine che abbiamo pazientemente piantato, riarmare i paesi vicini. Sì, non c'è affare sicuro come la guerra, è pacifico. Ma non bisogna essere avidi. Una guerra in più non la reggeremmo. Le industrie vanno già a pieno ritmo, e anche il target bombardabile va risparmiato.

– Ma io – disse il signor Boing – potrei costruire almeno trenta aerei in più all'anno, per trenta miliardi di dollari. E i satelliti spia sono vecchi, non ci vedono più come una volta. Vuol dare un'occhiata al mio nuovo modello?

– Dov'è?

– In questo momento è a dodicimila metri di altezza sopra il Nuovo Messico. Posso offrirle un sigaro?

– Habana Real – disse Hacarus, annusando con passione. – Grande sigaro ormai introvabile, peccato averli bombardati così tanto.

– Vuole accendere?

– Grazie.

Il signor Boing sorrise e incrociò ostentatamente le braccia. Si udì un rumore come quello di una corda di chitarra spezzata, un minuscolo bagliore bianco e il sigaro di Hacarus prese fuoco.

– Convinto? – disse orglioso Boing. – Il mio satellite Phantom B4, su dati forniti da questo computer che porto nel taschino, le ha acceso il sigaro da dodicimila metri, grazie al suo raggio laser.

– Davvero? Straordinario. Potrei rivederlo?

– Subito.

Attesero alcuni secondi in silenzio. Passò un minuto. Il signor Boing consultò il computer perplesso. Hacarus sorrideva.

– Allora?
– Non capisco – disse il signor Boing, confuso.
– Le spiego io. Il suo Phantom B4 è stato appena ingoiato e tritato dal mio Hak 547, il luccio dello spazio, che ha appunto come compito strategico quello di eliminare i satelliti non autorizzati che si divertono a bersagliare target pregiati quali io sono.
– Io non volevo... e il laser era a bassa incidenza...
– Lei è licenziato – disse Hacarus – passando dalla mia segretaria si faccia dire quale sarà il nuovo incarico. Pulizia scale, addetto alla macchina tritadocumenti o lavavetri.
– Non potrei suicidarmi? – chiese il signor Boing.
– In questo caso, stanza 27. Il noleggio della pistola costa dieci dollari, più sei per la pulizia del locale.
– Grazie – disse il signor Boing con un filo di voce.
– Di niente.
Il signor Boing uscì mestamente. Hacarus azionò il carillon su cui danzava uno scheletro per segnalare che il suo ufficio era libero e fece entrare una vecchia signora, con vari rotoli di carte geografiche.
– Buongiorno, signora Graine – disse Hacarus. – Notizie di suo figlio dal fronte?
– Sta meglio. Le gambe artificiali funzionano abbastanza bene.
– Le nostre gambe artificiali sono le migliori del mondo – disse Hacarus – ci potrà giocare anche a pallone. Signora Graine, ho bisogno della sua competenza e della sua lungimiranza. Purtroppo sta per finire la guerra in Lunistan. Abbiamo uno stock di diecimila missili Pocahontas che stanno per scadere, e la *Minnie*, una vecchia portaerei, che resterà inutilizzata. E anche una ventina di vecchi e buoni aerei Phantom. Non sono armi adatte per grandi guerre, ma in qualche guerricciola potrebbero essere utili. E poi ci sta a cuore la sorte dei nostri marinai e piloti.
– Lei è troppo buono, dottor Hacarus – disse la vecchia.
– Lo so. Allora, c'è qualche piccolo paese in cui intervenire per salvare i posti di lavoro sulla *Minnie*?
– Non è facile, così su due piedi – sospirò la Graine. Indicò il planisfero, irto di bandierine: – Abbiamo intrapreso parecchi interventi umanitari in questi ultimi anni. Ci sarebbe l'Irastan...
– Non l'abbiamo già bombardato?
– Lei si confonde con l'Iraqui. Però l'Irastan è troppo grande per essere attaccato con una portaerei. La Colchide è nei programmi tra cinque anni. Ci sarebbe il Lichtenweinz, ma non ha il mare.
– E allora?

– I nostri informatori ci comunicano che Pedro Josef Calamidas, il dittatore di Araucania, sta facendo fuori metà del paese e i suoi mortai rovinano le nostre piantagioni di banane.

– Per carità. È uno dei migliori clienti della mia banca, sua moglie compra dodicimila scarpe alla volta nei nostri negozi e suo figlio fa lo stesso coi nostri missili.

– Allora resta questa isoletta qui. Mantequilla, davanti al Vanzenzuela.

– Cosa ci ha fatto?

– Reclamo di nostri turisti. Blatte in una camera d'hotel.

– Non è un granché.

– Capperi. Producono troppi capperi e troppo salati. Aggressione alimentare.

– Non basta.

– Che ne dice di un golpe interno di militari mantequillani che minacciano di sgomberare le nostre basi?

– Può andare. Mi faccia sapere in settimana. E mi saluti sua figlia. Ha avuto il bambino?

– Non ho figlie, solo un figlio.

– Lo sapevo. Era per controllare se era veramente lei o un'abile infiltrata. Prenda la caramella premio dall'apposita vaschetta e dica alla segretaria di farmi portare qui il signor Ghewelrode.

La signora Graine raccolse i rotoli e se ne andò masticando la caramella.

"Sto lavorando troppo," pensò Hacarus appena la vecchia fu uscita. Sospirando, guardò la foto sul tavolo. C'era lui, con la moglie e un bambino. "Forse dovrei stare più vicino alla mia famiglia," pensò. "È da Natale che non li vedo. Non ricordo se era il Natale del '94 o del '95. Mi ricordo la faccia del piccolo Martino quando gli portai l'orsacchiotto parlante. Non sapeva cosa dire. Poi disse 'Papà, ho quarantadue anni'. È proprio vero, i figli sono irriconoscenti."

Da qualche parte giunse l'eco di un colpo sordo. Il signor Boing si era licenziato.

Hacarus posò i piedi sulla scrivania e aprì la scatola dei suoi amati sigari. Subito scattò in piedi e fece un balzo all'indietro. Nella scatola c'era un'enorme farfalla Testa di morto. Con un frullo rumoroso, volò in alto, fino alla piastra dei neon, si bruciò e cadde agonizzante sul tavolo.

In quel momento, entrò Ghewelrode. Era un vecchio pelle e ossa, con una criniera bianca da leone e il viso dove le rughe si mescolavano alle cicatrici. Giaceva su una sedia a rotelle spinta da due muscolosi becchini, con auricolare e pistola. La testa era reclinata sulla spalla. Aveva gli occhi chiusi e sembrava immensamente stanco.

– Cos'è questa stranezza, Ghewelrode? – disse Hacarus, mostrando la farfalla che sbatteva lentamente le ali bruciate. – È opera dei tuoi amici?

– È un cattivo presagio – disse Ghewelrode, senza aprire gli occhi.

– Smettila di fare l'oracolo – disse Hacarus. – Voglio informazioni, ti tengo per questo. Sys Req sta mobilitando tutta la sua rete, ma non trova quella bambina. Tu puoi farlo?

– Non posso farlo.

– Non puoi mai nulla! – esclamò irosamente Hacarus. – Eppure tu eri uno dei migliori amici di suo padre Fraie, eri un ciarlatano stregone come lui, congiuravate insieme. Sono mesi che rispondi "non posso" a ogni mia domanda. Vuoi che mi liberi di te?

– Sarebbe un sollievo per me, questa non è vita. Ma una cosa posso dirti. Gli spiriti hanno ripreso a combattere.

– A combattere contro cosa?

– Mi tieni prigioniero da troppi anni, Hacarus – disse il vecchio – non vedo più dietro le ombre. La prigionia mi ha spento. Quello che so è che loro si sono stancati di te e di quelli come te.

– Loro, loro – disse Hacarus guardando l'orizzonte che si scuriva, e le luci dei grattacieli che si accendevano. – Dovrei avere paura? Chi sono, un esercito?

– Sono molto più forti di un esercito – disse Ghewelrode, e alzò le palpebre. Gli occhi, velati dalla cataratta, avevano qualcosa di velenoso. Neanche Hacarus poteva fissarli.

– Portatelo via – disse Hacarus cupo.

– Dobbiamo torturarlo? – chiese uno dei due becchini.

– Non importa – disse Hacarus – è un morto ormai. Un morto che non cammina.

Guardò la farfalla vibrare ancora per qualche istante. Poi la prese per le ali e la buttò nel cestino.

Nella Villa Bianca, sei telecamere ruotavano la testolina seguendo il presidente Max che si stava preparando a un incontro segreto con Melinda. Gli agenti di guardia ai monitor preparavano popcorn e bevande. Il totoscommesse dava il presidente vincente e obliterante uno a dieci. Quota assai alta, perché troppe erano le volte che Melinda lo aveva mandato in bianco. Ma di questo sembrava non ricordarsi Max, che stava nudo davanti allo specchio del bagno e si infarinava di talco come un pesce da frittura.

– Melinda, Melinda, vengo a invaderti – cantò con voce baritonale. L'emozione lo prese e si sedette sul water. Il cesso lo salutò.

– Buongiorno, presidente. Tutto bene?

Quella voce era una trovata degli Addetti al Morale. Il presidente, per via dell'intestino pigro, trascorreva su quel trono molti minuti nella giornata. Qui impigriva, spetazzava e oziava, cosa non auspicabile per un presidente. Quindi il cesso era stato dotato di sensori e di una memoria audio computerizzata grazie alla quale poteva sostenere otto minuti di conversazione a medio profilo. Poteva anche fornire notizie fresche, dati climatici e analizzare lo stato di salute del presidente. In più aveva un discreto senso dell'humour.

– Buongiorno, Walt – disse il presidente – quali sono le ultime notizie?

– Eseguita sentenza di morte in Alabaska. Per un guasto alla sedia elettrica si è usato un forno a microonde. Riabilitato Al Capone: fu una congiura dei giudici. Ingorgo di Tir e novantasette morti nel week-end in Usitalia, nuovo record stagionale. Bombe su tre aerei. Bruciano foreste un po' dappertutto. Tre metri di neve a Cuba. Secondo gli esperti, tutto rientra nella norma. Scoperti altri fondi segreti del presidente sovieto in varie banche e materassi. Mike Yellow è in testa al torneo di golf di Ballantine, con sette sotto il par. Bipì.

(Bipì stava per i Bombardamenti Proseguono.)

– Mike Yellow è il migliore – disse il presidente, sparando scatolo ad alta densità.

– Lui è il migliore, ma il suo fegato peggiora, presidente – analizzò Walt – e ha ancora mangiato roba fritta. Inoltre noto dall'analisi uricemica e dall'osservazione sul campo che lei è eccitato.

– Sto andando da lei, da Melinda. Dalla mia diavoletta con gli occhi viola. Stavolta non mi scappa, stavolta oblitero. Ha fatto il bagno nella mia vasca e mi ha fatto trovare un bigliettino nella tasca dell'accappatoio. È un bigliettino che odora di lei: "Vieni nella stanza delle riunioni alle otto, cinghialino mio". Mi chiama così perché sono peloso. Sono eccitato come un bombardiere in missione.

– Le faccio presente che quando lei è troppo eccitato, spesso tende a scaricare l'armamento prima di giungere sul target.

– Zitto, Walt – disse il presidente, depositando un modesto obolo nella tazza – stavolta ho preso una pillola. Non posso fallire.

In Sala controllo video le scommesse su Max vincente ebbero un crollo.

– Presidente, per ovvi motivi non posso scuotere la testa – disse Walt. – Io non mi intendo di sesso, il sesso per così dire lo guardo sempre un po' dal basso. Ma sono contrario a quelle pillole. Mi ricordo che l'ultima volta ebbero un pessimo effetto su tutte le parti del suo corpo, e la sola cosa che le era rimasta dura erano i molari.

– Sciacquati la bocca, Walt – disse il presidente, irrorandolo di acqua disinfettata. Dopo un rapido bidet, indossò un paio di sfolgoranti slip rossi da pugile, vestaglia con drago rampante sulla schiena, ed estrasse dal frigo una bottiglia di champagne. Quindi guardò minaccioso verso le telecamere, annidate come ragni nel soffitto.

– Vogliamo spegnere tutto, per favore? Posso avere un po' di privacy?

– Tutto spento, presidente – mentì una voce da qualche parte nel muro.

È l'ora fatale. Il presidente, saltellando come un canguro, percorre il lungo corridoio con i ritratti dei suoi predecessori. Passa attraverso una porta blindata azionata da sensori che riconoscono il suo timbro vocale. Fa la voce di Paperino, i sensori lo riconoscono ma per punizione gli mollano una scossa elettrica. Il presidente bestemmia, e attraverso un corridoio adorno di foto di B52, giunge davanti alla grande porta di quercia con lo stemma aquilocriso. Fa un paio di flessioni, si aggiusta il ciuffo ed entra. Dalle finestre si scorge un tramonto rosso e appassionato, che incendia il parco della Villa. Al centro della sala, il tavolo ovale attorno al quale si decidono i destini del mondo. C'è ancora qualche bandierina, qua e là bottiglie di minerale e i gusci delle noccioline dell'ambasciatore chinese, quel nano maledetto. Melinda non c'è. Il presidente si siede al posto abituale dei sovieti, e stappa lo champagne, che non fa un botto ma un sussurro. Il tappo, invece di decollare, rotola mollemente sul pavimento. Cattiva annata o cattivo presagio? Il presidente passeggia nervoso e contrariato. Se lei non viene mi ammazzo, pensa. Oppure la ammazzo. Oppure prima la ammazzo e poi mi ammazzo. Oppure prima mi ammazzo e poi la ammazzo. Sta rimuginando su eventuali difficoltà della quarta ipotesi, quando sente due mani leggere sugli occhi. Riconosce l'odore. È lei. Si volta di scatto. Melinda ha un abitino bianco, un po' da prima comunione, i capelli raccolti sulla nuca e gli occhiali. Una fanciullina perversa, una Lolita laureata. Lei sa sempre come tirarlo matto.

– Melinda... – ansima il presidente. – Ma dov'eri? Da dove sei entrata?

– Volando, dalla finestra, amore mio – dice Melinda. I suoi occhi sono color del mare venusiano, la sua pelle ha la luce soffusa di un quadro, è a piedi nudi e danza con ogni gesto e passo. Il presidente cerca di catturarla, ma lei si sottrae, gira intorno al tavolo, mantenendo una distanza di casta sicurezza. Si ferma vicino alla bandierina francese e si toglie il top del vestito. Mostra due tette di inequivocabile potenza espressiva. Max barcolla.

– Che bella vestaglia, presidente – dice Melinda.

– Me la tolgo subito.

– No – dice Melinda, e si sdraia sul tavolo, si struscia mostrando le gambe, solo per il suo presidentone e i dodici agenti di videoguardia. – Dimmi qualcosa che mi ecciti, cinghialino mio – sussurra – quanti uomini hai ammazzato oggi?

– Io non ammazzo, Melinda – precisa serio il presidente – può accadere che su mio ordine prendano il via operazioni che talvolta comportano riduzioni di organico nel personale nemico, o danni collaterali nella popolazione civile, ma ammazzare, mai...

– Suvvia, queste cose le dici a tua moglie, non alla tua cinghialina – dice Melinda togliendosi gli occhiali e sciogliendosi i capelli, neri come la notte. – Dimmi la verità, mi eccita.

– Be', se vuoi saperlo, nella guerra del Sud, due giorni fa abbiamo commesso un errore. Abbiamo attaccato una colonna di giganteschi blindati carichi di gente. Erano carri di carnevale. Abbiamo ammazzato trecentosessanta civili e tre intere scuole di samba. Ma non dirlo a nessuno.

– Mi piace – dice Melinda, battendo le mani. – Trecentosessanta anime innocenti al cielo. Tu credi in Dio, presidente?

– Ovviamente, come tutti i buoni americardi – dice Max, agguantandola per un braccio. Ma lei riesce a sfuggirgli ancora e cammina verso una grande finestra, con calibrato rollìo di glutei. Aderisce al vetro come una lucertola, si volta indietro, il suo sguardo ora è severo.

– La tua risposta non mi basta – dice Melinda – devi crederci con tutto il cuore.

– Certo – ripete Max, come un bambino obbediente. – Credo a Dio con tutto il cuore.

Melinda ride, e con un balzo è vicino a Max.

– Ho una brutta notizia per te – dice – il tuo Dio se n'è andato. Vuoi sapere perché? – e si siede repentina sulle ginocchia presidenziali. Max vorrebbe toccarla, ma è come paralizzato. La bocca di Melinda è a un centimetro dalla sua, e può sentirne fiato, erba e fiori.

– Il tuo Dio era stufo di voi uomini. Ormai aveva un'unica consolazione. I Beatles.

– I Beatles nel senso di John Ringo Paul eccetera?

– Proprio così. Li ascoltava dalla mattina alla sera, davanti al camino. I suoi amici, angeli e diavoli, scuotevano la testa. Poi ci fu l'omicidio di John Lennon. Ricordi la data?

– Circa vent'anni fa.

– Otto dicembre millenovecentottanta. Quel giorno Dio disse: "Adesso basta, questo mondo sta andando a rotoli, è stato un cattivo investimento, me ne vado". Fece le valigie, ci mise dentro i suoi dischi e sparì. Come da contratto, Lucifero lo seguì. Da quel giorno, puoi verificare, tutto cominciò ad andar peggio.

– Melinda, che fantasia...

– È tutto vero, Dio se ne lavò le mani e lasciò il mondo agli spiriti. Alcuni erano per farla finita subito, altri per continuare. Ancora non è sicuro che cosa faranno di voi. Ma io so cosa farò di te, presidentone mio.

– Cosa farai?

– Tutto quello che hai sempre sognato – soffiò Melinda all'orecchio di Max – tutto quello che non potresti mai dire ai sovieti o ai chinesi attorno a questo tavolo.

Avvicinò di nuovo la bocca a quella del presidente e con la lingua gli disegnò il contorno delle labbra, lo carezzò sotto la vestaglia senza risultati apprezzabili: il presidente si era bloccato e sudava gelido, il suo membro si era rattrappito a dimensioni pediatriche. Allora Melinda gli si mise a cavalcioni e iniziò a dimenarsi, i capelli sembravano mossi da un vento invisibile e la bocca emetteva uno strano suono animale, due telecamere esplosero per l'eccitazione, il contatto con la Sala controllo si interruppe. Il presidente si sentiva come ubriaco, Melinda ondeggiava e danzava davanti a lui, cercò di baciarla brutalmente, ma lei puntandogli un dito sul petto, più forte di lui, lo teneva lontano. Sorridendo Melinda mostrò i dentini aguzzi, si chinò e con la punta della lingua turbinò alcuni istanti attorno al glande presidenziale, che si gonfiò immediatamente come un palloncino. Il presidente mugolò di piacere e per impedire un'ennesima eiaculazione precoce balzò in piedi e si mise a fare flessioni.

– Non così, Melinda – implorò – aspetta un momento, voglio prenderti, non ci sono mai riuscito.

– E non mi prenderai mai – rise Melinda. Il presidente era in piedi al centro della stanza, la baionetta innestata, le braghe a metà polpaccio. Così lo inquadrò la telecamera di emergenza, appena il collegamento fu ripreso.

– Non se la tromba neanche questa volta – disse la prima videoguardia.

– Dieci dollari che spruzza entro un minuto – disse la seconda.

– Perché quella Melinda viene sempre sfuocata? – disse il terzo, guardando il monitor. – Sembra che non sia vera, come un ologramma, eppure il fuoco è giusto.

– Forse sei eccitato anche tu – rise il quarto.

Melinda si alzò la gonna. Aveva slip di seta rossa e tatuato sul ventre un minuscolo ragno. Lo accostò alle labbra del presidente e Max sentì un morso doloroso. La baciò sotto l'ombelico e si sentì di colpo avvampare, come se fosse vicino a un incendio. Nella stanza ora c'era odore di foglie bruciate.

– Melinda, Melinda – sospirò Max – sei una strega, mi fai venire le allucinazioni, ti prego, mettiamoci più comodi.

– Va bene, caro – disse la ragazza, sdraiandosi sul tavolo lucido, riflessa in una doppia seducente Melinda – ma voglio che tu prenda le tue precauzioni.

– Precauzioni?

– Un preservativo, intendo. Un guanto d'amore, preferisci che lo chiami così?

– Ma Melinda, dove lo trovo un preservativo adesso? – gemette Max. – Ne avevo rubato una scatola all'ambasciatore sassone, ma la Corday me l'ha sequestrata.

– Niente guanto d'amore, niente amore – disse Melinda, coprendosi pudicamente i seni con le mani.

– Aspettami qui – disse il presidente. Si era ricordato che poteva averne uno nella vecchia borsa da tennis. Anni prima era andato a giocare con un'ambasciatrice di uno staterello quartomondista, una mulatta, e s'era procurato un profilattico, erano altri tempi, più permissivi. Era andata doppiamente male. Si era beccato un 6-3 6-0 sul campo e 3-0 schiaffi nello spogliatoio. Ne era nato un incidente diplomatico. Lui non aveva avuto la mulatta e la mulatta non aveva avuto il prestito di due milioni di dollari. Così vanno le sorti del mondo, tutto gira, soldi e guerre e morti e schiaffi e golpe e gnocca, pensava il presidente, e quella Melinda mi farà morire, ansimava, mentre correva verso la palestra, sempre seguito dalle telecamere. Schivò attrezzi e pesi, corse al suo armadietto e tirò fuori la borsa, che esalò un potente odore di paleoricotta. La rovesciò a terra e si mise a rovistare freneticamente.

– Ma cosa fa? – disse il primo videoagente, professionale.
– Forse cerca delle palle di riserva – rise il secondo, spiritoso.
– In che mani è il paese... – sospirò il terzo, ideologo.
– Ne tira più un pelo di figa che cento carri di buoi – disse il quarto, colto.
– 'Fanculo, 'fanculo, – ansimava il presidente. Fece volare in aria un paio di calzini stagionati, una maglietta sgualcita, i pantaloncini di dieci chili fa. Cercò nelle tasche, dentro le scarpe: niente. Nel tubetto delle palline, cazzo, neanche lì. Nella custodia della racchetta nemmeno. E proprio quando stava per rinunciare, in un angolino della borsa, lo vide. Un piccolo cioccolatino dorato. Aveva il nome guerresco di Tutor. Controllò la data di scadenza: "Utilizzabile fino al duemiladieci". C'è ancora qualcosa che dura in questo paese, grazie a Dio! Si mise il prezioso cioccolatino in tasca e tornò indietro di corsa verso la sua Melinda distesa sul tavolo, a seno nudo, sudava eccitato e non capiva perché faticava a correre, come se avesse un peso da qualche parte. Si fermò e vide che la tasca della vestaglia era gonfia, qualcosa la riempiva. Estrasse a fatica Tutor. Era aumentato di volume, era grande come una borsa dell'acqua calda.
– Ti prego, ti prego – si lamentò il presidente. – Cosa succede adesso?
Tirò fuori il preservativo e lo infilò. Tutto bene, si disse. Subito udì una risata lontana, da qualche parte, oltre gli alberi del parco, e la voce di Melinda che lo chiamava un po' roca e spazientita.
– Vengo – gridò. Ma all'istante il preservativo cominciò a gonfiarsi, a crescere, era immenso e roseo, e ben presto si innalzò fin davanti alla sua faccia, e il presidente notò che c'era qualcosa scritto sopra. Anzi, non era una scritta, era un volto, un volto ghignante. Il presidente urlò e con un sibilo acuto il preservativo-mongolfiera si sfilò dall'uccello presidenziale e volò fino al soffitto, dove si fermò dondolando. Era una faccia enfiata, un diabolico mascherone di gomma che sghignazzava gridando:
– Niente guanto d'amore, niente amore, presidente. Come la mettiamo?
– Scorta, guardie, agenti! – gridò Max.
Ma nello schermo gli agenti vedevano solo il presidente a braghe sbottonate, con un preservativo in mano, che urlava verso il soffitto.
– Nessuno può vedermi all'infuori di te, come è nella tradizione – ghignò il preservativo, assumendo l'aspetto di un grosso gatto volante – perché io sono il tuo diavolo personale. Bes Budrur

l'osceno, e ti torturerò finché vorrò perché Melinda è mia, e più la desidererai, più non l'avrai, perché è ora che tu impari che "non puoi avere tutto quello che vuoi".

E cantando la nota canzone dei Rolling Stones il super preservativo crebbe ancora fino a riempire metà stanza... Poi puntò contro il presidente e si sgonfiò, con rumore dilacerante e indecente. Il presidente fu scagliato contro il muro.

Quando si riebbe, la Corday, Stan e Owl lo guardavano con commiserazione.

– Presidente, se continua così le verrà un infarto. Cosa faceva mezzo nudo nel corridoio con un preservativo rotto in mano?

– Melinda – sospirò il presidente con un filo di voce – Melinda mi sta aspettando nella sala riunioni.

– La signorina Melinda come al solito è in piscina – disse Stan sconsolato – e non si è mossa di lì tutto il pomeriggio.

"E il gatto gigante di gomma?" stava per chiedere il presidente, ma incontrando lo sguardo severo della Corday capì di essere a un passo dalla destituzione e dal Tutorgate. Ingoiò la paura e il suo segreto. Sorrise ebete.

– Be', che c'è da guardare?

– Preparategli una camomilla e cercate uno psicanalista nuovo – disse sottovoce la Corday – e se ha altre visioni, chiamatemi.

Stan scosse la testa e fece un cenno di intesa a Owl. Owl gli sorrise. Aveva una lunga coda pelosa e occhi da gatto. Stan tirò fuori la pistola ma la coda non c'era più.

"Adesso divento matto anch'io," pensò.

– Cosa c'è, Stan? – disse Owl – ti vedo pallido. – E rise. Stan sentì un brivido gelido corrergli giù per la schiena: in dieci anni che si conoscevano, Owl non aveva mai riso.

8.
LA SALINA

Una squillante mattina di sole rallegrava l'Isola. Sys Req e Soldout aspettavano l'elicottero che li avrebbe portati in ricognizione sull'immensa salina dove sarebbe sorto il palco del Megaconcerto. Soldout era il re dell'evento discografico videotico e mediatico, nonché proprietario della televisione musicale $TV, affiliata al network dei videogangster Grattachecca-Berlanga-Murderk, i più grandi proprietari di Trivù, tre televisioni alla volta. Soldout vestiva come al solito in cuoio nero scricchiolante e portava sul petto un crocifisso culturista. Per passare il tempo, si grattava a intervalli regolari lo scroto le orecchie e le narici, forse per sottolineare l'unità ideale del tutto. Filex sonnecchiava in stand-by, mentre Sys Req, per difendersi dalla sua allergia alla realtà, era inguainato in una tuta virtuale che riproduceva esattamente le sensazioni che si provano durante un volo in elicottero. Soldout gli rivolse uno sguardo derisorio.

– Si tolga quel preservativo, Sys. Sarà una gita eccitante.

– Ho paura di volare – disse Sys – nei videogiochi sono capace di passare attraverso i canyon a testa in giù combattendo contro le astronavi aliene. Ma nella realtà...

Soldout lo guardò, cercando di coglierne l'espressione dietro il casco da palombaro.

– L'elicottero è una gran cosa, Mister Sys. Ormai è l'unico status symbol che conta. Macché auto blu, macché panfilo, macché villa con piscina, quella ormai ce l'ha anche il mio fornaio. I grandi vanno in elicottero. Niente ingorghi, niente file, niente coltellate per il parcheggio, ti fai venire a prendere sul terrazzo di casa tua, e voli dove vuoi, e intanto sotto la gente sgomita e suona il clacson e impreca, e tu viaggi tra le nuvole.

– Prevelinext. Ma di questo passo tra dieci anni ci sarà un milione di elicotteri privati, un grande ingorgo in cielo, proprio come in terra, e la ressa per i parcheggi sui terrazzi dei condomini. E suo figlio vorrà il minielicottero a sedici anni. E si farà la fila sospesi in aria, senza neanche poter scendere a far due passi, aspettando un buco dove atterrare, e intanto la benzina si consuma, e il motore perde colpi. Invece, nel videogioco *Killing street*, se lei ha un camion davanti, tira il razzo folgoratore e...

– Lei passa troppo tempo a spugnettare su quei computerini. Non vede come è pallido?

– Dormo poco – sospirò Sys appannando la visiera. – Ho dei problemi. Non riesco a trovare una ragazza.

– Gliela procuro io – rise Soldout – ho dei provini proprio stasera.

– No, non equivochi, è una ragazza particolare. Ho messo in moto tutti i ragazzi della rete, ma non si trova. Ha dieci anni.

– Sapevo che voi cibernetici avete gusti da Pampers. Avevo un socio, all'inizio della carriera, che andava pazzo per le minorenni. Andavamo a Bangkok a barattare ferri da stiro usati con cocaina, e lui spendeva tutto in bambine, ma ogni volta si innamorava, quel coglione. La prima che gli si sedeva sulle ginocchia, giù regali e poi se le voleva portare a casa. Avrebbe messo su un asilo personale se era per lui...

– No, guardi, il mio caso è diverso.

– Sì, lo so, sei un intellettuale, allora devi far vedere che è diverso, ma la figa ti piace. È pronto 'sto cazzo di elicottero?

Sys Req sospirò: difficile spiegarsi con quel tipo, aveva un software tutto suo. Prese una pillola contro il mal d'aria e salì sull'elicottero, un libellulone dorato che portava dipinti sulla fiancata una chitarra e il logo della $TV. In pochi minuti furono al centro della vecchia salina, chilometri e chilometri di bianco accecante, solo qualche piccola pozza d'acqua dove i fenicotteri rovistavano lo scarso cibo. Sys Req prese coraggio e si tolse il casco virtuale.

– Vede? – disse Soldout – ormai è secca, anche se piove il sole la asciuga in un baleno, se fermenta puzza come uno zoo, ma metteremo ventilatori dappertutto. Là ci sta un palco da tremila metri, lì il pubblico, le boutique, i sanitari. La tenda Vip e le postazioni televisive laggiù, dove c'è il branco dei gabbiani.

– Ma è vero che qui sotto sono sepolti migliaia di morti, prima i kuduin e poi gli isolani?

– E chi se ne frega? Mica possono protestare – rise Soldout – anzi, se spuntano fuori li mettiamo in un video. Sta male?

– Cinetosprobvom. Secondo Filex e il mio stomaco, vomiterò entro sessanta secondi.

– Il sacchetto è lì. Allora, cosa ne dice? Prendiamo noi la diretta? Mettiamo tutto in rete? È un affare da venti miliardi, uno lo diamo in beneficenza e il resto è tutta ciccia. Cosa le pare? Ha finito? Vuole un altro sacchetto?

– Grazie – disse Sys Req, lacrimando e pulendosi la bocca – ma guardi che non è così semplice. C'è di mezzo la politica. Questo concerto deve convincere l'opinione mondiale che è giusto proseguire la Dolce Guerra per altri dieci anni. Non basta la musica, c'è tutta una strategia di notizie, di immagine, di propaganda. Guerra, finanza e show ormai si assomigliano. Da una parte gli attori, dall'altra gli spettatori. Questa è la regola, ormai...

– Io me ne frego della politica – disse Soldout – io garantisco lo show, il meglio dello show. Un milione di megatoni di watt, una scarica di hit, gli idoli del momento... anche se il momento dura dieci giorni, me lo becco io. Comici, cantanti, belle gnocche. Alla politica ci penserete voi. Intanto bisognerà far fuori questi fenicotteri. Sono pericolosi per gli elicotteri e cagano in testa agli spettatori. E poi dovremo bruciare quegli alberi laggiù.

Alla parola "bruciare" l'elicottero sbandò, come colpito da un ciclopico schiaffone. Poi, dopo una capriola, si fermò a elica in giù, immobile nell'aria. Non cadeva e non andava avanti.

– Che cazzo succede? – gridò Soldout, mentre monete e portachiavi gli cadevano dalle tasche e il crocifisso penzolava nel vuoto.

– Non lo so – disse il pilota terrorizzato – in seimila ore di volo non ho mai visto niente di simile. Siamo in stallo ma non cadiamo. È una corrente d'aria anomala, forse siamo al centro di un piccolo tornado. Y 23 chiama torre di controllo, mi sentite? Siamo fermi, con l'elicottero capovolto.

– Sì – rise la voce dal controllo – vedete anche qualche Ufo nei paraggi?

– Vi giuro che è vero – mugolò il pilota.

L'elicottero ebbe uno scossone. Filex cadde dalle mani del padrone e precipitò per centocinquanta metri, atterrando ginnico e indenne sulle zampe. Si guardò intorno e scappò: era libero!

– Oh, Dio – disse Sys – i miei dati, tutti perduti.

– Pensi alla pelle, non ai dati – disse Soldout, aggrappato al sedile.

Vedeva la salina rovesciata, come un immenso cielo bianco sopra di lui. E dalla salina si alzò un fenicottero, che risalì con larghi colpi d'ala. Si avvicinò al finestrino e guardò dentro. Picchiò col becco, come volesse farsi aprire. Anche Soldout, che non era facilmente impressionabile, impallidì.

– E questo cosa vuole?

– Ehi, ragazzi – disse il fenicottero – siete quelli del concerto? Ce li date trecento biglietti omaggio per me e i miei amici?

– Gli dica di sì – disse Sys Req. Ma il fenicottero era già volato via, regalmente. Le pale dell'elica ripresero a girare e l'elicottero si raddrizzò e partì di colpo.

– Ha sentito anche lei? – disse Soldout al pilota.

– Ho sentito cosa?

– Il fenicottero parlante.

– Non ho visto nessun fenicottero, signore – rispose il pilota, che emanava uno strano odore di cinnamomo.

– E lei, Mister Sys? – disse Soldout. Ma Sys Req era svenuto, con un filo di vomito all'angolo della bocca.

– Devo smettere di tirare coca la mattina – disse Soldout, baciando il crocifisso. Sotto di loro, la salina brillava come un diamante.

Salvo pescava sul bordo dello stagno. Vide l'elicottero e gli sparò con una pistola immaginaria e uno schiocco della bocca. Gli sembrò che si fermasse in aria, immobile come un falco controvento. Ma forse era un miraggio, una morgana del vapore rovente che saliva dalla salina e deformava le cose vicine e lontane. Il vulcano brontolò profondo, un grosso pesce saltò nell'acqua e aveva gli occhi rossi come Kimala.

Intorno a Salvo ronzavano quattro libellule. Ne prese una e la posò sull'amo.

– Cerca di cavartela, amica – disse – qua i pesci sono svelti.

Stava per lanciare la lenza quando sentì dietro di sé la presenza del Diplomatico. Poros era travestito da pastore. Sotto il tabarro nero le ali lasciavano sulla sabbia una scia inconfondibile. Non era mai stato bravo a travestirsi. Non possedeva l'arte di Aladino, di Behemoth, di Bes, di tutti quelli di cui gli parlava suo padre Fraie.

"Sono fatti d'aria," diceva, "qualche volta esistono e qualche volta no."

Poros sentì il suo pensiero. Cinse le spalle del ragazzo con le mani ossute.

– Anche tuo padre veniva a pescare qui, proprio in questo punto, sotto la roccia a testa di lupo.

– Lo so – disse Salvo – me l'ha detto nonna Jana.

Poros si accovacciò sulla riva e tirò un sasso nell'acqua.

– E anche lui pescava come te.

– Non voglio far male ai vermi – disse Salvo – i vermi sono miei amici. Una volta ne avevo addestrati due a torcersi nelle lettere dell'alfabeto. Tutte le volte che facevano la emme si eccitavano.

– Che fantasia, ragazzo. E ai pesci non ci pensi?

– Quello è diverso. Devo pur mangiare. E poi, prima di pescarli glielo chiedo. Come nonna Jana. Quando ha spiegato al maiale che era venuta la sua ora, il maiale ha protestato, li ho sentiti litigare, nonna gridava e il maiale grugniva. Alla fine nonna ha detto, va bene, ti risparmio, ma il prossimo anno niente storie, e il maiale ha abbassato le orecchie. Voleva dire che era d'accordo.

– Tu hai molta fantasia – disse Poros – è vero, la natura è piena di voci, ma non credere a tutto quello che dice nonna Jana.

– Lei è strega, mio padre era sciamano e io sono come lui.

– Non è così – disse Poros con un gesto preoccupato. – Fraie era un uomo che amava questa terra, e ne conosceva ogni angolo e ogni segreto. Questo a volte può sembrare magia.

– Stai mentendo – disse Salvo. – Dici così perché hai paura che il dono mi faccia morire, come mio padre. Ma io ho imparato la lezione. Starò ben nascosto.

– Loro lo sanno – disse Poros. – Troveranno te e tua sorella, se non stai attento. Ghewelrode è loro prigioniero.

– Ghewelrode non parlerà.

– Credi di sapere tutto, piccolo serpente – disse Poros con finta severità – tu non sai che noi spiriti siamo insieme ombra e sole, bene e male, vento di mare e vento di terra. Non sai in cosa potrei trasformarmi.

– Non potrai mai trasformarti come Kimala – disse Salvo, scuotendo la testa – lui può diventare un drago nero, con le ali trasparenti. L'ho visto volare, una notte. Lui cammina e gli alberi lo seguono, trascinando le radici come una lunga coda.

– Kimala alla fine smetterà di fare pazzie. E anche tu. È scritto.

– È scritto che io vendicherò mio padre.

– Tu alla fine perdonerai, Salvo – disse Poros con voce ferma – lo farai per tua sorella. La troveremo, e quando sarà qui tu vivrai insieme a lei, in pace.

– Questa pace? – disse Salvo con voce vibrante. – Gli aerei che volano sopra di noi ogni giorno. I soldati padroni del porto e delle strade. Le vendette, e le scritte sul muro della nostra casa... Le mine nei campi, i mitra nella caverna, le bombe nelle reti da pesca. E le nostre ossa e quelle dei kuduin, nel campo d'orzo. Ancora adesso, quando ci cammino, le vedo spuntare. La pace di quel palco che stanno montando, per portarci la loro elemosina. La pace che seppellì mia madre sotto le macerie, e sparò a mio padre. Quale pace?

– La nostra pace – disse Poros. Ma guardava preoccupato la fila di camion che avanzava sulla strada polverosa. Sulla salina, qualcuno già montava dei riflettori per la notte, e i pipistrelli stavano impazzendo...

9.
ALADINO IN CACCIA

Lo spirito cacciatore Aladino Hazazel Hirundo atterra sotto forma di cornacchia tibetana nella piazzetta periferica segnalata dal computer. Sullo sfondo, la ruota del vecchio luna-park gira centrifugando strilli di gioia, tachicardie e lingue in bocca di fidanzati. Non c'è molta gente in giro, una banda di maragli in motorino, due vecchiette che rincasano in fretta, timorose di scippi e saraceni. Davanti ai giardinetti è posteggiata un'auto di vigilantes con una tigre sulla fiancata e la scritta "Ci pensiamo noi". Dentro, due rambetti obesi.

Aladino si avvicina, sotto forma di bravo ragazzo con cravatta. Il palazzo giallo è anni cinquanta, con ingresso in pietrisco serpentato. Arriva alla portineria. Pericolo: una portinaia del tipo vedo-tutto-e riferisco, con le mani sui fianchi e due pantofole Pantera Rosa.

– Dove va, giovanotto? – dice con tono da sceriffo.

– Sono del Servizio ascensori comunale. Dovrei controllare l'ascensore.

– Cosa c'ha questo che non va?

– Niente, ma è un vecchio Sabiem un po' logorato, adesso abbiamo i nuovi modelli.

– Sarebbero?

Dura la vecchia. Ma Aladino è specialista nell'improvvisare balle, perciò decolla.

– Glieli posso anche abbozzare con un disegno – dice Aladino, estraendo come un prestigiatore matita e taccuino. – Questo è il Paradise: legno bianco, divanetto-relax, sistema autodeodorante, filodiffusione, salita molleggiata a dieci miglia orarie, tastiera scorrevole abbassabile per bambini e handicappati, slogan "Anche un nano/può salire al quinto piano".

– Non abbiamo nani qui – sbuffa la vecchia, accendendosi una cicca.

– Allora guardi qua: Rocket, l'ascensore più usato nei grattacieli di Tokyo e Manhattan, veloce come un missile, sedici miglia, niente più lunghe attese, tastiera a impronta verbale, basta pronunciare il numero del piano e parte, struttura in alluminio Nasa, airbag integrale, indistruttibile, se cade rimbalza.

– Si tocchi le balle – dice la vecchia – cosa ce ne facciamo di un missile, qua nessuno vuol far le corse, e poi se saliamo in due o tre e parliamo tutti insieme, cosa succede?

– Terrò conto della sua osservazione – dice Aladino con prontezza, e spara la bordata finale: – Ma il bello viene adesso: so che lei saprà apprezzare Cristal, il nuovo ascensore in vetro trasparente. Sale, scende, e si può vedere tutto quello che succede dentro.

Gli occhietti della portinaia si accendono. Aladino ha fatto centro e insiste.

– Inoltre, signora, in caso di allarme, c'è un citofono collegato con la portineria, lei preme un tasto e sente tutto quello che dicono dentro. Mai più bloccati in ascensore con Cristal.

– Si può sentire tutto quello che dicono, mi assicura?

– Certo. Ovviamente, è a sua discrezione azionare il dispositivo. Se lei individuasse un passeggero anomalo o un rumore sospetto, ecco che lei accende e ascolta tutto, può controllare i discorsi del malintenzionato oppure rispondere alla chiamata d'aiuto del bloccato. Data la sua utilità sociale, praticamente il comune regala Cristal, si pagano solo le spese di montaggio.

– Be', questo non è malaccio – dice la vecchia.

– Allora se permette io vado di piano in piano a sottoporre il progetto ai condomini.

– Vada, giovanotto. Se vuole sapere il mio parere, Cristal è l'ideale. Ci sono (sbuffo di fumo, voce complice) troppi segreti in questo palazzo. Se potessi parlare…

– La portinaia è come una sentinella, come un soldato al fronte – conviene Aladino.

Prima di salire, lancia un'occhiata disgustata al vecchio ascensore, e poi rivolge alla portinaia uno sguardo d'intesa. I suoi sei occhi, due umani e quattro dalle pantofole Pantera Rosa, lo guardano con simpatia.

Bisogna partire dall'ultimo piano. Se la gemella è nel palazzo, ad Aladino basterà uno sguardo per riconoscerla. La caccia è cominciata.

Quinto piano, interno quindici, sul campanello Musiani Campari, sulla porta una decorazione natalizia vecchia di almeno tre o quattro anni. Aladino suona. Campanello bitonale. Passi strascicati.

– Chi è?

– Sono del comune.

– E cosa vuole?

Voce ringhiosa, sospettosa. Leggero rantolo. Esemplare maschio sui sessantacinque. Fumatore.

– Sono qui per un'indagine sulla sicurezza del quartiere – dice Aladino deciso – se avete eventuali lamentele da fare...

La porta si spalanca come per un'esplosione interna e appare un tricheco in vestaglia. In mano ha un trenino elettrico. Tutta la cubatura visibile dell'appartamento è occupata da un plastico dove corrono vagoncini e locomotive, tra graziose ministazioni e alberelli di gesso.

– Lamentele? Sa io sono pensionato ferroviere ho lavorato cinquantadueà e adesso è uno schifo quaèpienodinegri spaccianodrogasottolacasamì marocchisenegalè se uno cidicequalcò tirano fuori il coltello o peggio e adesso lei mi vienaddire lamenteleneha ma voi del comune cosafà? ioaimieitè se ne trovavo uno senza biglietto lo facevo scendere a calcincù invece adesso viaggiano gratis in gommone e poi gli diamo anche gratisdamangià e l'oteldadormì e intanto mia moglie non può uscire a far la spesa perchéhapauracché...

Aladino si infila al volo in una pausa inspiratoria, come fanno i duellanti in televisione:

– Siamo d'accò infatti vogliamo mettere quattro polizìò due all'entrà della strada due che pattugliano tuttintò, siamo molto sensibili a questo problema, specialmente per le donne che non possono fare la spesa e dio sa quantèimportà la spesa per una famiglia.

– Mia moglie hanno provato a rubarle la borsetta. Uno l'ha guardata da lontano.

– E poi gliel'ha rubata?

– No, ma da come la guardava, lei ha capito che quello voleva rubargliela, era un marocchì, perciò lei è scappata agambelevà e si è slogata la cavì, ha capito che schifo, io quando ero bigliettà una volta a due giapponesi...

– Senta, e hanno mai dato fastidio a sua figlia?

– A mia figlia? Io non ho figlie. Ho un figlio maledetto sfaticatofetè che lavora in Lussembù mai che mandi un soldo a casa ci ho detto a Natale portami almeno un trenino delle ferrovie belghe macché, un torrone mhaportà stoscemo, vede io c'ho duecento trenini, una collezione unica, ma non ne compro più il negozio è lontà non posso uscì sono dei mesi che sto chiuso in casa c'ho la gotta il piededelefà non cammino più porcamadò.

– Scusi, ma se non esce di casa come fa a sapere che c'è questo inferno là fuori?

– Primo, lo vedo dal terrazzo, secondo lodicelativù, terzo io in quanto ferroviere so bene che nei pressi delle stazioni bisognerebbe sgomberare ma che dico sgomberare, disinfettare, ma che dico disinfettare, prendere una motrice di quelle tedesche, vede questo modellino, è un Kneisser, una motrice tedesca Kneisser, ne tira quaranta di vagoni, ci metta sul davanti una pala da ruspa, la lanci ai centoventi e alè.

– È una proposta che il comune prenderà in considerazione – dice Aladino – poi ci sarebbe la questione delle tasse per l'immondizia.

– Non pago una lira – sibila, e sbatte la porta. Primo tentativo fallito.

Aladino scende al quarto piano. Un ficus moribondo, color vomito. Porta non blindata. Nome sul campanello Gattuso, trillo fioco e ossidato. Passo rapido e pantofolato, esemplare di un certo peso. Si apre la porta. Esce un tornado di peperonata, una nuvola d'unto che lo avvolge come una sauna. Dalla nuvola emerge una signora rotonda, con un mestolo di legno pronto a colpire. Queen Pepper.

– Che cosa vuole a quest'ora? (Sicuramente lo dice a qualsiasi ora.)

– Signora, sono del comune – dice Aladino.

– Io non voto – dice Queen Pepper, roteando il misclotto.

– Vorremmo solo sapere cosa ne pensa della situazione di sicurezza del quartiere e del problema degli immigrati.

– A me della sicurezza non me ne frega niente, mi rassicuro da me, una volta hanno provato a scipparmi e li ho scemiti a calci e borsate, e poi sa che le dico, se uno è fetente, è fetente da bianco e da nero, io vengo dal Sud e ancora qua nel palazzo, appena giro l'angolo, sento che mi danno della terrona, sa qual è il vero problema?

– Quale?

– Che in questa strada non c'è un verduraio – dice seria Queen

Pepper. – Ci sta il supermarket e poi una boutique di vestiti, un ottico, uno di scarpe e poi una banca e un'altra boutique, un'altra banca col bancomat, un negozio di occhiali e uno di scarpe e così via. Ma quanti piedi hanno in questa città, quanti occhi, quanti guardarobi e quanti soldi? E io cosa faccio uscire, i peperoni dal bancomat?

– In effetti, stiamo valutando l'ipotesi di riequilibrare l'offerta commerciale. Ad esempio, un mercato con bancarelle.

– Sarebbe molto bello – dice lei illuminandosi – una bancarella tutta colorata, coi pomodori, coi limoni, con friarielli, portualli e patane. Coi peperoni di tutti i colori.

– Farebbe luce nella nebbia – dice Aladino.

– Si accomodi. Ci faccio sentire che peperonata faccio io. Questi non sono peperoni del supermarket.

Il tono non ammette repliche. E poi, su una sedia, Aladino ha visto una piccola sottana. Non può essere di Queen Pepper. Forse ci siamo.

La signora lo fa sedere al tavolo di cucina, con tovaglia ricamata e leopardata di sugo. Tutto intorno, in una nebbia di vapore, vede pendere dai muri serti d'agli, collier di salsicciotti, collane di peperoncini. Un misterioso insaccato, o forse un vampiro, è sospeso sopra la sua testa. Un bunker alimentare. La radio suona *Vieneme n'zuonno*, ma in qualche parte della casa, risuona e si sovrappone un giro di basso rock.

– Miriam! – urla Queen Pepper. – Abbassa quel cazzo di registratore, c'è un signore del comune che dice che forse metteranno la bancarella delle verdure.

– E chi se ne frega – risponde una melodiosa voce femminile.

Aladino sperava che l'incontro con la Magica Gemella cominciasse con parole diverse. Ma pazienza. Queen Pepper intinge una fetta di pane in un pentolone in cui borbotta un magma di verdurame. Il pane diventa un quadro multicolore. Queen Pepper glielo infila in bocca.

– Questi sono peperoni veri di Sorato, me li porta mio figlio Vittorio, è un bravo ragazzo, fa il disegnatore tecnico, lui non mi dà pensieri, non come quella là di là.

Aladino assaggia. È infernalmente bollente e piccante, perciò ottimo. Diventa rosso all'istante. Prima di poter esprimere qualsiasi commento o desiderio, ha davanti al naso un bicchiere di vino. E nel riflesso sanguigno del vino, Miriam appare.

È una brunetta tracagnina soft-punk, con labbra viola, occhi bistrati, una maglietta nera con teschio serpentato e sei o sette anelle al naso e alle orecchie. Età fra tredici e quindici. Non è la gemella.

– La vede? – sospira Queen Pepper.

– La vedo – dice Aladino.

– E le sembra?

– Mi sembra cosa?

– Vedi mamma, al signore non gli faccio schifo come a te – dice la tipetta. – È moderno. Mi dai diecimila lire?

Queen Pepper la squadra. Nei suoi occhi si combattono amore materno e dissenso estetico. Quella creatura tintinnante è comunque la sua Miriam. Non quella vera, però.

– Tieni le diecimila lire – dice Queen Pepper con voce accorata – che ci fai?

– Vado al Mac D'Onald – dice la tracagnina, e sparisce.

Queen Pepper si accascia. Cosa poteva udire di peggio? Si infila in bocca insieme un pezzo di provolone, un'oliva e mezzo bicchiere di vino.

– Ha visto che risultato? E io che cucino tutta mattina e quella preferisce gli amburgheri.

Aladino vorrebbe dire, la capisco, e consolarla, ma è in missione. Perciò chiede:

– Ha solo quella figlia?

– Ho otto maschi e lei, la femmina, Miriam Maria. Gli otto maschi stanno tutti bene, meno uno che è morto in motocicletta, sono bravi ragazzi, meno uno che sta in galera, lavorano tutti, meno uno che è disoccupato, mi vengono sempre a trovare, meno uno che son dieci anni che manco mi manda una cartolina, gli voglio bene a tutti, meno uno che se entra qua gli acciacco gli occhi, hanno trovato delle ragazze perbene, meno uno che ha sposato una zoccola, e non mi danno pensieri, meno uno che si buca, ma Vittorio è un angelo, è l'angelo di mamma. Però per Miriam, che devo dire, io ci ho sempre avuto un debole e vederla andare in giro così...

– Signora – dico io – sua figlia è molto carina e originale, certo è un po' strana. Ma è l'età.

– Dice? Insomma, lei una come mia figlia la sposerebbe?

– Be', non la conosco, ma mi sembra una ragazza coi fiocchi.

– Giovanotto – dice Queen Pepper, studiandolo per bene – venga a mangiare da noi una sera. È scapolo?

– Sì, ma fidanzato – dice Aladino. Mente. Non lo è più da centotredici anni.

– Lo sapevo – sospira triste Queen Pepper, ingollando un cipollotto – è bella la sua fidanzata? C'ha le anelle al naso anche lei? Come si chiama?

– Non ci crederà, ma si chiama Miriam. Adesso mi scusi ma devo andare. Grazie della peperonata.

– E per la bancarella?

– Faremo il possibile.

– Grazie – dice serena Queen Pepper – comunque non voto lo stesso.

10.
UN PARTY AGITATO

La Villa Bianca brillava come un diamante, avvolta da lembi di notte elettrica, graffiata da fulmini, percossa da tuoni. Nubi nere affusolate come barracuda arrivavano spinte da un vento furioso, inattese da ogni meteorologo, e scaricavano grandine, nevischio e sabbia rossa a piacere. Ma nemmeno il caos del clima mondiale poteva fermare un party dell'Impero. Una dietro l'altra le limousine entravano nel viale della Villa, sotto scrosci d'acqua cenozoici. Grandi ombrelli verdi prelevavano gli invitati e li scortavano al coperto, ma il vento li rovesciava e li faceva volar via come uccellacci dalle ali rotte. I disombrellati correvano nonostante i tacchi a spillo e le scarpe di vernice, mentre la pioggia martoriava le toilette e la grandine sabotava i Rolex, infilandosi indiscreta nelle scollature e nei colletti.

Un rombo più forte sembrò annunciare nuova bufera. Ma non veniva dal cielo, bensì dai motori di uno stranissimo convoglio. Quattro Tir aggiogati trasportavano il *Lara*, lo yacht del califfo Almibel. Il califfo era un tredicenne obeso e capriccioso che controllava il sessanta per cento del petrolio mondiale, ed era in sovrappiù il più grande acquirente e smistatore d'armi del creato. Ogni suo capriccio doveva essere esaudito, poiché poteva far barcollare l'economia dell'Impero in qualsiasi momento. Ma per quanto potente e pestifero, era ancora un adolescente pavido, terrorizzato dagli attentati, e non usciva quasi mai dallo yacht. Aveva seicento uomini di scorta, assaggiatori anche per le gomme americane, e si diceva che dormisse con una testata atomica sotto il cuscino. Ora lo yacht, con i suoi tremila metri quadri di moquette e dodici sale di videogame, tentava un difficile posteggio a retromarcia nel prato. I quattro Tir si coordinavano rombando. Il prato tremava. Subito una serqua di conigliette, ognuna con un vassoio di hamburger e gelati, si diresse verso il portellone d'entrata, che si aprì mostrando per un attimo lampadari di cristallo e statue.

– Cicciobombo è arrivato – disse Stan, guardando alla finestra.

– Quel piccolo viziatello odioso – disse la Corday – se non fosse così ricco, lo sculaccerei.

"Tornado nel Colorado, bufera a Formentera," cantava la radio, nel salottino da relax di Max. Il presidente era assiso sulla sedia truccatoria e affidava le sue rugosità a Balaclan, suo lookista personale. Balaclan cantava *A media luz* e fardava il presidente con pennellate esperte e abbondanti. Gli ritoccò una basetta troppo bianca in argento antico.

– Brufoli, brufoli – si lamentò Balaclan – se lei mi mangia come una porca, come faccio a coprirli? Il pâté, ci vorrebbe.

– Smettila, isterica – disse il presidente. La pioggia scrosciava sui vetri. Stan si faceva la manicure con un coltello da marine. La Corday, in abito da sera color aragosta, guardava fuori dalla finestra, cupa e preoccupata.

– Tempo infame – disse – parecchi aeroporti sono chiusi, mancheranno un sacco di giornalisti alla conferenza stampa.

– Meglio – disse Max – meno giornalisti, meno domande.

– È una conferenza stampa importante, presidente – lo ammonì la Corday – lei annuncia che finalmente va a visitare la zona di guerra, dà notizia del Megaconcerto e del contemporaneo rinnovo dell'impegno militare. E poi c'è la storia del Lunistan, sperando che nessuno chieda particolari. Dovrà essere convincente e autoritario, stasera.

– Voglio la scorta sempre a fianco – disse Max. – Voglio Stan e almeno due ragazzi del Moshad. E Owl dov'è? Perché non è qui?

Stan non rispose. La pioggia continuava a frustare i vetri. Le foglie degli alberi turbinavano in mulinelli dervisci.

– Stan mi nasconde qualcosa – si lamentò Max. – Se ha paura lui, cosa dovrei dire io?

– Basta con gli isterismi – disse la Corday – sta andando tutto benissimo, quasi tutti gli invitati sono già entrati.

Uscì nel corridoio e dall'alto dello scalone hollywoodiano guardò la sala, addobbata con migliaia di strelitzie e rose bianche, al centro ventisette metri di buffet, due vasche olimpioniche di sangria, cataste di crostacei e legioni di lamellibranchi. Era un momento di ressa, stava arrivando l'attore Flanagan, due metri di steroidi, e al suo fianco una bionda con amplissime tette in mezzo alle quali s'era formato un laghetto d'acqua piovana, e poi una decina di gangster della finanza, il capo dell'opposizione senatore Larch che entrò camminando all'indietro per sottolineare il suo dissenso, quindi l'attrice Sofronia Leon, novantasei anni ben portati, portata in braccio dal comico Belsito. Piccoli, cortesi, in fila per tre arrivarono i chinesi. Poi Berlanga, Murderk e Soldout, preceduti dalle telecamere personali e dal direttore delle luci che gli indicava dove dirigersi per avere il profilo migliore. Dodici senatori con dodici terze mogli attrici, ognuna tre volte ex moglie di senatore, per un totale circa di settanta matrimoni, trentasei senatori cornuti e dieci miliardi di dollari di alimenti. I dittatori Pedro Barrero, Pedro Calamidas e Pedro Ricochet. Uno era persona di fiducia, il secondo persona di fiducia dei nemici tollerato in controparte del primo, il terzo era ora di farlo fuori.

La Corday sospirò e tornò nella sala maquillatoria, dove il presidente stava scegliendo la cravatta. Ne prese una rosa e viola, dono di un'antica amante, si commosse e si soffiò il naso nel camice di Balaclan. Il segretario Corday scosse la testa e guardò pensosa verso il parco, sovrastato dalle nubi. La Villa era costruita a semicerchio, e si potevano vedere tutti gli appartamenti di fronte, con relativa illuminazione. La luce azzurra della Sala controllo video, due lucette rosse dei cecchini, la luce aureolata della cappella, e una luce che non avrebbe dovuto essere accesa, nella sala Montagne Rocciose, quella con gli orsi impagliati, dove si tenevano le riunioni militari. C'era qualcuno nella sala. Era quella maledetta stagista, Melinda, vestita da gran dama, che si annodava un nastro rosso al collo, seduta davanti a uno specchio. Le sembrò di vederla straordinariamente vicina, malgrado la distanza. Vide la testa della ragazza rovesciarsi all'indietro, per parlare con qualcuno alle sue spalle, e i denti bianchi brillare in una risata. Sicuramente carina, la troietta. Speriamo che il presidente non la veda. Ma in quel momento Max si stava rilassando con due fette di cetriolo sugli occhi. Melinda si alzò dalla sedia e continuò la conversazione. Allora era vero, c'era qualcuno con lei, come al solito. "Piccola disfacazzi," pensò la Corday, lei l'avrebbe cacciata via, ma gli psicologi dicevano che, se al presidente veniva tolta quella piccola mania, ne avrebbe trovate di peggiori. Con chi parlava Melinda? Apparentemente, con un orso impagliato della sala. Anche lei deve avere i suoi problemi, pensò la Corday. Ma l'orso all'improvviso si mosse, sollevò una zampa e la posò sulla spalla di Melinda. E anche lui rideva, a piene zanne. La Corday lanciò un gridolino.

– Che succede? – chiese Stan.

– Solo un po' di singhiozzo – disse il segretario di stato. L'orso si affacciò alla finestra e sembrò aver perso molto pelo: la Corday riconobbe in lui Owl, nel suo normalissimo aspetto. Forse era stato solo uno strano gioco di ombre. Ma il segretario sentiva ancora un brivido lungo la schiena.

– Agenti tre e quattro – comunicò a bassa voce la Corday al telefonino d'emergenza (color aragosta) – controllate subito la sala Montagne Rocciose e soprattutto l'agente Owl.

Ma il portatile non funzionava, ed emetteva un sinistro ronzio di calabrone, forse il temporale aveva interrotto i ponti. E in quel momento vide Melinda e Owl uscire sul balcone, prendersi per mano e spiccare un balzo di trenta metri, atterrando senza alcuna difficoltà sull'erba del parco. Questo era troppo. La Corday uscì a sua volta sul balcone, la pioggia la inzuppò in pochi istanti.

– Agenti – gridò al gruppo che stazionava presso la piscina – attenti a quei due! – E si sbracciava a gesti. Qualcuno della scorta la vide, ma un tuono immenso coprì le parole di allarme.

– Là! Sono là! – indicò la Corday, sporgendosi, mentre i due entravano nelle sale del party. E forse si sporse troppo. O forse sentì una mano prenderle la caviglia, un odore acuto di muschio e una voce che le sussurrava all'orecchio:

– Le piacerebbe saper volare come noi, signora?

La Corday gridò. Il suo urlo durò per tutti i trenta metri della caduta e si spense con un soffice rumore di impatto sull'erba bagnata.

La scorta giunse subito. Il corpo del segretario di stato sembrava ora progettato da tre architetti diversi, ma respirava ancora.

– Dov'è la Corday? – disse all'improvviso Max, levandosi i cetrioli dagli occhi.

– È uscita in terrazza – disse Balaclan – deve avere le scalmane.

– Mi mollate tutti – si lamentò Max, contemplandosi una rughetta allo specchio. Non notò neanche Stan che si era precipitato sul balcone come una furia, con la pistola in mano.

Nessuno degli invitati al party, presidente compreso, si accorse dell'ambulanza che, a luci spente, venne a caricare l'ex segretario di stato. In un minuto, la Corday era sparita, in un minuto e mezzo era stato diramato il comunicato ufficiale di un piccolo malore, qualcuno malignò anche che fosse incinta. Il presidente Max fu avvisato lungo le scale che al posto della Corday, nella conferenza stampa, sarebbe stato al suo fianco il generale Ciocia. Sospirò e perfezionò il nodo della cravatta. "Tutti mi mollano sul più bello," pensò, "me la devo sempre cavare da solo, se torno a nascere faccio il jazzista."

La sala era gremita, un applauso accolse la discesa ballonzolante dalle scale del presidente. Belsito, in smoking, baffetti e colletto slacciato, gli balzò incontro per prenderlo in braccio, ma Stan lo fermò con gesto deciso. Il generale Ciocia sparò sul lampadario e gridò "Benvenuti". Lo scenario del party, visto dallo scalone, era imponente. In prima fila una legione di pinguini in frac e madonne incollierate, statisti ambasciatori, generali armieri e persino un re. In seconda fila, una sfilza di gorilla al seguito. In terza fila attori comici cantanti stilisti e persino un pugile. In quarta fila, ottanta camerieri-ussari ognuno reggente un vassoio di aperitivi multicolori e una tavolozza di tartine intonata alle bandiere dei paesi presenti. In quinta fila i giornalisti, persino uno sportivo. In sesta fila, i sospetti mafiosi, una decina, e i mafiosi notori e assolti, un centinaio. In settima fila una legione di modelle pronte ad alzare l'aerobicità dell'ambiente. In ottava fila ancora gorilla di qualità inferiore, diciamo scimpanzé da Vip medio. In nona fila, le spie. In decima fila le guardie del califfo, con telecamere nel turbante, che trasmettevano la serata ai monitor dello yacht e, su ordinazione del capo, toccavano il culo alle presenti. Poi, preceduto da uno sfarfallìo di flash entrò l'ospite d'onore: la generalessa Galina Travabanskaia, detta Trava, un metro e ottanta di sovieta baffuta, che si diceva ancora più potente del presidente Kvasny. Avanzò a passi larghi e diede la mano a Max, torcendola vigorosamente.

– Bella festa, presidente – disse.

Di lei si raccontava che avesse condotto la guerra nel Cecistan con un vigore umanitario da far impallidire Ciocia, ripulendo le città da militari e civili con tale rapidità che si era guadagnata il nome di Snowplowsky, spazzaneve. Si diceva inoltre che col kalashnikov sapesse centrare una bottiglia di vodka a cento metri, e per questo motivo era odiatissima dal presidente Kvasny. Era inoltre famosa per la sua golosità, i suoi rutti extralarge e gli eccessi erotici durante i quali incantonava alleati e nemici con eguale prontezza.

– Bella festa – ripetè Galina Spazzaneve – ma dov'è il buffetsky?

– Prima il discorso, poi il buffet – disse solenne Max.

Si sentì un uffa in parecchie lingue, poi i pinguini e le madonne e il re e gli attori e persino il pugile si portarono nel salone conferenze. Qua c'era un palco, sormontato da un'aquila d'oro strabica e fiera. Il presidente vi salì con lentezza sacerdotale. Alla sua destra si mise sull'attenti il generale Ciocia. A sinistra Baywatch, che iniziò a grattarsi.

– È un gran giorno per il nostro paese – disse Max – oggi annunciamo una grande vittoria e una grande iniziativa. La grande vittoria è che, dopo sedici anni, abbiamo deciso di chiudere le operazioni di guerra in Lunistan, in quanto la situazione è sotto controllo.

Ci fu un applauso imbarazzato. Nessuno ricordava più quel paese.

– Ma stasera sono qua soprattutto per presentare una grande iniziativa imperiale. Un'iniziativa che ribadisce e conferma la linea di ferreo umanitarismo e cameratesca collaborazione che noi e i nostri alleati vogliamo mantenere. La Dolce Guerra è stata difficile. Dieci anni di bombardamenti hanno piegato gli avversari, ma non hanno riportato la civile convivenza. Dopo la Slavia e la Betonia i profughi hanno invaso la Rutenia, costringendoci a intervenire in Pannonia e poi a bombardare il Blimburgo e l'Ostravia che impedivano alle nostre truppe di passare per fare base in Cecovia. Abbiamo dovuto piegare la neutralità della Skania, mentre altre guerre sono state necessarie in Caraibia e in Iraqui, ove i tiranni locali approfittavano del fatto che eravamo impegnati altrove. Ma intanto scoppiava un rivolta sull'Isola Rossa scelta dalle nostre truppe come base per bombardare e impedire a Slovardia e Rutenia di unirsi contro la Pannonia, mentre bombardavamo la Cecovia per impedirle di arruolare i profughi ostravi per annettere la Betonia.

– La correggo – disse il generale Ciocia – abbiamo bombardato l'Ostravia per impedirle di allearsi con la Betonia e i profughi slovardi contro la Rutenia.

– Capite quanto è complicato salvare tutti insieme questi popoli – sospirò Max. – Ma ora sull'Isola Rossa dobbiamo affrontare un nuovo pericolo. Una minoranza locale ci fa guerriglia dalle montagne e non vuole le nostre basi, rischiando altresì di riaprire una faida civile aggravata dall'arrivo via mare dei popoli che dalla Slavia e dalla Betonia...

Il presidente dovette interrompersi. Baywatch aveva iniziato a ululare pietosamente. Una risata generale accolse questo intermezzo.

– Zitto, Baywatch. Insomma, la Dolce Guerra, dopo dieci anni non è finita. Dobbiamo continuare a combattere perché solo così potremo sventare i piani della Rutenia, del Blimburgo, della Draculia e...

Baywatch lanciò un nuovo lungo ululato. Il generale Ciocia gli puntò contro la pistola ma il cane, letteralmente volando, lo scavalcò e sparì su per lo scalone.

– Ma noi siamo un popolo pacifico, perciò inizieremo questa fase due della Dolce Guerra con un grande concerto umanitario. I motivi sono tre. Uno, ringrazieremo le nostre truppe che si accingono a un nuovo sacrificio. Due, raccoglieremo soldi per i profughi ruteni, slovardi, betoni, ostravi e draculi e blimburgici, nonché per i bambini dell'Isola Rossa e per eventuali profughi futuri. E tre...

Il presidente esitò: eppure doveva esserci un tre.

– E tre ci divertiremo – gridò il comico Belsito.

– Esatto – disse il presidente – perché questo sarà lo show degli show, ripreso in mondovisione, e con un cast degno dell'Impero. Ma di questo vi informeremo in seguito. Domande da fare?

– Sì – disse una giornalista – i dittatori delle tre ultime guerre, quelli che lei stesso ha chiamato il Sadico del Deserto, il Vampiro dei Carpazi e l'Hitler delle Banane, sono ancora al loro posto, governano floridamente e hanno conti in tutte le banche occidentali. Perché?

– Questi signori hanno le ore contate – suggerì il generale Ciocia all'orecchio di Max.

– Questi signori hanno le ore contate – disse Max.

– Signor presidente – disse la giornalista – è la stessa risposta che ha dato l'anno scorso.

– È il segno che la nostra è una politica coerente – rispose sorridendo il presidente. – Altre domande?

– La Rutenia – disse il giornalista sovieto Leonov – è molto vicina al nostro paese.

– Noi garantiamo – disse il generale Ciocia – che bombarderemo la Rutenia ma soltanto fino al ponte di Betograd, a cento chilometri dal vostro confine. Inoltre impediremo ai profughi di entrare nel vostro paese con un sistema di reti sperimentato nella pesca al tonno, detto a tripla sacca. Ho qua le diapositive a colori...

– Basta – disse un britanno già sbronzo – da dieci anni è la stessa storia. Andiamo al buffet.

– Una sola diapositiva – disse Ciocia – che mostra le nuove linee d'intervento.

La luce si spense, un proiettore entrò in funzione. Con grande stupore di tutti, apparve una diapo del presidente, a braghe calate, che inseguiva una forma sfuggente.

– Problemi tecnici – disse Ciocia – riaccendete le luci.

La luce tornò e l'evento fu variamente commentato. Scherzo? Sabotaggio? Esibizionismo? Ma il buffet fece dimenticare tutto. Gli invitati si divisero in vari plotoni, a seconda della vocazione ideologica. Alcuni (i formali) si accalcarono alla caccia di piatti e posate, sfracellando i primi e conficcandosi nei fianchi le seconde. Altri (i selvaggi) si diedero a svellere chele e scassinare ostriche con le mani. Altri (i filosofi) attesero che finisse la ressa, ma erano pochi e affamati, e ben presto si lanciarono anche loro nella touche. C'era chi infilava un'intera aragosta tra due fette di pane e chi riusciva a far stare in un solo piatto una catasta di cibo da sfamare uno stato. C'erano quelli che rubavano nel piatto degli altri, quelli che aspettavano da ore uno che era andato a prendergli qualcosa, quelli che raccoglievano come accattoni le tartine cadute, quelli che mangiavano i resti dei piatti, anche se frammisti a cicche. Il rumore di mandibole era terrificante, e si mescolava con lo scroscio della pioggia e il trillare dei telefonini.

Una breve indagine sulla diapositiva accertò che qualcuno, all'ultimo momento, aveva inserito la foto galeotta, mentre l'agente proiettatore era caduto in un sopore da cui niente riusciva a destarlo. E non fu l'unica cosa che andò storta, quella sera. Tutti i camerieri iniziarono a inciampare, come intralciati da corde invisibili, versando i cocktail per terra. A un certo punto caddero tutti e sessanta contemporaneamente. Il caviale fresco iniziò a puzzare di marcio e bisognò seppellirlo a palate in giardino. Non si sa cosa ci fosse nello champagne, ma alcune delicate signore iniziarono a ruttare come orchi. Subito dopo, un'aragosta tranciò di netto un dito a un ambasciatore, fortunatamente terzomondista. Ma il vero scandalo lo diede Owl. Si fece largo a spintoni tra i Vip presenti gridando "Fuori dai piedi, mangio io". Si riempì un piatto di ostriche e cominciò a succhiarle con un rumore così osceno da scandalizzare anche i più liberali.

Stan gli si avvicinò. Sul volto di Owl c'era un sorriso folle, e il suo dopobarba aveva un odore terribile. Proprio come aveva sospettato, Stan non aveva davanti il suo vecchio compagno Owl, ma un posseduto. Stan conosceva abbastanza voodoo per sapere che cosa significavano le orbite bianche di Owl.

– Mangia, amico – disse Owl, toccando ostentatamente il culo a una ministra.

– Chi sei? – disse Stan.

– Mangia e non pensarci – disse Owl. Stan tirò fuori di tasca un talismano di legno a forma di croce. Owl con un balzo salì sul tavolo, e si tuffò letteralmente nella gigantesca vasca della sangria.

La vasca cominciò a ribollire. Due agenti cominciarono a frugare con i cucchiai. Di Owl nessuna traccia.

– State cercando di incantarci coi giochi di prestigio? – disse la Travabanskaia. Bionda e immensa, con una coscia di pollo in ogni mano, ondeggiava già mezza sbronza.

– La situazione non è sotto controllo – ammise il generale Ciocia, vedendo che il severo senatore Larch si era spogliato nudo e danzava come un'odalisca. Un fulmine colpì il tetto della Villa e subito tutto fu al buio. Migliaia di candele e luci di emergenza si accesero di colpo. Sembrava di essere a un concerto rock.

Fu così, alla luce di un accendino, che a Max apparve Melinda. Era appoggiata a una colonna, con un sontuoso abito di velluto, un nastro rosso al collo. Sorrideva e indicava il corridoio che portava alle cucine, con un chiarissimo sguardo di invito. Max si avviò e si trovò subito di fronte Stan.

– Non vada, presidente – disse l'agente con gli occhi sbarrati – gli spiriti sono arrivati. Sono in guerra...

– Adesso sei tu che vaneggi, Stan.

– No – disse il gigante – non vada. Siamo tutti in pericolo!

In quel momento uno strano personaggio alto e barbuto, con la faccia mongola e un elegantissimo smoking dai riflessi amaranto, passò vicino alla Trava e le depositò in mano un biglietto. La generalessa lesse e le andò di traverso il pollo. Cominciò a emettere suoni soffocati. Alcuni presenti, pensando che stesse parlando in ucraino, la attorniarono. La Trava chiese educatamente permesso, ruttò e uscì dal salone con aria furtiva.

Fuori nevischiava al rallentatore, e una luce grigia e spettrale avvolgeva la Villa. Ma, cosa ancora più strana, tutte le auto erano letteralmente sommerse da sciami d'api.

– Non capisco – disse uno degli autisti – non ho mai visto niente di simile.

– Neanche io – disse il collega sovieto.

– Cattivo voodoo – disse l'autista chinese.

– Il califfo ha paura delle api – disse il capo delle sue guardie – attualmente, dodici guardie del corpo spalmate di miele sono intorno a lui, pronte a sacrificarsi.

In quel momento un rumore di ferraglia e freni annunciò una vecchia jeep a tetto aperto. Ne scese fradicio e marziale il leggendario sergente Madigan, reduce da sedici anni di guerra in Lunistan. Aveva lo smoking e l'elmetto, e se ne fregava del galateo, della neve e delle api.

– Sergente – disse una delle guardie – vuole un ombrello?

– Mettitelo nel culo l'ombrello, soldato. Dopo sedici anni di fottuta guerra tutto quello che voglio è un bel bicchiere di gin che non sia annacquato e una pupa che non sia da gonfiare prima. E non sarà qualche fottuta goccia di pioggia o qualche insetto bastardo a guastarmi la serata.

Uno sciame lo assalì, Madigan ne fece una palla e la ingoiò.

– Fatemi passare, branco di scaldasedie – disse, ed entrò tra l'ammirazione generale.

Qualche miglio più in là Hacarus, dal settantesimo piano, guardava le finestre del suo grattacielo. Centinaia di farfalle notturne brulicavano, volavano, picchiavano contro i vetri. Cercò la linea diretta con la Corday. Il telefonino trillò a vuoto, dentro l'armadietto della clinica. La Corday, in pigiama color aragosta, giaceva intubata nella camera 34. Ma oltre la nebbia del coma, sopra le nuvole del suo dolore, il segretario volava felice a cavalcioni di una grande farfalla notturna, su un mare di ghiaccio. Una mano, nella luce azzurrata del neon ospedaliero, aprì l'armadietto e prese il telefonino.

– Miss Corday? – disse adirato Hacarus. – Si può sapere perché non risponde?

– Miss Corday è momentaneamente impossibilitata a parlare – disse una vocetta acuta.

– Chi parla? Questa è una linea segreta – disse Hacarus, attivando subito l'allarme comunicazioni.

– Questa non è più una linea segreta, purtroppo – ghignò la voce. – Niente di lei ci è segreto. Le farfalle la stanno spiando, e ci riferiscono ogni suo movimento.

– Chi è lei?

– Sono l'amico di uno a cui non piace quando bruciano le foreste. Stiamo arrivando, Mister Hacarus.

– Io non ho paura di lei – disse beffardo Hacarus – non c'è trucco o magia che possa spaventarmi. Ho imparato a non avere paura neanche dei sogni.

– Quello che sta per succederti, padrone del mondo – disse la voce – è al di là di ogni tuo brutto sogno. Chiedi a Ghewelrode.

– Pronto! – gridò alterato Hacarus. – Chiunque lei sia, possiamo metterci d'accordo.

Si udì una risata e la linea cadde. Le farfalle volavano in circolo, formando un vortice, l'aria faceva scricchiolare i vetri blindati.

11.
IL PARTY DEGENERA

Nella Villa, al buio, ne accadevano di tutti i colori. Stan cercava il presidente, nel fluttuare delle ombre e dei corpi, ma non era facile. In ogni angolo nascevano accoppiamenti dissonanti rispetto alle sinergie politiche, si levavano gemiti poliglotti e ansiti di etimo incerto. Rari schiaffi intervallavano assensi, proposte e porcaggini in tutte le lingue, compreso l'ugro-finnico e il daiyai. Signore conservatrici si rivelavano assai liberali, politici moderati si davano a ogni eccesso, cadevano embarghi e mutande.

Il generale Ciocia voleva approfittare della situazione per eliminare l'odiato Pedro Ricochet, ma nella penombra aveva ucciso nell'ordine un attore western, il cuoco francese e l'alleato Pedro Barrero. I chinesi, fulminei, avevano subito ordito un colpo di stato via fax per sostituire Barrero, ma Barrero aveva tre controfigure ed era già apparso in televisione, in parlamento e allo stadio per rassicurare il suo popolo,

Ciocia si consolò azzoppando due ambasciatori creoli a caso. Soldout si era nascosto sotto il tavolo ed era stato quasi violentato da Baywatch. Dentro un armadio, un addetto d'ambasciata sovieto trasferiva capitali e baci a un banchiere helvezio. Spiritrombe cercavan spermodotti, sadi cercavan masi, eravi odor di fluidi diversi e semenze internazionali.

Il presidente Max invece, seguiva la traccia che Melinda gli aveva lasciato. Una striscia di lustrini o paillettes che brillava argentea al lume dell'accendino. Il sentierino magico portava nella cucina. Qua i cuochi sembravano tutti spariti. Le enormi pentole emanavano ancora calore, e in una di esse bolliva ancora qualcosa, con un brontolio di dinosauro. Cadaveri di lepri scuoiate e pesci con l'occhio sbarrato giacevano sulla morgue di marmo dei taglieri. Una mezza aragosta ancora viva batteva la coda nello spasimo. Il presidente si guardò intorno, mentre la sua ombra scorreva ingigantita sul muro.

– Melinda – chiamò un po' spaventato.

– Sono qui – rispose una voce deformata dall'eco. Veniva dal grande forno a legna, dove ancora ardeva un poco di brace.

– Amore, sei tu?

Un rumore affannoso ed eccitato gli rispose. "Matta di una ragazza! Ma pur di farmela, entro anche all'inferno," pensò il presidente. A fatica, si arrampicò e strisciò dentro la bocca del forno. La brace era quasi spenta ma faceva ancora caldo. Il forno era più grande di quanto il presidente pensasse, tanto che riuscì quasi ad alzarsi in piedi. La sua testa raschiava il soffitto, mentre avanzava ingobbito verso il fondo. In quel momento l'accendino si spense.

– Amore? – sussurrò il presidente, nel buio rossastro.

Una mano calda e vigorosa lo afferrò per i pantaloni e li sbottonò con perizia. Poi una bocca ingoiò il membro presidenziale e iniziò quello che in gergo da intenditori viene chiamato "frullo di farfalla", per passare poi al "bacio della trota" e al "vortice di piume". Il presidente si mise ad ansimare come un mantice, ravvivando la brace. Fu così che tornò un poco di luce e Max vide, premuta contro la sua pancia, una massa di capelli biondi e stopposi. Afferrò il tutto per un orecchio e gli apparve il muso di mastino della generalessa Travabanskaia, arrossato dal calore e dall'estasi sorbitoria.

– Me lo avevano detto che eri un gran porco – ruggì la Trava.

– C'è un equivoco – balbettò il presidente.

– Quale equivoco, furbone. Ho il tuo biglietto!

E gli mostrò un foglio, alla luce delle braci che avevano ripreso a fiammeggiare. "Vieni in cucina, voglio che mi spompini nel forno, bruciamo insieme, perversa porcona bolscevica. Il presidente John Morton Max." Seguiva firma e addirittura un timbro.

– No, no! – urlò il presidente. – Molla l'osso, disgraziata, non voglio.

Purtroppo il dibattersi presidenziale e il contemporaneo attaccamento al pezzo della Travabanskaia ebbero come effetto un'eiaculazione di proporzioni massicce. La Trava, annaffiata, non sapeva se dare retta a quel segnale di gradimento o ai pugni che il presidente le dava sulla testa.

– Tu sei un porco molto complicato – disse ridendo la sovieta, e scuotendo due seni grossi come cocomeri intimò: – Ora tocca a te, bello, fare il tuo dovere.

– No! Aiuto! – gridò il presidente. Si divincolò e balzò fuori, dove lo attendevano per l'ennesima volta le capaci braccia di Stan.

– Presidente, cosa ci faceva nel forno?

– Credevo che ci fosse dentro Melinda – pigolò Max.

– E invece chi c'è?

– C'è la... – Ma il presidente non finì la frase. Una vampata improvvisa illuminò la cucina, nel forno ci fu un'esplosione e si avvertì un intenso odore di arrosto. Nel fumo nero che usciva dalla bocca del forno, sembrò a tutti e due di veder uscire qualcosa che assomigliava a un grosso pipistrello.

Stan non si perse d'animo. Prese un estintore e diresse il getto contro le fiamme. Guardò dentro, rabbrividì, e baciò la croce di legno che portava al collo.

– Gliel'ho detto. Cattivo voodoo contro di noi. Owl scomparso nella sangria. Le aragoste che rivivono. Baywatch posseduto. E questa è la peggiore di tutte. Avremo dei problemi diplomatici, signore – disse.

La Trava giaceva carbonizzata al centro di una grossa pizza. Chiunque fosse l'assassino, era sicuramente un buontempone.

Nella stanza 34 della clinica militare, la Corday si risvegliò un istante dal coma. Sentiva odore di bruciato. Vicino a lei c'era un signore alto, in smoking dai riflessi amaranto. Con un pettine, cercava di pettinarsi la barbetta e le sopracciglia che sembravano strinate come piume di pollo.

– Dove sono? – chiese la Corday.

– Un po' di là, un po' di qua – disse l'uomo in smoking.

– E lei chi è?

– Mi chiamo Bes. Caesar Augustus Budrur Bes.

– Chi la manda?

– Un tale che si chiama Kimala.

– Non conosco nessun politico con questo nome.

– Imparerà a conoscerci – disse Bes – me e i miei amici. Resterà con noi per qualche anno.

– E poi?

– Poi si sveglierà. Vedrà quante cose saranno cambiate, intanto, nel mondo. Sempre che ci sia ancora il mondo, naturalmente. Le serve qualcosa? Acqua minerale? Un po' di musica?

12.
IL GRANDE RIK

Baby io sono come te
La stessa rabbia la stessa voglia che
Io sto sulla strada con voi
La stessa strada la stessa notte che noi
Vieni insieme a me bambina
Metti il vestito rosso che piace a me
E brucerai e brucerai con me
La stessa noia la stessa noia che
Daddada ye dadda ye ye ye.

Un calcio fece volare il compact disc contro il muro.

– Porca puttana 'fanculo cristo deficienti sfigati vi pigli un colpo a tutti – disse Rik, dieci milioni di dischi venduti, compreso quello appena distrutto. I suoi capelli, pochi ma ben conditi di gel, nonché ossigenati in biondoblù, erano dritti come i peli di un gatto arrabbiato.

Dal corridoio della suite dell'hotel, la sua guardia del corpo avanzò a passetti di danza. Il suo soprannome era Orango, un omone trapezoidale con corta barbetta da duro e mandibole carenate. Gli occhiali a specchio nascondevano il suo unico difetto: due occhi azzurri, mitissimi, da mucca.

– Cosa c'è che non va, signor Rik? – disse con vocetta da geisha.

– Il whisky – ruggì Rik – non è la mia marca. Ho chiesto il Ghrainsloshla di dodici anni e questo è Greahamaghaonna di dieci. Che cazzo di hotel cinque stelle è questo, se le ficchino nel culo le cinque stelle.

Orango prese nota di questa visione astrofisica della rabbia di Rik, e sospirò:

– Io ho detto come al solito di portarle il solito, signore.

Rik si alzò bruscamente dal letto, rovesciando per terra la sua chitarra che lanciò un accordo di protesta. Poi puntò un dito contro Orango, proprio come gli attori americani nei film.

– Be', se non si ricordano neanche qual è la mia marca di whisky, che cazzo di albergo è questo, io avevo detto al manager che volevo andare al Grand Heillbrunn ma no, lui mi ha portato qui, guarda che cesso di suite, la metà di una suite normale, e non c'è neanche una presa elettrica.

Orango avrebbe voluto far notare a Rik che in quella suite, con una rete in mezzo, si poteva giocare a tennis, e inoltre c'erano circa trenta prese elettriche, nascoste per scelta stilistica d'arredo. Ma da tempo era abituato a incassare i capricci del cantante-dieci milioni di dischi venduti.

– Telefono subito a Gibbo – disse.

Gibbone, seconda guardia del corpo, stava a Orango come Owl stava a Stan. Il cellulare di Gibbone trillò l'inno americano.

– Unità uno ricevuto – disse Gibbone. Aveva visto molti film di guerra. Era della stessa stazza di Orango, quasi un clone, ma era rasato a zero, portava occhiali a specchio arancioni ed era disarmato. Anche Orango come Owl era esperto di arti marziali, e soprattutto di fora dkue, tecnica appresa nello spingere fuori dalle discoteche romagnole degli ubriachi di cento chili.

– Qui unità due – disse Orango. – Hanno sbagliato la marca di whisky del capo. Bisogna portargli quella giusta.

– Unità uno ricevuto, ma non puoi telefonare direttamente?

– No – disse Orango a bassa voce – sai com'è il capo. Devi andare giù, fare un cazziatone e poi devono telefonargli per chiedergli scusa. Se no non si calma.

– Ha tirato molto?

– Ne ha tirata da farci un pupazzo di neve.

– Unità uno ricevuto, divento operativo – disse Gibbone e scese giù a farli sentire delle merde.

Sul letto, Rik leggeva e quasi stracciava i giornali.

– Non c'è un cazzo di notizia sul mio concerto. Cosa paghiamo quella troia della Manenti per sbocchinare i giornalisti se non riesce a farmi avere mezza pagina di giornale, guarda qua Papalla, una pagina intera, "L'Impero mi aspetta", ma che cazzo dice che ha suonato per gli emigranti italiani a New York, tremila pezzenti raccolti dalla mafia, neanche un americano, non si sono neanche accorti che è passato di lì.

– I giornali esagerano sempre, signore – disse Orango, semiotico.

– La verità è che faccio tutto da solo, Orango – disse Rik – io, con la mia intatta voglia di ribellione, non sto nel sistema io, lucidami gli stivali perdio. E mentre gli altri hanno fior di staff e gente che si dà da fare per promozionarli, io mi faccio il culo sul palco, e voi ingrassate alle mie spalle.

Orango sospirò internamente, e si mise a lucidare con vaselina giallastra gli stivaletti in pelle di rettile ignoto. Conosceva quel tipo di attacco. Appena Rik pensava di aver perso un briciolo di popolarità, diventava matto. Le fan all'entrata dell'hotel erano state numerose, ma non isteriche, e non c'erano stati svenimenti. Il suo concerto aveva già venduto diciassettemila biglietti in due giorni, ma il positivo neoagico nuoverico Zenzero ne aveva venduti ventimila, promettendo che avrebbe guarito dall'acne tutti gli adolescenti presenti. Da tre giorni, non appariva una copertina su Rik. Il suo disco *Ribelle vera pelle* era sceso dal terzo al quarto posto della hit-parade.

Squillò il cellulare numero tre. L'uno, doppio trillo, era la linea con la mamma, il due, un chicchirichì, lo collegava con eventuale gnocca, il tre, ponte sul fiume Kwai, era il numero diretto col suo manager Pataz. Rik cercò nervosamente in mezzo alle lenzuola tra briciole, polverina sparsa e stampa, e rintracciò il cellulare sotto un cuscino.

– Grande Rik! – disse la voce di Pataz.

– Grande un cazzo: dove sei?

– Nella hall.

– E perché non sali?

– Sto aspettando l'assessore Pancetta, c'è una proposta grossissima. Se concludiamo, Glucosio e Zenzero saranno stesi. Roba internazionale.

– Sarebbe ora. Non è che spari una balla perché la prevendita va male?

– Ma cosa dici. Siamo già a ventimila.

– Vaffanculo. Io non suono in uno stadio vuoto.

Seguì una pausa con deglutizione, necessaria a Pataz per mandare giù un paio di benzodiezepine e slacciarsi la cravatta.

– Rik, non ricominciare con la paranoia. Sono due serate di concerto, abbiamo ancora una settimana per vendere gli altri biglietti, finirà come al solito, con la gente che resta fuori.

– L'elicottero c'è?

– C'è il Bell 742.

– Non sarà come quello di Glucosio?

– No, Glucosio ha il Bell 716, che in confronto al tuo è un frisbee, questo tiene sedici persone, lo chiamano la Rolls-Royce dell'aria. Lo usavano i Guns&Daffodils.

– I Guns sono finiti a chiedere l'elemosina, proprio come faremo noi se continuate a sbagliarmi il marketing. Hai contattato Soldout?

– Non è facile contattarlo.

– Lo voglio – gridò Rik – ha fatto vincere il Goldisco a tutti. Voglio che sia lui a farmi la promotion, sono stanco di briciole.

– Rik, datti una calmata, nei tuoi conti correnti non ci sono briciole, ci sono pagnotte da un miliardo. Sei sempre il numero uno. Venendo qua c'era una scritta sul muro del sottopassaggio. *Grazie Rik, mi hai fatto sognare, Cinzia*.

– È di quelle che abbiamo fatto scrivere noi?

– No, era vera, te lo giuro Rik. I ragazzi ti amano. Sentono che sei come loro, che non sei cambiato, che il sistema non ti ha preso tra i suoi ingranaggi. È per questo che devi andare all'Isola, al Megaconcerto dei dieci anni di guerra.

– 'Fanculo Pata, io mi cago sotto. E poi la politica m'ha rotto il cazzo.

– Rik, è l'evento dell'anno, ci sarà la mondovisione, è un treno da non perdere. I moderisti ci vogliono, un buono sponsor politico è indispensabile. Ragazzo mio, hanno bisogno di noi. Loro non sanno come parlare ai giovani, noi sì.

– È uscita la hit-parade?

– Sì. Sei ancora terzo. Prima è Ciccia con *Mi manchi un casino*, ma in due mesi scoppia. Secondi i Rappa 3131 con *Siamo Sempre sulla Strada* ma non conta, Sono Stati Sempre in Televisione questa settimana, la prossima crolleranno.

– E Zenzero?

– Zenzero è sesto, sta colando a picco, tra un po' suonerà in un piano bar. Allora, posso venire su con l'assessore?

– E fallo salire, quel rompicazzo.

Sul divano tigrato della hall, Pataz tirò un sospiro di stremato sollievo. Si soffiò rumorosamente il naso, che aveva ben dimensionato. Vicino a lui l'assessore alla cultura Pancetta teneva sulle ginocchia sei chili di giornali, e aspettava composto come uno scolaretto lo svolgersi degli eventi. Alla reception, Gibbone cazziava tutti a voce alta.

– Cosa c'è, Gibbo? – chiese Pataz.

– Hanno sbagliato a portar su il whisky al capo.

– Ma smettila, non fare casino. Portaglielo tu e stai zitto.

– Ma lui...

– Sì, sì, dirò che si sono personalmente scusati con me. Che il direttore mi voleva dare il culo. Che i camerieri piangevano. Vai su e cerca di non farlo incazzare.

– Un lavoro non facile il suo – disse l'assessore Pancetta, mentre Gibbone si lanciava su per le scale a balzi, per mantenersi in allenamento.

– Proprio così – disse Pataz – vede, Rik è rimasto un ragazzo semplice, un ragazzo di provincia. Ma quando si è il numero uno, la pressione psicologica, i fan, i soldi, insomma, qualche mania ti viene. Ha sempre paura che gli passino davanti, che il successo svanisca. Ha presente Elvis? Uguale. E io devo tranquillizzarlo. Vede su questo giornale l'hit-parade? Le faccio una confidenza assessore, tanto siamo in affari. Lui questa settimana era quinto. Aveva davanti anche i Kill Me Sweet e i Tampico. Ma io ho telefonato ai redattori del giornale. I Tampico sono della mia scuderia, li ho fatti retrocedere. Li abbiamo lanciati come i re del mambo azteco, ma sono degli ex chierichetti pugliesi, cantavano in chiesa. E con dieci milioni i Kill Me Sweet sono stati messi al quarto posto, tanto sono eirlandesi, chi se ne accorge. E ogni volta è così. Va rassicurato, come un bambino.

– Capisco.

– Andiamo su – disse Pataz – e mi raccomando. Non nomini mai Zenzero, Glucosio, o Vanes Banana, o altri cantautori. E non pronunci mai la parola "capelli", lo innervosisce, ne sta perdendo un po'. E riguardo al concerto, ripeta sempre che lui è il piatto forte, e che senza di lui non si può fare nulla. E se le offre delle pasticche, accetti.

– Be', – sospirò l'assessore – per essere un semplice ragazzo di provincia, è ben complicato.

– Assessore – disse Pataz, e la faccia si accese di un riflesso satanico-manageriale – tenga presente una cosa. Se il suo sindaco parla in piazza con tutto lo staff di partito, fa diecimila persone e i voti restano gli stessi. Se c'è Rik e il suo sindaco parla prima di Rik (mi raccomando, prima e non dopo), sa come cambiano le cose?

– Come cambiano?

– Cinquantamila in piazza e qualche voto in più. Se poi lei abbraccia Rik o gli tocca le balle tanti voti in più, se canta in duetto con lui, una barca di voti.

– Fermi la sua immaginazione – disse l'assessore. Si spettinò per apparire più casual, e si apprestò alla prova. Salirono. Oltrepassarono lo sguardo vigile e impassibile di Gibbone. La porta si aprì. La mole di Orango si fece di lato e apparve Rik, in canottiera, jeans e bottiglia di whisky in mano.

– Ci ho pensato, Pataz. Posso anche rischiare di andare in zona di guerra. Ma voglio tutte le garanzie, assessore.

– Qualsiasi cosa per te – disse l'assessore. Aveva detto quelle quattro parole almeno cinquanta volte nell'ultimo mese, e mai per amore.

13.
DENTRO LA TERRA E NEL CIELO

– Stiamo viaggiando a diecimila piedi di altezza, il tempo sulla rotta è buono, contiamo di atterrare sull'Isola entro quarantacinque minuti – disse la voce professionale del pilota.

L'aereo presidenziale, scortato da quattro caccia, era un Jumbo colossale, dipinto coi colori dell'Impero. L'interno era tutto foderato di moquette aragosta, un'idea della Corday. C'era ogni comodità, una grande Jacuzzi, un campetto da golf di trenta metri, un piccolo casino con roulette, una sala per le esecuzioni musicali e una per le capitali, cinematografo e sauna. Il presidente, nel vasto salone in coda all'aereo, stava giocando a ping-pong con Stan, il quale soffriva di mal d'aria e si muoveva barcollando. Due hostess nerborute facevano il tifo. Erano agenti della scorta travestiti, e li tradiva un certo modo di grattarsi. Sul quindici a due per il presidente la pallina si arenò nella pozza di vomito di Stan, che occupava ormai metà del tavolo. Il presidente, democraticamente, chiese a Stan se volesse smettere. Stan posò la racchetta, vomitò un'ultima volta e si mise a dormire.

– Vuole che giochi io? – si offrì una hostess, abbrancando la racchetta con la manona tatuata.

– No, grazie, Petunia. Non ne ho più voglia.

Trillò il telefono giallo dell'Interalleanza. Petunia scattò sulla cornetta.

– Se è Bottom non ci sono – disse Max.

– Il presidente non c'è – disse Petunia – è andato a fare un giro fuori dall'aereo.

Con una bestemmia, Max afferrò la cornetta. Dall'altro capo del filo c'era Bottom, il leader britanno. La voce era roca e inframmezzata da scoppi.

– Ehi, Max, qua è uno spasso. Novantasei missioni, stamattina. Perché non vieni anche tu?

– Dove sei, Bottom?
– Al confine con il Qataq. Gli stiamo facendo un culo così agli infedeli. Oggi ho provato il nuovo tank Tapyr. Si guida con una mano sola.
– Bottom. Mi dicono che sono tre mesi che non ti fai vedere in parlamento. Quand'è che ti decidi a tornare a casa?
– Mi piace troppo la guerra, ragazzo – disse Bottom – stasera tiriamo il Lax, il missile con i bacilli di salmonella. Se centriamo l'acquedotto, si scioglieranno nella merda.
– Bottom, questi sono segreti militari.
– Mi sa che devo salutarti, c'è un plotone di infedeli che ci attacca – disse Bottom – mi devo mettere al coperto.
– Dove sei, in trincea?
– Fossi matto. Sono sulla terrazza dell'albergo, ma ho un cannocchiale a tremila ingrandimenti. È uno spasso, vieni tra noi veri uomini, Max, non sai cosa ti perdi. Passo e chiudo.

Max scosse la testa. Erano mesi che Bottom girava in tuta mimetica da una guerra all'altra. Non c'era verso di farlo tornare al lavoro. Anche lui non ne poteva più della politica, ma non sognava certo la guerra. Sognava Hakalaimalakawahanane, il canto dei pappagalli, il tramonto sull'amaca, il gelato di cocco con l'ombrellino di carta, l'aragosta alla nutella. Quella era vita.

Si sdraiò sulla chaise-longue di poppa, guardò il mare di nuvole sotto di lui e si diede ad amare riflessioni. Cos'erano quell'aereo, il potere, l'invidia degli altri, senza Melinda? Quella ragazza lo aveva stregato, soggiogato, invaso. Cosa serve essere il capo dell'Impero, l'uomo più potente (quasi) del mondo, se non puoi avere l'amore? Trillò il telefono rosa. Era sua moglie Sybil, con la sua sicumera avvocatesca. Aveva fatto cambiare l'arredamento della Sala Alamos. La Corday era ancora in coma, la Cia cercava nel suo passato elementi per giustificare un possibile suicidio, ma non s'era trovato niente, solo un quattro in matematica trent'anni prima. Il discorso da fare al concerto sarebbe arrivato con un corriere militare, il fax poteva essere intercettato. Dov'è la troietta? (Questo era un tormentone ricorrente.) Non lo so, rispose il presidente, ed era vero, l'aveva cercata per chiederle di venire con lui, ma era scomparsa nel nulla. Sybil continuò col notiziario. Baywatch proseguiva con le sue stranezze, ormai mancava da casa da un giorno. I commenti dei giornali sul discorso del party erano tutti abbastanza positivi. Censurate tutte le stranezze della strana serata. Il governo sovieto aveva dato la notizia dell'improvviso siluramento della Travabanskaia, pare per contrabbando di caviale, e il suo isolamento in una dacia estone. Per finire, ciao caro, non fare il porco.

"Ciao Sybil, crepa," pensò il presidente, e guardò le nuvole, una delle quali aveva la forma di un cuore, o anche di un culo a seconda dell'ispirazione, e si sentì il più infelice degli uomini della terra anche se in volo. Ma in quel momento, gioia, sollievo, ristoro, un respiro sfiorò la sua nuca e due inconfondibili manine fresche si posarono a chiudergli gli occhi. Il presidente le prese e le baciò con devozione. Melinda era lì sull'aereo, ridente, con una divisina azzurra da hostess e i capelli raccolti in una funzionale crocchia. E vicino a lei c'era Baywatch con un buffo nastro amaranto al collo.

– Melinda, ma come hai fatto. E il cane...

– Un accordo segreto coi servizi segreti...

– Bada, Melinda, non fare accordi col servizio segreto, io te lo vieto – disse il presidente.

– Che bello, mi parli sempre in rima.

– Non faccio niente di speciale, mi viene naturale – disse il presidente. – Oh, insomma, basta questa rima strana, verrai sull'Isola usitaliana? Se non ti burli di me, avrai una suite tutta per te.

– Sì, ma voglio un regalo – disse Melinda, con tono capriccioso. – Voglio un cane.

– Vuoi Baywatch? Te lo regalo.

– No – disse Melinda, carezzando la testa del citato – Bay è tuo. Io voglio un cane tutto mio e deve essere il più raro e bello del mondo, nessuno deve averne uno uguale.

– Lo avrai – disse il presidente, e cercò di baciarla, ma un vuoto d'aria lo sbalzò dalla sedia e lo fece rotolare per tutto l'aereo come un tappeto. Quando si rialzò, come sempre, Melinda era sparita. Stan vomitava a tempo di blues e Baywatch lo accompagnava ululando.

Duemila metri sotto il jet presidenziale volava l'aereo del generale Ciocia, un vecchio bombardiere Chippewa. Era verde ramarro, e sulla fiancata aveva dipinti trecentosei funghetti, uno per ogni obiettivo colpito. All'interno dell'aereo il generale non aveva voluto nessuna comodità, a eccezione di un fornito frigobar per i gelati. Si viaggiava su cataste di paracadute ammonticchiati, pacchi di gallette e casse di bombe a mano. A Ciocia piaceva così. Si era anche fatto adattare, sul tettuccio, una postazione con mitragliatrice da cui si divertiva a sparare agli aerei di linea e agli stormi di anatre. Qualche volta, dalla carlinga gli lanciavano dei piattelli. Con lui viaggiavano una cinquantina di marines, il servizio d'ordine del concerto, gente rotta a tutte le battaglie, da Madoska a Julio Arbatax, dai Rolling Blades ai Mamma Mettimi Giù. Ma soprattutto sull'aereo viaggiavano i Raz, il gruppo di reichrock più duro e militarista, idolo delle truppe americarde e dei teenager di tutto il mondo. Jacintus, percussionista, nazista di centro, con una batteria di pelle umana. Grankio, chitarra basso, che aveva tatuate sul corpo settecento svastiche e sembrava un incrocio tra un giaguaro e una borsa di Gucci. Mansonk, chitarra solista che odiava tutti, compresi i suoi compagni, perciò viaggiava chiuso dentro una valigia Samsonite nera. E per ultimo il cantante Adolf Velkro P, in lungo cappotto di cuoio e baffetti hitleriani, autore dei testi. I quattro bevevano birra e ruttavano, Mansonk attraverso uno sfiatatoio nella valigia. Improvvisamente Grankio si alzò, vomitò a spruzzo e disse:

– Mi sto annoiando, qui ci vuole una bella rissa.

Il generale Ciocia sospirò e disse: – Ragazzi, abbiate pazienza, tra un'ora arriviamo e potrete spaccare tutte le teste che volete.

– No – disse Grankio – io sono un Raz, il più duro e cattivo del mondo, e se dico che voglio la rissa, la voglio subito, stronzo.

– Mi dispiace – disse Ciocia – ma come saprai, noi marines siamo addestrati a subire ogni tipo di insulti senza reagire. Fa parte della scuola di obbedienza e autocontrollo. Quindi non riuscirai ad attaccare briga né con me né con i miei uomini.

– Non voglio attaccare briga con te, vecchio pederasta obeso, del resto lo so che il tuo divertimento preferito è farti inchiappettare dai musi gialli prigionieri, e so anche che l'ultima volta che hai preso in mano un fucile non ti sei solo sparato nella mandibola ma ti sei portato via anche un coglione, ed è il meno che ci si può aspettare da una testa di cazzo pacifista frocio come te.

– Non è vero... cioè, non mi interessa quello che dici, civile – rispose Ciocia, tremando in ogni parte del corpo.

Si fece avanti il capoplotone dei marines, il leggendario sergente Madigan.

– Rientri nei ranghi – ordinò.

– Lei deve essere il famoso Madigan detto Chicco, perché va a combattere col pannolone, un bel pezzo di codardo bolscevico raccomandato, mi hanno detto che ce l'hai tanto coi negri ma in realtà sei figlio di un pomeriggio che tua mamma andò a portare la pizza alla squadra di baseball dei Black Bears e riuscì a farsi trombare da tutti i presenti prima che la pizza si raffreddasse.

– Chiedo il permesso – disse Madigan – di percuotere solo un pochino questo bastardo tatuato.

– No, sergente – disse Ciocia. – Ricordatevi l'addestramento, ragazzi.

– Ehi – disse Mansonk dalla valigia – la sapete la storiella del nano vietcong e dei dieci marines dentro l'ascensore?

La sapevano, ma resistettero. Allora si fece avanti Jacintus e disse: – Ehi, ragazzi, ma è vero che ci sono dei marines che stanno al fronte anche un anno senza mai scrivere alla mamma?

Questo era troppo. Si scatenò una tale scazzottata che l'aereo si mise a zigzagare e i piloti dai caccia si collegarono col bombardiere per chiedere cosa stesse succedendo.

– Niente – rispose il pilota – stanno giocando a dadi senza levarseli dalle tasche.

Tutt'altro clima si respirava nell'aereo privato di Sua Innocenza l'onorevole Berlanga, anomala gloria di Usitalia, uomo predestinato all'eutanasia del paese. Gangster videofago, nonché affarista avido e spregiudicato, egli godeva ormai di indulgenza politica plenaria. Se era assolto, era innocente, se era condannato era un perseguitato politico, se era sotto giudizio si cercava di fargli saltare i nervi, le sue società fantasma erano strategie aziendali, le valanghe di soldi misteriosi una garanzia del liberalismo e la difesa dei suoi interessi era la difesa della libertà di tutti. Perciò sul lato dell'aereo erano dipinti ottantasei orsacchiotti, uno per ogni processo e condanna. E a ogni orsacchiotto diventava più intoccabile. E a ogni orsacchiotto i leader moderisti, suoi esitanti avversari, spiegavano al loro perplesso elettorato che un giorno avrebbero convinto Berlanga a tornare nell'alveo della democrazia. Il che dimostrava che (1) non sapevano cosa vuole dire democrazia, (2) non sapevano cosa vuole dire alveo.

Nell'aereo Berlangair, un lussuoso jet intestato al suo barbiere, erano ospitati i britanni Bi Zuvnot, idoli delle giovanette di tutto il mondo, il comico della Trivideo Sam Sapone, il celebre Zenzero, cantante positivo analgesico neoagico nuoverico e soprattutto Michael Teflon, il cantante che per non invecchiare viveva sempre sotto vuoto spinto, in una grossa lattina di vetro trasparente. Il Berlanga era in contatto video con i suoi ospiti, e sorrideva da uno schermo gigante.

– State bene, ragazzi? Mi raccomando, siamo la squadra vincente, schianteremo le reni ai moderisti.

Solo Sapone era sveglio. I Bi Zuvnot dormivano nei loro lettini rosa. Zenzero stava facendo yoga con il suo maestro spirituale, un ex commercialista pentito. Michael Teflon galleggiava nella lattina trasparente, come un grosso feto.

– Qua è un mortorio, capo – protestò Sapone – neanche una fica di hostess. Solo uno steward frocio e dei vecchi serial Trivideo da lessare le balle.

– Lo steward René è in realtà il più feroce agente del Moshad. I due piloti hanno trecento ore di missioni di guerra. E il serial non è vecchio, l'abbiamo riciclato dalla scorsa estate, ci siamo accorti che la gente non si ricorda più le trasmissioni dell'anno prima. Come vedi, niente è come sembra.

– Se è per quello, neppure io sono un comico, sono un attore con un auricolare, teleguidato da un computer che ha in memoria un milione di gag. I Bi Zuvnot cantano in playback. Il positivo Zenzero è un depresso megalomane, e Michael Teflon è clinicamente morto da tre anni.

– Zitto, Sapone, potrebbero esserci delle microspie sull'aereo. Non dire sciocchezze. Voi, con Gragnocca Gragna, siete la supersquadra del mio show e dominerete la scena del Megaconcerto. L'Impero conta su di voi e anch'io.

– Sarà, ma la vedo grigia.

– Ma possibile che tu sia sempre così triste?

– Sono scollegato col gag-computer capo. Vuole che mi colleghi?

– Sarebbe meglio.

– Sarà ma la vedo grigia, disse quello che era finito sotto la sottana della vecchia.

– Gran battuta, Sapone.

– Grazie, Sua Innocenza. Ha letto il progetto del mio nuovo programma?

– Non ancora. Di che si tratta?

– Si chiama *Freaks*. Si prende un attore con un finto difetto fisico, lo si mette in una piazza e poi con la telecamera segreta si registrano tutte le cattiverie che subisce dalla gente. Alla fine chi fa le schifezze peggiori viene invitato alla finale, con degli storpi e degli handicappati veri. Dodici trasmissioni di due ore. Dopo la serie, naturalmente, ci sarà un dibattito sul razzismo e sulla difesa delle minoranze.

– Mi sembra una buona idea. Ma bisogna andarci piano. *Krash* ha suscitato molte polemiche.

– Certo capo, gli stuntman hanno esagerato. Dovevano creare

dei falsi incidenti stradali, ma ne hanno ammazzati trentasei in un mese.

– *La tivù verità non la puoi fare a metà.* È un dogma delle mie Trivù. E adesso vi devo lasciare, state per uscire dal campo del satellite. Arriverò sull'Isola stasera. Oggi ho una noiosa riunione con la maggioranza e un inutile dibattito con l'opposizione. Spero che non mi succeda come l'altra volta, quando ho invertito i miei due interventi. Fortunatamente nessuno se n'è accorto. Mi basta dire ogni tanto la parola "microcriminalità", piace tanto a tutti. Che complicazione la politica: ma da quando l'ho scoperta, è così facile fare soldi. Ricordo una volta, stavo portando dei capitali alle Isole Alligator, e mi viene incontro un pezzente...

Lo schermo si fece grigio e il contatto svanì. Dal finestrino dell'aereo si vedeva il mare sconfinato, per ora nessuna traccia dell'Isola. Sapone sbuffò e premette il pulsante per chiamare lo steward. Nessuna risposta. Chiamò ancora. Si presentò un inserviente nuovo. Altissimo, con la barbetta a punta e un papillon amaranto sulla divisa azzurra.

– Desidera, signore?

– Uno spuntino. Un panino con la trippa, un po' di caviale, qualsiasi cosa.

In quel momento l'aereo ebbe una leggera sbandata, inclinandosi sull'ala destra.

– Che cazzo succede?

– Sono le fan dei Bi Zuvnot, signore. Temo che ci abbiano raggiunto.

Sapone guardò fuori dal finestrino e trasecolò. L'ala dell'aereo era completamente coperta di uccelle, soprattutto gabbianelle e cicogne. Lanciavano alte strida, e guardavano dentro con occhi esagitati. Alcune avevano al collo cartelli con scritto "I love you Paul" "Kevin sei fico" "Robin mi fai volare".

– Ma... non è possibile – balbettò Sapone. – Gli uccelli non si comportano così.

– La fama dei Bi Zuvnot è ovunque, in terra, in cielo e in ogni luogo – disse solennemente lo steward. – E poi non ci sono solo uccelli.

Era vero. Sull'ala del'aereo c'era anche una decina di ragazzine bionde e ricciute, dotate di piccole ali bianche da gallinaceo. Strillavano meno delle altre, ma sembravano emozionatissime. Una di esse reggeva un cartello: "Zenzero sei il nostro angelo".

– Sto diventando pazzo, aiuto! – gridò Sapone. – Voglio parlare col pilota, collegatemi col Berlanga, chiamate la torre di controllo!

Ma la situazione precipitò rapidamente. Dall'ala le ragazze e le uccelle riuscirono a forzare il portellone, e a entrare. L'aria gelida turbinò nell'abitacolo. Sapone fu travolto. L'orda urlante penetrò fino alle camere dei Bi Zuvnot. Si udirono altissime grida, e per tutto l'aereo volarono piume e reggiseni. L'altoparlante di bordo segnalò l'emergenza, mentre il Jumbo ballava paurosamente. Poi Sapone vide uno dei Bi Zuvnot sollevato per le maniche della giacca dai becchi di due cicogne, che dal portellone spiccarono il volo, portandoselo via. Gabbiane, cornacchie, falchette e ragazzine lo seguirono, l'orda urtò la lattina di Michael Teflon che si rovesciò. Una specie di melassa con ossa si riversò nel corridoio dell'aereo. L'aria che entrava dal portello risucchiò Sapone, che riuscì a resistere avvinghiato a una poltrona, mentre una per una le ultime uccelle lo calpestavano e si lanciavano nel vuoto. Poi il portellone si richiuse. L'aereo riprese a volare regolarmente. Sapone si rialzò in piedi barcollando e corse verso il centro dell'aereo. Zenzero era in ginocchio in mezzo al corridoio, e pregava con un reggiseno al collo. I Bi Zuvnot giacevano svenuti in una fitta coltre di piume, interamente coperti da segni di rossetto e lividi di beccate. Il vecchio steward dormiva, e di quello col papillon non c'era più traccia.

Sapone tornò indietro e corse verso i piloti. I suoi piedi pesticciavano quello che una volta era stato Michael Teflon. Giunse ansando nella cabina di guida. Era vuota, anzi guardando bene, sul sedile c'era un topolino bianco, con un berretto da aviatore, che parlava nel microfono di bordo.

– Il comandante Ratti vi informa che tra pochi minuti atterreremo nell'aeroporto dell'Isola Rossa. Vi preghiamo di sedervi ai vostri posti e allacciare le cinture di sicurezza.

– Ma signor pilota... o ratto, o quel cazzo che è, è successo un macello qua dentro – disse Sapone.

– Nessun macello, esimio passeggero. I Bi Zuvnot sono venuti solo in tre in quanto il quarto, Paul, è stato trattenuto in Britannia da una fastidiosa forma influenzale. Michael Teflon non è mai partito, quella nella lattina era una sua copia in cera per girare un video. Zenzero e lo steward stanno dormendo e quando riapriranno gli occhi non ricorderanno nulla, proprio come lei, signor Sapone.

– Se lo dice lei – disse Sapone, e si assopì di colpo.

– Vi ringraziamo di aver volato con noi – disse il comandante Ratti, e sghignazzò come una iena.

* * *

Salvo aveva sentito tutto il giorno il rombo degli aerei. Ogni volta la sua rabbia cresceva. Nello stagno, tutti gli uccelli erano volati via, spaventati. I pesci stavano acquattati nel fondo. Le farfalle si nascondevano tra i rovi. La natura conosceva bene la paura. Anche i ragni non rispondevano più ai richiami di Salvo. Cercò di scendere verso il tratto di costa sotto il faro, dove c'erano le grotte. Là forse non avrebbe più sentito quel maledetto rumore. Ma la strada del faro era bloccata dai soldati. C'erano soldati anche all'ingresso del paese. Soldati presidiavano la salina, che si era riempita di grossi camion.

Ma Salvo conosceva la sua isola più di quanto la conoscessero i militari. Salì su un'alta duna, punteggiata di agavi. In cima, c'erano i resti di una tomba antica. Suo padre l'aveva portato lì, tanto tempo prima. Lassù, tra le tane dei colibrì e dei conigli selvatici, c'era un grande albero di ginepro. Si diceva che le sue radici, per cercare l'acqua, si estendessero per almeno un chilometro. Per la sua forma strana era detto l'Addolorato. Intorno all'albero c'era una macchia di lentischio. Salvo sapeva che bisognava scivolare sotto gli sterpi, finché la sabbia non fosse diventata pietra. Lì si apriva un cunicolo stretto e gelido, anche nei giorni di calura. Dopo pochi metri il cunicolo si allargava e si poteva procedere a ginocchioni. Il budello continuava sinuoso per un lungo tratto e sbucava in una grotta che si apriva in fondo a una baia. Per la sua posizione, e per l'entrata strettissima, era difficilmente visibile dal mare e dalla costa. L'acqua della grotta era azzurro pallido, quasi bianca, e i passi di Salvo la facevano risuonare di echi. Si chiamava Grotta dei Granchi Musicisti. Subito una decina di granchi pelosi iniziarono a battere con le chele il tempo di un bolero. Era il loro saluto a Salvo. Il ragazzo li scavalcò e raggiunse una sottile striscia di sabbia rosa. Qua c'era una cassetta di legno, piena di libri. Lì veniva a rifugiarsi con la nonna, quando c'erano i rastrellamenti o i bombardamenti. Lì tornava ogni tanto, per sentirsi al sicuro. Ma quella volta non era al sicuro. L'acqua davanti a lui cominciò a ribollire.

Salvo balzò in piedi. Gli tornò in mente un racconto di nonna Jana, la leggenda del calamaro con le braccia lunghe come il rimorso, che dal mare poteva arrivare fin dentro la tua casa, entrare dalla finestra, e strapparti il cuore col tentacolo viscido. Ma dall'acqua non sbucò niente di mostruoso. Anzi, davanti a Salvo apparve una bellissima sirena. Aveva lunghissimi capelli verde alga tra cui brillavano rametti di corallo e pomodori di mare, gli occhi grandi e neri, la bocca sottile e un po' contratta per il freddo degli abissi. Sorrise al bambino e si avvicinò a riva, dimenando la grande coda. Spandeva odore di alga posidonia e di maestrale.

– Salute a te, ragazzo – disse con vòce flautata.

– Salute, Kimala – disse Salvo.

– Come mi hai riconosciuto? – disse la sirena, con la voce profonda e roca dello spirito.

– Hai sbagliato un particolare – rise Salvo.

Era vero. Sull'addome, proprio là dove la carne rosea sfumava nelle scaglie argentee del pesce, penzolava qualcosa che nessuna sirena classica dovrebbe possedere.

– Accidenti – disse Kimala, riprendendo il suo aspetto – mi sono trasformato troppo in fretta.

Portò i suoi quattro metri di altezza a riva, si sedette sulla sabbia, scrollò i capelli e iniziò a riempire la grotta di vapore. Neanche le profondità marine potevano raffreddare il calore di Kimala.

– Stanno arrivando ancora aerei – disse Kimala, ascoltando il rombo lontano – questo vuol dire che la guerra continuerà. Ma non li lasceremo fare stavolta, vero, ragazzo?

– Cosa c'entro io?

– Stavolta gli spiriti coraggiosi devono battersi – disse Kimala, alzandosi in piedi. La sua testa toccava la volta bianca della grotta, gli occhi ardevano come braci. – Non permetteremo che l'uomo distrugga l'Isola, come sta facendo con il resto del mondo.

I granchi e i pesci scappavano a rintanarsi udendo la voce di Kimala. Solo le murene dal muso di tigre lo amavano, e vennero fino ai suoi piedi. Ma Salvo non aveva paura.

– Poros dice che tu sei impazzito. Che non devo darti retta, o farò la fine di mio padre.

– Tuo padre Fraie – disse Kimala, prendendo tra le mani il viso del ragazzo – è stato ucciso dagli stessi che ora occupano quest'isola. È stato ucciso perché si è ribellato, perché la gente credeva in lui. E poiché sei suo figlio, la gente crederà anche in te.

– Sono solo un ragazzo – disse Salvo. Il fumo di Kimala gli offuscava la vista, sudava per il calore di quel corpo gigantesco vicino al suo.

– Tu e la gemella siete i figli dello sciamano. Voi siete le Porte. Se sarete al mio fianco, tuo padre sarà vendicato. Se no, la gemella morirà. Gli uomini la cercano per ucciderla. Gli spiriti la cercano per usarla.

– Poros non può volere questo.

– Poros, Mephistophel, Enoma, Gadariele. Ci sono spiriti che sono sempre stati alleati degli uomini. E secondo loro, erano i più degni. Poros guidò le navi di Colombo, io quelle dell'Olonese. Gadariele posava per il Beato Angelico, io accompagnavo Van Gogh nei campi. Spiriti eletti, si chiamano, amici dell'umanità. Balle! Tuo padre era loro amico e l'hanno abbandonato. Perché nessuno di loro era con lui, quella sera, quando andò a parlare agli insetti? Io ero lontano, ma sentii il pericolo, e corsi, ma era tardi. Ho insegnato a tuo padre a evocare gli insetti, la pioggia e i tornadi, e lo insegnerò anche a te, se vuoi. Ma gli spiriti eletti non vogliono. Loro vogliono che le armi degli uomini comandino sulla terra.

– Ofelia dice che non devo vendicarmi.

– Ofelia è kuduin – disse Kimala – e i kuduin saranno tuoi nemici, sempre. Attento, Salvo. Solo io posso salvare la gemella. Guardala.

Kimala indicò qualcosa nell'acqua. Sembrava una bambola fradicia, alla deriva, con gli occhi fuori dalle orbite. Salvo urlò. L'immagine si dissolse.

– Così finirà, se la trovano gli uomini. La useranno per continuare la guerra, poi la uccideranno. Non vogliono che il sangue di sciamano scaldi ancora l'animo del popolo. L'uomo che li guida ha con sé Ghewelrode, il traditore. Vive in un palazzo altissimo. È più feroce di mille diavoli.

Il fiato di Kimala riempiva la caverna di vapore caldo. Lo diradò battendo le ali. Guardò il bambino rannicchiato in un angolo, e ne comprese la paura. Accennò una ruvida carezza con le mani piene di bruciature e cicatrici. Poi parlò con voce accorata.

– Guardami, Salvo. Ho un aspetto terribile, vero? Il fuoco mi ha annerito, ho le mani consumate dall'aria sferzante e gelida dei tornadi, gli occhi riarsi, le ali ferite e rugose come il dorso di una balena. Ma questo è il mio aspetto, pur trasformandomi mille volte, è con questo che mi presenterò sempre a te, senza fingere. Il male e il bene scorrono dentro di me come le correnti abissali, come il vento di mare lascia il posto al vento di terra, come le fiamme divampano e la luce della candela trema. Io sono come il mondo che vedi. Ma loro fingono. Il loro volto sorride, ma sono pronti a ucciderti.

– Io sono così giovane, Kimala – disse Salvo. I riflessi della grotta baluginavano attorno a lui e lo stordivano. – Non so cosa devo fare...

– So come farti decidere – disse Kimala. – Tu vorresti rivedere tuo padre, vero?

– Non essere crudele, Kimala – disse Salvo.

– Puoi vederlo quando vuoi. Basta che ti chini sull'acqua.

Salvo non rispose e restò in silenzio. Il cuore gli batteva forte.

– Io so come combatti i brutti sogni, ragazzo – disse Kimala. – Agiti nell'aria una spada invisibile. Molti bambini lo fanno. Ma non basta. Io ti darò una spada più forte. Ti insegnerò a muovere la terra e il vento, a far cantare le grotte e la chioma degli alberi. A uccidere con l'erba stramonia e la bava dell'amanita. A fare dei tuoi ragni un invisibile, spietato esercito.

Salvo ascoltava. Il volto di Kimala era duro e cattivo, ma il bambino sentiva che qualcosa di quel fuoco ardeva anche in lui.

– Non lasciare morire la gemella, Salvo. Dimmi dov'è, io la salverò.

– Te lo dirò – disse Salvo – ma giurami che non la userai.

Kimala ruggì di rabbia.

– Tu sai che non posso giurare. Attento, Salvo. La battaglia è solo all'inizio. Lo Spirito più oscuro sta per arrivare. Al suo confronto, io sono un fiore di bontà. Avrai bisogno di me, non essere orgoglioso come tuo padre. Lui credeva che per ribellarsi bastasse rivolgersi solo ai propri simili, e fu tradito. Per ribellarsi occorrono sogni che bruciano anche da svegli, occorre il dolore dell'ingiustizia, la febbre che toglie all'uomo la malattia della paura, dell'avidità, del servilismo. Per ribellarsi bisogna saper guardare oltre i muri, oltre il mare, oltre le misure del mondo. La miseria dell'uomo incendia la terra ovunque, ma è un fuoco sterile, che cancella e impoverisce. È un fuoco che odia ciò che lo genera, è cenere senza storia. Saper bruciare solo ciò da cui poi nascerà erba nuova, ecco la vera ribellione. Ecco come vendicherai tuo padre.

– Ti dirò dov'è la gemella – disse Salvo.

Un vento rabbioso sibilò dentro la grotta. Poros era entrato, adirato, col lungo mantello grigio che frustava l'aria, ancora intriso d'acqua.

– Kimala – disse. – Andiamo sulla montagna. Ci spiegheremo, una volta per tutte.

– Sì – rise Kimala – anche se dovesse essere l'ultima.

14.
ALADINO CONTINUA LA RICERCA

Un rumore di metodiche martellate proveniva dalla porta del terzo piano. C'era forse in quel condominio uno scultore, un fabbro, un torturatore, o un Ulewhon fabbricatore di fulmini?

Aladino suonò il campanello, un campanone da badia, la porta si aprì e non apparve nessuno. Quale sortilegio? Nessun sortilegio. La creatura che aveva aperto era alta un metro e un ditale, ed era quindi momentaneamente fuori dal campo visivo di Aladino. Ma quando Aladino si sentì tirare per i pantaloni, e volse il guardo in basso, vide una bambina sui sei anni, vestita di rosso, una ciliegina bionda e graziosa, ma con un'espressione da generalessa sul volto.

– Non abbiamo ancora finito, signore – disse la ciliegina.

– Finito cosa?

– Di punzonare. È troppo presto, signore, lei aveva detto che veniva alle sette.

Aladino gettò un'occhiata nella casa poco illuminata. Al centro di una stanza lunga e polverosa c'era un grande tavolo, ingombro di vestiti e di piccoli oggetti risplendenti. Tre ragazzini, muniti di guanti da lavoro e martelloni, menavano gran fendenti, conficcando nei vestiti delle cose che sembravano borchie di metallo.

– Ma cosa state facendo qua dentro?

– No, guardi, cosa fa lei qua, e chi è per favore? – chiese Ciliegina con voce ferma.

– Io... Io sono... il veterinario comunale, e sono venuto a controllare se avete qualche cane, o gatto, perché questa è la settimana della prevenzione a quattro zampe e... ecco, noi curiamo gratis gli animali.

– Non abbiamo animali qui – disse un ragazzino riccio, con voce da orco e un accenno di baffi sul volto da dodicenne. – Mandalo via, Raffa.

– Ma è un signore gentile – disse la bimba.

Il riccio arrivò, con il martello minacciosamente infilato nel tascone di un grembiule.

– Mamma ha detto di non far entrare sconosciuti, e di non parlare con nessuno.

Aladino comprese la delicata situazione.

– Signori, io capisco la vostra riservatezza. Ma se qua dentro si svolge un lavoro legalmente non conciliabile con la vostra minore età io non ho nessuna intenzione di riferirne a qualsivoglia autorità, né tantomeno di intromettermi nella vostra sacrosanta privacy.

– Cosa ha detto? – disse il riccio con sospetto.

– Ha detto che non è uno spione – disse il secondo bambino, che aveva uno spropositato basco a tortellone, capelli biondi lisci e una faccia da angelico figlio di puttana.

– Brancaleone è un cafone, non ci faccia caso – disse Raffa Ciliegina – ma sa, è il più grande e si sente responsabile. Io sono la più piccola, ho sei anni e mi chiamo Raffaella Luisa Marcella. Quello biondo col basco è Mario, detto Esenin, ed è il terzultimo. – Raffa alzò un dito e puntualizzò con molta serietà: – Mi scusi, forse non sono stata precisa. È il secondogenito, per dirla più facile. Poi quello col naso da pugilatore è Chicco, che ha un anno più di me. Il naso se l'è rotto facendo a botte all'asilo.

– Merda – disse Chicco, che aveva sbagliato martellata e si era sfrisato un pollice.

– Noi qua punzoniamo le etichette antifurto per una nota ditta di abbigliamento – disse Raffa. – Vede, sono dischetti di plastica che poi viene magnetizzata e se uno cerca di fregarsi il vestito fanno suonare l'allarme. Noi le attacchiamo con una borchia speciale che poi ci vuole una macchina speciale per toglierla, a mano non si può, anche se c'è un trucco ma non veniamo certo a dirlo a lei.

– Vuoi chiudere il becco, Raffa? – disse Chicco. – E se il signore è della polizia?

– Non lo è – disse Esenin – non ha le scarpe da carabiniere.

– E come sono?

– Non so dirlo – disse Esenin – ma lui ha le scarpe diverse.

E sottolineò la sua certezza con una gran martellata che fece vibrare il tavolo e blindò contro il furto una camicia.

– Ci danno mille lire ogni trecento tondini. Non è molto, ma tutti insieme...

– Mandalo via – disse torvo Brancaleone, accendendosi una sigaretta.

– Se proprio non mi volete, vado – disse Aladino.

– No, no – disse Raffa. – Nessuno viene mai a trovarci. Resti, le preparo un caffè.

– La caffettiera è rotta – disse Chicco.

– No, l'ho aggiustata io – disse Esenin – non era la valvola, era la guarnizione. Non sai riparare niente.

– Ah sì? Ma ieri il cestello della lavatrice l'ho smontato io, e se non c'ero io, col cazzo capivi che si era rotta la cinghia – disse Chicco.

Il dialogo proseguì, con notevole sfoggio di termini tecnici. Aladino notò che tutti i bambini portavano grossi guanti, per proteggersi dalle martellate, e ne scoprì un quinto, nascosto dietro una pila di pantaloni.

– Lei è Lisa – disse Raffa – è la mediana, ha dieci anni. Sta facendo i compiti per tutti. Oggi è il suo turno.

– Ma... siete soli in casa?

– Siamo sempre soli – disse Raffa, controllando la caffettiera – la mamma lavora tutto il giorno, e papà è... all'estero.

– È in galera – disse Brancaleone – non c'è niente da vergognarsi, non ha fatto niente.

– Ha picchiato tre persone – disse Raffa – ma lo avevano insultato, lui è mezzo rom. Lui non voleva fare male a nessuno, ma papà ha delle mani che sembrano dei martelli, ne so qualcosa.

– E voi lavorate tutti i giorni?

– Meno la domenica che loro giocano a pallone e io e Lisa giochiamo a Cenerentola.

– Puliscono la casa – disse Brancaleone con un ghigno, ma fu punito del suo cinismo perché il martello gli centrò la nocca.

– Dio scalzo! – gridò Brancaleone.

– Non bestemmiare – disse Raffa – mamma non vuole.

– Non credo che abbia bestemmiato – disse Esenin – ha detto solo Dio scalzo, non è un'offesa. Se avesse detto Dio coi piedi puzzolenti...

– O Zioboia di uno ziocane – precisò Chicco.

– Li sente? – disse Raffa. – Come posso tenergli dietro, io che sono la più piccola? Quanto zucchero?

– Due cucchiaini – disse Aladino. – Be', certo che la vostra mamma è fortunata ad avere dei figli che la aiutano in un momento difficile. Anch'io lavoravo da bambino, ho fatto il garzone di fornaio.

– È comoda – disse Esenin – chissà quanti krapfen che si è mangiato.

– Io per i krapfen potrei anche fare una follia – disse Raffa, con voce da vamp – e anche la mamma.

– La mamma. E ditemi, com'è la vostra mamma?
– Bionda – disse Chicco.
– Con gli occhi azzurri – disse Esenin.
– Molto bella – disse Lisa.
– Ed è giovane – disse Raffa. – Perché non la sposa, signor veterinario? Tanto papà appena esce ha già detto che ci manda tutti a 'fanculo e va a lavorare all'estero. Lei è scapolo?
Il volto di Aladino si illuminò.
– Be', sì, non sono sposato. Aspetto ancora la ragazza giusta.
– Dille la verità, Raffa – ghignò Brancaleone, succhiandosi il dito infortunato – mamma ha quarant'anni ma ne dimostra sessanta, pesa un quintale e s'inciucca di vino rosso un giorno sì e l'altro pure.
– Sei uno scemo, Brancaleone – disse Raffa, e gli tirò una borchia in testa.
Aladino si rilassò sulla sedia. Per un attimo si era visto in quella casa, con quei simpatici marmocchi a carico.
– Hai trovato molti cani e gatti in questo palazzo? – disse Esenin.
– Be', per la verità a voi lo posso dire – disse Aladino – oltre ai cani e ai gatti, io cerco una mia cugina, una ragazzina che si chiama Miriam. Ha dieci anni ed è nata su un'isola. Dovrebbe abitare qui. La conoscete?
– Mai vista – disse Esenin, e tirò una supermartellata.
Raffa assunse un'espressione pensierosa. In quel momento suonò il citofono. Corse a rispondere e tornò seria seria.
– Mi dispiace, signor veterinario. È quello che viene a ritirare gli abiti. Lui non vuole che facciamo entrare nessuno, se la trovasse qui si arrabbierebbe e ci toglierebbe il lavoro. Spero che lei capisca.
Aladino esitò. Guardò quella stanza, i tre ragazzi stavano coi martelli alzati e lo guardavano.
– Mi dispiace andare via – disse – siete molto simpatici e ospitali. Ma capisco. E grazie del caffè.
– Era riscaldato – disse Raffa – mi perdona?
Aladino le diede la mano, strizzandole il guanto ruvido. Uscì sul pianerottolo. Scese di corsa al terzo piano. La sua fiducia stava vacillando. Non sentiva aria di gemella, in quel posto. Bussò all'ultima porta. Uscio mediamente blindato. Campanello roco, poco oliato. Gli aprì un vecchio con un pigiama azzurro, dai pantaloni aperti dondolava uno scroto a prugna. Teneva in mano brandelli di giornale sportivo. Gli occhi erano cerchiati da sei ore di te-

levisione e da una notte insonne. Guardò lo spirito con un odio energico, insospettabile sotto quell'aspetto smunto.

– Buonasera, sono dell'ufficio censimento comunale. Vorremmo sapere da quante persone è composto il vostro nucleo familiare.

– Cosa dice?

– Lei ha moglie? Figli? Figlie? Una nipotina di dieci anni?

– Vivo da solo, mi arrangio da solo. Impicciatevi degli affari vostri. Andate a contare i marocchini, che crescono come formiche, non venite a rompere le balle a quelli che lavorano. Anzi, che lavoravano prima che i marocchini...

Aladino scappò giù per le scale, con un groppo in gola. Salutò la portinaia con una frettolosa giravolta. Nella strada, proprio davanti al palazzo, un uomo coi baffetti stava caricando abiti su una monovolume nuova di zecca. Aladino lo urtò.

– Guarda dove vai – lo apostrofò quello.

– Sei tu che sei in mezzo ai coglioni, stronzo – disse Aladino. L'uomo vide negli occhi di Aladino quella luce folle che illumina gli occhi delle persone miti un attimo prima che decidano di impugnare un mitra e distruggere porzioni di mondo. Perciò scomparve con la testa nel bagagliaio, sistemando gli abiti, regolarmente punzonati.

– Bastardo – sibilò Aladino mentre si allontanava a grandi passi irosi e sghembi. Non aveva trovato nulla. E il tempo stringeva. Eppure doveva farcela da solo.

– Ehi, hai da accendere? – disse una voce alle sue spalle.

Aladino si girò. Chi aveva parlato era un ometto coi capelli impomatati, un dente d'oro e l'unghia del mignolo lunga come un pugnale.

Aladino gli accese la sigaretta e poi gli diede fuoco alla manica della giacca. L'uomo si mise a bruciare come niente fosse.

– Sente anche lei uno strano odore? – chiese perplesso l'ometto.

– Sei tu che stai andando a fuoco. E conosco soltanto uno che nel fuoco ci sta bene, anzi si crogiola.

– Va bene, mi hai scoperto. Sono Behemoth, protodemone trasformista. Mi hanno mandato in tuo aiuto.

– Chi ti ha mandato?

– Questo non posso dirlo. Andiamo via.

– Corvi o piccioni?

– Corvi, volano più in fretta e li odiano di meno.

– Okay – disse Aladino e due corvi presero il volo tossendo nella coltre di smog.

15.
IL GRANDE PALCO

– Il palco misurerà centosessanta metri e avrà la forma di una mezzaluna. Sulla sinistra, ci sarà una struttura che reggerà quattro bombardieri, che porteranno sulle ali dei grandi riflettori. Al centro ci sarà il megaschermo, dove scorreranno i primi piani e le pubblicità degli sponsor. A destra ci sarà una torretta alta settanta metri, con un ascensore. Da lì gli artisti potranno salire, scendere, lanciarsi nel vuoto e caprioleggiare. Il palcoscenico è ottanta metri per trenta, al centro c'è un ponte mobile meccanico che può sollevare e abbassare cori, orchestre e ballerini. Ci sono botole, toboga, getti d'acqua, bocchettoni di fumogeni, effetti neve vento e pioggia, un arcobaleno laser, centosessanta punti luce, e altre sorprese. Un filo elettrico a mille watt scoraggerà gli spettatori che vogliono salire. Non si è mai visto un palco così.

Chi parlava era l'architetto Porthos, il geniale costruttore del nuovo palazzo dell'Onu, sotto i ghiacci dell'Artide, nonché del grattacielo più alto del mondo, il Big Blue, recentemente sprofondato e trasformato in un esclusivo condominio a sei piani. Agli ordini dell'architetto, seicento uomini erano schierati con le divise verdi e la scritta Copsicola. A loro l'onore di edificare questa nuova torre di Babele.

– Ragazzi – arringò il generale Ciocia – questo non è un palco, è il Padre di tutti i palchi. Un miliardo di persone, tra pochi giorni, vedrà il vostro lavoro. Lo so, avete poco tempo per costruire un'opera così imponente. Ma forse io non espugnai l'Helvezia in due giorni? Forse Nerone non bruciò Roma in una notte? Forse le mura di Gerico non crollarono in un solo istante? E che dire di Hiroshima?

Dal gruppo degli operai si levò una pernacchia calcolata in 97 decibel, vale a dire secondo la scala di udibilità Fitzmayer, inferiore al rumore di una pressa, ma appena sopra al ruggito di un leone.

– Vedo che qualcuno fa il furbo – disse Ciocia – ma vi ricordo che siete sotto giurisdizione militare...

– Generale – disse Porthos – si calmi. Qua non si tratta di bruciare e conquistare, ma di costruire. Questi uomini sono i migliori. E lavoreranno con entusiasmo. È vero?

Uno stanco applauso si levò dal gruppo.

– Anche perché se finiranno il palco in tempo, ci sarà un premio di mille dollari.

L'applauso questa volta fu più convinto.

– Bene – disse Ciocia – prima di mettervi al lavoro, qualche domanda?

– Sì – disse un grosso operaio nero, quasi un sosia di Stan – i locali dicono che questo posto è stregato. Che la salina esala dei vapori allucinogeni, appaiono fantasmi e miraggi. Dobbiamo crederci?

– Naturalmente no – disse Ciocia.

– Io sono nato qui – gridò un operaio – e vi dico che noi lavoreremo sopra le ossa dei nostri avi, dei kuduin, e dei grandi sciamani. Non riusciremo mai a innalzare il palco, se loro non vogliono.

– Basta con le superstizioni – disse Porthos – al lavoro. Pianterò io stesso il primo palo, in questo punto.

Porthos prese un'asta di ferro, con una bandiera e la scritta "Servizi". Lo alzò al cielo e disse:

– Siete con me, marinai?

Di nuovo si levò l'iperpernacchia, forse un'usanza locale.

– All'inferno – disse Porthos, e piantò con un colpo secco la punta nella sabbia, poi la conficcò con tre virili colpi di martello. Al terzo sprofondò, inghiottito dalla sabbia. Corsero a scavare per cercarlo, ma era scomparso. Lo videro riemergere cinquanta metri più lontano, come avesse nuotato sotto la sabbia. Era tutto ricoperto di fango rosso.

– Qua sotto c'è qualche strana galleria – disse Porthos – ma questo è un problema geologico, non soprannaturale.

– Sono d'accordo – disse Ciocia, e sprofondò a sua volta.

Il famoso inviato stava preparando la diretta, e due assistenti lo assistevano. Uno lo proteggeva con l'ombrello dal sole e l'altro girava la cannuccia nel bicchiere di Copsicola, di modo che il giornalista non avesse da storcere la bocca quando decideva di sorbire.

– Mi sto rompendo le palle – disse l'inviato – sbrighiamoci, voglio dar due colpi alla roulette dell'albergo.

– Siamo quasi pronti – disse il regista – ma qui è pieno di zanzare.

– Roba da ridere – disse il famoso inviato – al fronte in Namilia, nella mia suite, c'erano le zanzare tigre e io me ne fregavo.

– Queste sono peggio delle zanzare tigre – disse il cameraman, che era un natio isolano con un buffo cappello di paglia amaranto – si chiamano zanzarerei. Se ti beccano, fanno ammalare i congiuntivi, le grammatiche e le sintassi.

– Fate star zitto quel buontempone – disse l'inviato con una smorfia – e cominciamo.

– Meno tre due uno, partiti – disse il regista.

– I grandi nomi stanno arrivando – disse il famoso inviato col suo più bel sorriso da caimano. – Nel Napoleon, il grande Warhotel costruito da Berlanga per il turismo di guerra, occuperanno trecento suite esclusive, una diversa dall'altra, con vista sul mare e sull'aeroporto. Ognuna è dotata di schermi collegati in diretta ai radar dei bombardieri, con possibilità di assistere alle missioni in tempo reale e scommettere sui target. Ci sarà guerra per avere la maggiore audience e per raccogliere più soldi in beneficenza. I moderati di Paolo Napoleone Berlanga schiereranno Zenzero, idolo dei ragazzi positivi neoagici, il comico Sapone e il suo Teatro Squacquero, la Gragnocca Gragna e Polipone, l'esperto presentatore della Trivideo. I moderisti, guidati dal sindaco Rutalini e dall'assessore Pancetta, schiereranno l'idolo dei giovani Rik, il comico idolo di Hollywood Belsito, l'attrice pasionaria Felina Fox e il giovane ironico presentatore Frappa. Dalla Britannia sono giunti i leggendari Bi Zuvnot, idoli delle teenager di tutto il mondo, anche se uno di essi ha dovuto dare forfait. Dalla Mancha il tenore Platirron sostituirà il compianto Petoloni, dalla Teutonia verrà il direttore d'orchestra Von Tudor, l'Usigallia ha mandato il suo architetto e scenografo Porthos. Appena finiti gli impegni di campionato, arriveranno i calciatori Sterlinho, Marchi e Mac Beck. Ma la squadra più forte, come al solito, è quella americarda. Il presidente John Morton Max in persona presenterà lo show insieme a una top-model-top-secret, e poi ci saranno i durissimi Raz, re del reich-rock. Incerta fino all'ultimo istante la presenza di Michael Teflon. Si parla poi di una grandissima sorpresa, forse i Rap Trap, se riescono a evadere, o la bellissima Madoska, che sta girando un musical su Giovanna d'Arco. Inoltre, trecento bambini di tutte le etnie bombardate formeranno un coro che sarà stabilmente presente sul palco. La diffusione televisiva e in rete dello show è nelle mani di Sys Req, la regia è di Soldout, il servizio d'ordine del generale Ciocia in persona, le luci del britanno Greenspan, gli sponsor sono centocinquanta. Ahi.

Una zanzara dispettosa aveva beccato il famoso inviato nello spazio tra il Rolex e il polsino della camicia Harrington di Londra.

– Scusate. È previsto quasi circa un cinquecentomila di spettatori, tra cui alcuni centomila soldati attualmente impegnati in della guerra, anche nonostante se l'Ottagono avrebbi assicurato che non ci avranno stati ritardi né disagi nei bombardamenti e il martellamento degli obiettivi fondamentali sarà assicurato senza sgombro di dubbio. Concluderà le celebrazzioni, il giorno dopo di domani, un incontro del calcio che opponerà la nazionale Condannati a morte e la nazionale Cantanti. La nostra Trivù è solo che contenta di trasmetterà interinottamente per due giorni ciaschedun attimo che durerebbi la manifestazzione con interviste e commenti e intanto avessimo già raccolto la considerebile somma di sedici dollari per la sottoscrizzione.

– Stop.

– Come sono che andato?

– Non avrebbi potuto fare che meglio – disse il regista.

Stavano arrivando davvero. E furono subito grane. Belsito scese dall'elicottero con un balzo, salì sul bancone dell'hotel ballando, toccò le palle a tutti i camerieri e salì in camera tenendo in braccio il lift. Appena in camera, piantò un casino. Aveva voluto una suite con un camino rustico che sottolineasse la sua matrice proletaria, ma si erano dimenticati di mettergli le galline nel bagno. Piantò un muso lungo così. Gli inservienti partirono per tutta l'Isola alla caccia di dieci galline bianche.

La Gragnocca Gragna arrivò arrabbiata perché c'erano pochi fotografi. Distribuì sorrisi ma una volta in camera, dalla terrazza, lesse sul dépliant dell'albergo: "Trecento camere tutte con vista sul mare", notò che dalla sua camera si vedeva il mare, e protestò.

– Voglio vedere qualcosa che gli altri non vedono – disse. Dovettero costruire in fretta un muro con dell'edera di plastica.

Felina Fox esaminò tutta la suite e poi ordinò che le togliessero subito le mattonelle nere della doccia perché erano di destra. – L'unica cosa nera che mi piace è il caviale – dichiarò.

Frappa e Polipone si fecero ritrarre abbracciati, Frappa disse che aveva imparato tutto da Polipone e Polipone dichiarò che Frappa era il suo miglior allievo, ma subito dopo Frappa disse al direttore dell'hotel che voleva stare il più possibile lontano da Polipone perché gli copiava le idee e Polipone disse che voleva stare il più possibile lontano da Frappa e dal suo giro di troiette.

Arrivò il gigantesco tenore Platirron e si chiuse nella sua suite in amianto antispiffero coi suoi levrieri.

I Bi Zuvnot protestarono perché nel catering il ghiaccio delle granite faceva ciac ciac invece di gnic gnac, mancava il melone tagliato a dadini e nella suite non c'erano i lettini per i loro orsacchiotti.

Zenzero fece un'entrata trionfale, guarì dal mal di schiena un facchino regalandogli un santino autografato, fece partire l'ascensore (si dice) senza toccare i tasti, e arrivò nella sua suite, che era arredata come una cella del Trecento, in mattoni crudi, con un Cimabue autentico e un paglericcio.

Sapone arrivò e la sua entrata eguagliò quella di Belsito, firmò autografi col moccolo del naso, incendiò una scoreggia nella hall e raccontò barzellette. Poi entrò nella sua camera, dove lo attendeva un vasca da bagno piena di peperonata con la scritta "Con i complimenti della direzione" e tirò fuori di nascosto un volume di poesie di Heine.

L'entrata più rude fu quella dei Raz. Grankio pisciò sul bancone, Adolf tirò un cazzotto in faccia al facchino perché aveva la divisa rossa, Jacintus salì le scale di corsa con le scarpe chiodate e prese a calci tutte le porte. La loro suite era ispirata al quartier generale nazista dell'Hôtel Lutetia a Parigi.

Qualcuno notò che non arrivava Rik. E in effetti il rocker aveva detto ai giornalisti che non voleva vedere nessuno né rilasciare interviste. Ogni punto era presidiato per fotografarne l'arrivo, aeroporti, eliporti e traghetti. Tutto invano.

Ma nella Baia delle Murene, a levante dell'Isola, un pescatore locale vide spuntare davanti a sé il periscopio di un sottomarino militare. Da lì un gommone velocissimo portò a riva Rik, con occhiali neri e maschera da sub per non essere riconosciuto. Poi scese il gruppo. Il batterista Crotalo, sperimentatore di tutti i tipi di droga botanica chimica e organica, compresa la bottarga fresca, il Prozac col pane e una dose di polvere di mummia rubata al British Museum. Seguiva Eremo, il chitarrista solitario che suonava ventiquattr'ore su ventiquattro e dormiva arpeggiando. E infine il bassista Tremor, che suonava vicino agli amplificatori ed era pervaso da un tremito perenne da overdose di decibel. Per ultimi scesero Orango e Gibbone armati di fiocina. Dalla baia era stata scavata una galleria che portò tutti nella suite riservata. Era stata un'idea di Soldout, e funzionò. Unanimemente, questo arrivo misterioso fu definito il più promozionale e alternativo di tutti...

Ma ovviamente l'arrivo più atteso era quello del presidente americardo J.M. Max. Qualcuno diceva che sarebbe arrivato in elicottero, qualcuno, ricordando il suo hobby, con un deltaplano. Per il momento si era visto soltanto il generale Ciocia, che con uno squadrone di soldati e cani aveva ispezionato ogni angolo dell'albergo. La suite del presidente occupava un ettaro moquettato in erba sintetica, con sei buche da golf e una pozza di vero fango, ed era all'ultimo piano. Alle pareti, bacheche con bronzi, anfore e monili dell'Isola. Tre tombe erano state svuotate per creare quel clima unico di modernità paleolitica. Il letto rotondo ad acqua poteva raggiungere forza nove ed eliminare eventuali amanti scomode con un gorgo. Finora quella suite era stata concessa solo al sultano del Brunistan e al giudice che conduceva l'inchiesta sui fondi neri del Berlanga. Il generale Ciocia controllò una per una tutte le anfore spaccandole e poi diede l'okay.

Dopo di lui giunse Sys Req, che aveva chiesto uno scantinato buio con sessanta computer. Soldout scelse una suite al secondo piano, arredata con tappeti di tigre e moquette di coccodrillo, praticamente uno zoo pressato. Poi si fermò all'entrata dell'hotel una limousine color indaco, e ne uscirono due bizzarri personaggi che presero posto nell'appartamento attiguo alla suite presidenziale. Erano registrati come "invitati speciali del presidente". Lei era una donna avvolta in un mantello di raso cremisi, il volto coperto dalla veletta. Chi ne aveva intravisto i lineamenti, diceva che era bella da impazzire. Era forse lei la famosa top-model-top-secret? Al suo fianco c'era un individuo tozzo, dalla faccia strana, che camminava goffamente in una palandrana alla Sherlock Holmes. Si sospettava che fosse il famoso Baywatch, il cane presidenziale, in posizione eretta per motivi di sicurezza. La donna e il bipede furono fotografati a raffica. Pur non facendo nulla, ebbero il doppio di attenzione degli altri. Rutalini, Pancetta e Pataz, che erano arrivati per ultimi, completamente inosservati, non lo dissero a Rik. Presero posto nella suite 128, la più modesta, quella con il Caravaggio che copriva la cassaforte. Berlanga aveva voluto la stessa cosa nella suite privata, ma aveva preferito fare un buco nel quadro per comodità.

Con un giorno di anticipo, giunse il leggendario *Lara*, il panfilo più grande del mondo. Si ancorò al largo, e fu subito circondato da un girotondo di gommoni con guardie armate. Sul ponte, apparve per un attimo il califfo Almibel, in ciccia e bermuda. Pescava con una canna e una lenza d'oro. Uomini rana gli attaccavano all'amo dentici e orate, alcuni già puliti e squamati. Ma giunse voce che il califfo voleva pesci più grossi. Le barche dei pescatori partirono a caccia di tonni. Un elicottero si posò sul tetto del panfilo. Ne scese l'ultimo videogioco della Sys Req Productions, *Oriental adventure*, un pezzo unico, in cui un giovane e corpulento califfo liberava l'eroina Lara Savage, dopo sedici livelli di gioco. Il diciassettesimo livello era segretissimo e pare contenesse scene assai audaci. Si udì anche il tonfo di un corpo in mare. Un cuoco aveva sbagliato la maionese. Ora mancava solo il presidente.

Il presidente stava arrivando in elicottero, insieme al fedele Stan. Sorvolava canneti e palme agitate dal vento, campi di girasoli su cui volavano i falchi, aveva da un lato il mare bianco di burrasca e dall'altro le montagne scure, dove erano rifugiati i ribelli, e da cui si alzava fumo di incendi.

– È una bella isola – disse Max. – Peccato che dovrà continuare a essere in guerra.

– Assomiglia all'isola dove sono nato io – disse Stan.

– Quale?

– Un'isola molto bella e lontana – disse Stan, con aria sognante.

L'elicottero, sbandando per le folate di vento, si posò sul terrazzo-eliporto del Napoleon. Berlanga era lì ad aspettare, con un sorriso smagliante, insieme alla sua scorta, dieci cloni con occhiali neri e bermuda bianchi, e al generale Bob Ciocia in divisa mimetica notturna, con un disegno di lucciole intermittenti che lo faceva somigliare a un albero di Natale. Il presidente scese rapido. Nessuno doveva sapere che era già sul posto. Per motivi di sicurezza, il suo arrivo era annunciato per la mattina dopo. Ma nessuno poteva prevedere la picchiata improvvisa di quel falco, e sopra il falco il topolino, e quel flash improvviso, e anche se il presidente fu subito rassicurato che non era possibile che un topo sapesse far funzionare una macchina fotografica, Stan scosse la testa, e il presidente non dormì tranquillo.

Quella notte nonna Jana sognò che Salvo aveva lasciato il letto e camminava sulla spiaggia come un sonnambulo. Da lontano, una piccola figura gli veniva incontro. Camminavano con lo stesso passo dondolante, sembravano uno lo specchio dell'altro. Sopra di loro c'era un'ombra nera. Poi sognò il pozzo, e il secchio che saliva, e di colpo la catena si spezzava, e il secchio precipitava nel buio, ma non si sentiva alcun rumore.

Il secchio continuava a cadere senza toccare il fondo, per un tempo lungo come la morte. Nonna Jana urlò e si svegliò. La luna illuminava le cime delle palme, che ondeggiavano al vento. La notte portava odori sacri e profani, erba santa e pesce fritto, cavalli e alghe fermentate. Il mare era rischiarato dalle luci lontane di una nave da guerra che si stava avvicinando alla costa. Salvo dormiva, raggomitolato in un angolo del letto. La nave era grande e bianca come uno spettro, e aveva tre torri, come la chiesa di San Fernando. Ma la chiesa non aveva cannoni, sparava solo campane e maledizioni. Nonna Jana prese da un cassetto un lungo coltello affilato e lo legò alla gamba, sotto la sottana nera. Così le aveva insegnato sua madre.

– Cosa fai con quel coltello? – chiese il maiale, che si era svegliato, e fiutava l'aria col grifo. – I patti erano che dovevi scannarmi l'anno prossimo.

– Non dubitare, porcetto – disse nonna Jana – qualcuno farà salsicce di te, ma non sarò io. Io morirò prima di te.

– E chi ti scannerà?

– Non lo so – disse nonna Jana.

– E faranno salsicce o ti cuoceranno in forno?

– Ci vorrebbe un forno ben grosso – rise nonna Jana – no, mi scanneranno e basta. Mi faranno morire di dolore. E niente salsicce.

– Ti ammazzeranno e non se ne faranno niente?

– Così si usa tra noi uomini. Qualcuno mi ricorderà per il segno di coltello che gli lascerò in faccia. Qualcuno mi ricorderà perché mi voleva bene, e penserà sempre, ogni notte, alla vecchia nonna Jana.

– Lo spero per te – disse il maiale – ma dai retta a me: le salsicce si ricordano ancora di più.

– Ci penserò. Adesso torna nella porcilaia. Dormi bene, porcetto.

– Dormi bene anche tu.

16.
I GIARDINETTI DI USITALIA

Oh, la bellezza estenuata dei giardinetti primaverili, dove lo smog soffoca gli alberi in un abbraccio cinerino, dove i maratoneti trotterellano scatarrando, gli innamorati si scambiano campioni di saliva, i bambini cadono dai tricicli con lieto rumore di ossicini. Dove la giostra rotea minori terrorizzati e gonfi di gelato, che lanciano intorno strida e rutti e lapilli di vomito, dove i palloncini scoppiano da soli non appena hanno capito che sono stati comprati per puro capriccio e non per passione, e dove su scivoli e altalene ognuno consuma il miglior paio di braghe. Dove i cani cagano in libertà senza il terrore di essere strascicati vergognosamente al guinzaglio a metà dell'operazione e possono nasarsi vicendevolmente il culo. Dove, democraticamente, il bastardone proletario può insidiare la barboncina benestante, e il botolino può ingiuriare l'alano ben trattenuto al guinzaglio dal padrone. Dove mamme spingono carrozzine con bimbi anestetizzati di freddo e anidride carbonica, e sotto il pino secolare il maniaco spia le coppie e smanetta, mentre sulle panchine vecchi immobili guardano i rollers passare, come la mucca guarda il treno. Giardinetti, verdi oasi dove barcolla il tossico e il tennista corre lieto verso il campo di gioco, dove tutti si sentono in campagna ignorando l'assedio dei palazzi circostanti. Cuore verde della città che odia il verde, dono per i bambini dalla città che odia i bambini.

In mezzo ai giardinetti c'era un lago di color fecale, in cui nuotavano carpe grasse e lente come potami, e ciprinidi maculati e incrociati con ogni creatura marina, e forse anche con qualche terrestre pantegana. Sul ponte di stile cinesoide c'era un bar, famoso per i suoi toast bruciati e per i piccioni che arrivavano sempre prima dei camerieri. A un tavolo all'aperto stavano seduti Aladino e Behemoth, sorseggiando due chinotti e specchiandosi nel sottostante Stige. Avevano assunto le sembianze di due belle ragazzone formose, ariana e rossa di pelo Aladino Hirunda, nera e ricciuta Behemoth Bedelia.

– È la prima volta che come cacciatore fallisco – disse cupo Aladina.

– Ma il ragazzo non potrebbe essersi sbagliato?

– Un gemello sa sempre dov'è l'altro. Forse non vuole collaborare. Forse la gemella ha lasciato quella casa da un bel pezzo. O forse è morta.

– Uffa. Come sei rinunciataria. Ehi, guarda che sventola quella mamma con la carrozzina.

– Stai sbagliando tutto, cara. Devi guardare gli uomini. Quel rollerista, ad esempio.

Lungo il vialetto che portava al ponte transitava un ragazzotto tutto gommato nei menischi e negli omeri. Passando davanti alle belle, si esibì in una piroetta e ne ebbe in cambio un sorriso. Sfortunatamente dall'altro lato della piroetta c'erano due soldati, per la precisione carristi, che vennero centrati in pieno. Seguirono contumelie.

– Siamo pericolose – disse Aladina con un sorriso soddisfatto.

Passarono carrozzine, leccatori di gelato e bande di ragazzini ciarlieri. Due di loro, quindicenni un po' torvi, col chiodo nero e le scarpe proliferanti laccetti, si dissero qualcosa all'orecchio. Poi uno gridò a Behemotta Bedelia.

– Torna a casa tua, negra di merda! – E si allontanarono ridendo e complimentandosi.

– Vi faccio neri io, stronzetti – gridò Aladina, alzandosi.

– Fa niente – disse Behemotta – sono giovani, non ci fare caso.

– Non succedeva in questa città, fino a qualche anno fa.

– Adesso è di moda. Magari passerà – disse Behemotta.

– Ma cosa dici, moda? – disse Aladina. – È qualcosa che è nell'aria, lo respiri, lo senti nella gola della gente, anche quando sta zitta. Odiano i deboli che non gli fanno nulla e si inchinano ai forti che li bastonano. I macrocriminali guidano le manifestazioni contro i microcriminali. I più forti...

– Calma ragazza, calma, la negra sono io...

– Uffa – disse Aladina calmandosi con un sorso di chinotto. – E se troviamo la ragazza, come la teniamo buona?

– Le cantiamo una ninna nanna.

– Ad esempio?

Dormi bambino, il diavoletto è in giardino
Ruba le ciliegie e piscia sul biancospino
E mentre tu dormi e fai la nanna
Fa un giro nelle sottane della mamma.

– Non mi sembra adatta – disse Aladina.

– A me piaceva moltissimo quand'ero piccolo, seicento anni fa.

In quel momento Aladina vide qualcuno che li spiava da dietro un albero. Spuntò la testa bionda e il berrettone a tortello di Esenin. Avanzò ciondolando, le mani in tasca, l'aria ostentata da bulletto.

– Ehi, veterinario – disse – ti vesti sempre così fuori dal lavoro?

– Sono fatti miei – disse Aladina – la verità è che sono un carabiniere in servizio, e ogni volta devo travestirmi strategicamente.

– Sarà... – disse Esenin con un sorrisino perfido.

– E tu cosa fai qua ai giardini? Perché non vai a scuola? – chiese Aladina.

– Tanto non ho studiato – rispose Esenin, diventando serio.

– E perché?

– Oh bella, lo hai visto anche tu. Lavoro...

– Devi andare a scuola, ti devi sforzare. Se non studi, tra qualche anno...

– Lo so, lo so, basta prediche – disse Esenin e si sedette su una panchina, a gambe larghe. Sembrava che avesse già visto tutto del mondo e di altri mondi.

– Se non vuoi ascoltare le mie prediche, puoi andartene. Perché mi segui?

– Ho un affare da proporti, veterinario o sbirro o quel che sei. Cerchi ancora quella Miriam?

– Certo che la cerco, se no non sarei in questo quartiere.

– Se mi compri un pallone, io posso dirti chi è.

– Non mi prendi in giro?

– No.

Una cannonata di tuono si introdusse nel loro discorso. Poi un altro, più lungo e iroso. Le nuvole nere erano arrivate improvvise, ma nessuno guardava più il cielo, in quella città. Gli alberi si inchinarono come a far passare una divinità minacciosa, e il vento portò la pioggia. Scrosciò subito su gazebo, cani, vecchietti, bombardò il tetto delle carrozzine destando gli infanti, affrettò il passo dei maratoneti, scollò gli innamorati, dissuase il maniaco, fermò la giostra con un mugolio sordo di ingranaggi. L'asfalto ribolliva di gocce, il prato le ingoiava. Mamme solerti coprivano bambini con ogni sorta di indumento, storcendo braccini per la fretta. Un roller passò velocissimo, slittò e si fece mezzo viale rotolando. I suoi amici gli risero in faccia e lo sorpassarono.

Aladina tirò fuori di tasca un ombrello del diametro di due metri e coprì Esenin.

– Sai fare i giochi di prestigio? – chiese il ragazzo.

– Zitto e vieni via, ci bagnamo – gridò Aladina.

– A me non dispiace – disse Esenin.

– Devo correre a lavorare, dov'è la fermata del quattro barrato?

– Appena fuori dal cancello. Ma la pupa non ti interessa più?

– Dammi le coordinate.

– Niente pallone niente coordinate.

– Non ti fidi di me?

– Sei davvero un veterinario?

– Come no, corri.

– Che cane è quello?

– Un lassie.

– Si dice collie. Non sei un veterinario.

– Va bene, sono uno sbirro.

– Non hai le scarpe da sbirro.

– Va bene, sono un veterinario e di notte arrotondo facendo il travestito, va bene?

– No. Non mi dici la verità...

La pioggia scrosciò a rivoli, Aladino dovette urlare per farsi sentire.

– Va bene, sono un cacciatore di spiriti, e mi manda Poros il Diplomatico perché devo trovare la gemella per salvarla dai soldati che la cercano, da Ghewelrode il traditore e da Kimala impazzito che potrebbe impadronirsi dei suoi poteri perché da quando è morto John Lennon e le armonie sono andate in pensione e Dio è in vacanza a Hakalawahakalainakane, tocca a noi salvare il mondo. Ti basta come spiegazione?

– Adesso ti credo – disse Esenin.

Un tuono spaventoso li ammonì, e un fulmine cascò proprio in mezzo al lago, elettrificando quattro papere. Un temporale davvero improvviso e inusuale. Qualcosa, nel vorticare degli eventi, stava prendendo una direzione precisa, il grande paiolo bolliva, la grande tartaruga scrollava il dorso, il grande drago fumava, qualche mistero presto sarebbe stato svelato e qualche destino stava per chiarirsi. Grigio e lungo come un brontosauro, il quattro barrato era già alla fermata. Aladino gridò a Esenin: – Vai a casa e riparati! – e partì di corsa verso l'autobus.

– Se non trovi quella ragazzina – gridò Esenin beffardo – perché non vai da un mago?

17.
TUTTI NEL CORO

Salvo uscì per andare al pozzo. Era poco prima dell'alba, faceva ancora buio, un vento leggero di scirocco portava gli odori della montagna. In fondo al paese, dove le case bianche si diradavano per perdersi nel giallo dell'orzo e dei girasoli, si vedeva una corolla di metallo, imbiancata dalla luce lunare. La notte erano arrivati gli zingari e avevano montato un piccolo luna-park, con una ruota che faceva girare cavalli volanti e astronavi. Forse avrebbe potuto andarci con Ofelia. Camminò al buio, si chinò sull'orlo del pozzo, ascoltando il respiro freddo del fondo. Da piccolo aveva paura di andare a far acqua, e doveva farsi coraggio ogni volta. Adesso era più grande. Ma, mentre il secchio scendeva cigolando, sentì di nuovo la vecchia inquietudine. Quale mondo lontano si nascondeva laggiù nel buio, quali mostri, quali musiche misteriose? Il metallo urtò l'acqua e risuonò come una campana, un'eco di abisso. Il secchio si riempì, divenne pesante e Salvo cominciò a tirarlo su piano. La carrucola cigolava, la catena vibrava. E le gocce cadevano dal secchio oscillante, tornavano al fondo del pozzo rimbombando, e sembrava che parlassero.

Scappa, Salvo, dicevano, i soldati stanno rastrellando i bambini del villaggio.

Salvo tirava la catena sempre più in fretta, il secchio saliva gemendo, cosa avrebbe portato con sé, quale mostro, quale relitto nascosto? Finché, con un ultimo strappo, il secchio fu nelle sue mani, scrosciando acqua. Salvo guardò dentro. Vide riflesso il grido di Ofelia, strappata alla sua casa. Vide che un anello della catena era piegato e rotto. Lasciò precipitare il secchio con un tonfo sordo. Corse verso le dune, verso l'Addolorato, e sentì risuonare da lontano i calci dei soldati contro la porta della sua casa. Si infilò nel cunicolo, rapido come un coniglio e sbucò nella grotta marina. Là c'era solo il rumore della risacca. Si sedette sulla sabbia umida, cercò di non pensare e aprì un libro della sua cassetta. Era *Mastro Pulce* di Hoffmann. Sulla prima pagina c'era scritto: "Dalla Nonna Strega a Salvo, perché impari a guardare le cose con la lente magica della pulce".

Salvo vide che la dedica era scolorita, quasi illeggibile. Non pianse. Ma capì che, proprio in quell'istante, nonna Jana lo stava lasciando.

Strinse i pugni, scagliò irosamente un sasso nell'acqua, si graffiò le spalle contro la parete scabra della grotta. Decise di rientrare nel cunicolo e tornare in paese. Ma l'ombra di Poros gli sbarrò la strada.

– Dove vai? – disse il Diplomatico. Aveva gli occhi rossi, come se avesse pianto. Ma il tono era insolitamente duro...

– Voglio vedere l'ultima volta la nonna.

– Non ti servirà, Salvo – disse Poros. Con una mano lo afferrò per la spalla e lo fece sedere di forza sulla sabbia.

– Ti racconterò una storia, Salvo. Anni fa c'erano molti sciamani su quest'isola. I più conosciuti erano tuo padre Fraie, Ghewelrode e Ameunsis. La gente li amava e li seguiva. Forse loro non sapevano fare tutto quello che promettevano, ma avevano capito che con un po' di conoscenza, un po' di suggestione e qualche parola in una lingua strana, si può fare del bene. Tuo padre curava le malattie e chiamava la pioggia, Ghewelrode prediceva il futuro, Ameunsis portava fortuna alla pesca e agli amori. Quando iniziò la guerra, il loro potere divenne ancora più prezioso e tutti e tre aiutarono il loro popolo. Il loro nome divenne celebre in tutta l'Isola, e fu chiaro che tuo padre aveva il dono maggiore. Ghewelrode, disse qualcuno, ne ebbe invidia. Questa voce giunse al nemico. Così un uomo malvagio comprò Ghewelrode e lo portò con sé. La gente pensò: se anche uno sciamano può essere comprato e corrotto, perché dovremmo fidarci? Per questo alcuni tradirono tuo padre e lo consegnarono alla ferocia dei soldati. Per questo Ameunsis sparì, perché era di un'altra etnia, e l'odio era divampato. Ma la storia è diversa. Non fu per invidia o danaro che Ghewelrode passò col nemico. Ghewelrode aveva un segreto: una moglie e una figlia sulle montagne. Per salvare loro, da molti anni serve quest'uomo malvagio. Non sempre le cose sono come sembrano, e il libro ha spesso pagine nascoste. Che nonna Jana dovesse morire era scritto. Ma è scritto anche che il tuo destino non è di morire stasera, né di salire sui monti. Fammi una promessa, Salvo: qualsiasi cosa accada, abbi fiducia negli spiriti. Succederanno cose molto strane, verranno ore dolorose, io e Kimala forse ti sembreremo nemici. Ma tu cerca di vedere con la lente di Mastro Pulce.

– Io devo capire, capire e basta – disse Salvo, scoppiando a piangere – ma non ci sta tutto, in questa piccola testa.

Poros gli venne vicino, premuroso. Con un buffo salto, si sdraiò in aria e cantò:

Canta del bene gola ferita
E coro d'angeli annuncia il male
Notte infinita circonda il sole
Ciò che non sai ti salverà la vita.

– Bella – disse Salvo, asciugandosi le lacrime.

– L'ho improvvisata adesso – disse Poros.

– Bugia.

– Va bene. È la ninna nanna che cantavo a Nefertiti.

– Bugia.

– La scrissi quando ero il quinto dei Beatles.

– Bugia.

– D'accordo – sospirò Poros – l'ha scritta un poeta che conobbi anni fa.

– Adesso ti credo – disse Salvo.

– Devo andare – disse Poros, spalancando le ali – ma ricordati. La battaglia è iniziata, e niente è come sembra.

18.
VELÁZQUEZ

Il presidente Max si svegliò e lesse due notizie che, per motivi diversi, lo colpirono. La sua foto dell'incontro con Berlanga sul tetto del Napoleon era su tutti i giornali. "Il presidente americardo si incontra subito coi moderati", era il commento, " protesta dei moderisti: siamo tutti alleati uguali."

La seconda notizia era ancor più sorprendente.

Misteriosa scomparsa al Prado dei cani dei quadri di Velázquez.

Un maniaco misterioso ha deturpato in modo inspiegabile due quadri del pittore Velázquez custoditi al museo madrilenho. Le tele colpite sono il celebre Las meninas, *e il* Cardinale infante don Fernando cacciatore. *Da essi, con una tecnica sorprendente sono stati cancellati i due cani. Una squadra di esperti sta cercando di ricostruire la dinamica del clamoroso danneggiamento. Non si capisce come possa essere avvenuto lo sfregio, in quanto sono state necessarie sicuramente parecchie ore per cancellare gli animali e ricostruire perfettamente lo sfondo. Nessun allarme è suonato, né si nota alcuna traccia di ritocco...*

– Il mondo sta veramente impazzendo – disse il presidente – e la follia non colpisce soltanto la Villa Bianca. Quando è cominciato tutto questo?

– L'anno della morte di Lennon – disse Stan con voce grave.

– Come dici, Stan?

– Io dico cattivo voodoo anche su quest'isola – sospirò Stan – lei dovrebbe stare lontano da quella ragazza, presidente. Quella ragazza vola.

– Sì – disse il presidente, sedendosi in terrazzo e godendosi la brezza della mattina. – Lo hai notato anche tu? Sembra che cammini volando. È una deliziosa antilope con gli occhi viola.

Il presidente prese un sorso di caffè e mise a fuoco col cannocchiale la portaerei *Dread*, bianca guerriera del pelago, orgoglio della sua flotta. Era ancorata al largo, ma anche da tre miglia si poteva ammirarne la stazza.

– C'è il signor Hacarus su quella nave? – chiese Stan.

– Sì. Lui è il più pazzo di tutti, più pazzo di Cicciobombo nel suo panfilo dei balocchi. Eppure è dieci volte più potente di me – disse il presidente. – È un maniaco egotista, pensa solo agli affari e ai soldi, non esce mai in mezzo alla gente. Sta blindato in quel grattacielo coi vetri neri.

– A contare le farfalle – disse Stan a bassa voce.

– Cosa stai farfugliando, Stan? – disse il presidente. Il negro stava davanti alla finestra, con gli occhi fissi. Tormentava la croce sul petto. Era la prima volta che il presidente lo vedeva così spaventato.

– Vuoi un periodo di riposo, fedele Stan? – insistette. – È la scomparsa di Owl che ti turba? Ma è stato tutto chiarito, è passato ai maureddini, l'hanno ammesso anche loro.

– Bugie. Ma le bugie possono coprire un piccolo mistero, non un grande mistero – sospirò Stan – però non dubiti presidente, resterò con lei fino alla fine.

– Quale fine? Di cosa hai paura, fedele Stan?

– Lei non è nato, come me, in un'isola stregata dove di notte incontri uno che ti saluta, e poi vieni a sapere che è morto da dieci anni. Lei non sa quante tombe si svuotano, in una notte di luna piena. Lei non lo sa che *loro* possono trasformarsi in persone, in animali, in nuvole. Potrebbero arrivare vicino, e lei nemmeno se ne accorgerebbe.

– Potrebbero trasformarsi anche in te, allora?

– In me no – sorrise Stan – io sono discepolo di voodoo, ho talismano voodoo. Meglio di un ojo de caballo, meglio di un dito di morto. Non mi possono prendere, a meno che io non voglia.

Il presidente guardò il talismano e per la prima volta vide che non era affatto un crocifisso, ma due ossi incrociati.

– Quante cose sai, Stan – rise il presidente. – E dimmi, conosci qualche sortilegio d'amore per farmi conquistare Melinda?

– Non c'è bisogno di sortilegi, caro – disse una voce suadente. Melinda era lì sul terrazzo. Stan si era dileguato.

– Ma Melinda... Come hai fatto? Hai volato?

– Ho soltanto scavalcato il terrazzo. Hai dimenticato che siamo vicini di appartamento?

Il presidente la guardò amoroso, senza rilevare che tra i due terrazzi c'erano almeno cinque metri. Melinda aveva i capelli bagnati, e indossava un costume da bagno blu olimpionico. Vicino a lei c'era Baywatch in canottiera con la scritta "Salvataggio".

– Che bella idea – rise il presidente.

– Andiamo a fare il bagno?

– Non posso – rispose lui – la scorta ci seguirebbe fin dentro l'acqua. Ciocia non vuole che mi allontani.

– E se io conoscessi un trucco? – sussurrò Melinda. – Potremmo andare là, dove c'è la roccia a testa di lupo, sotto c'è una bellissima grotta nascosta, potremmo fare l'amore nell'acqua. L'hai mai fatto?

– Una volta in piscina, col salvagente antiproiettile, in mare mai – disse Max – però non mi fido. Tu mi illudi e poi scappi, occhi viola. Giura che stavolta non mi freghi.

– Giuro sulla Bibbia. Stasera alla sei, fatti portare su quelle rocce. Di' che vuoi vedere il panorama. Al resto penso io.

– Ci sarò – disse il presidente – sei una strega. E dai da mangiare a Baywatch.

– Mangerà – disse Melinda, e la frase, chissà perché, fece correre un brivido lungo la schiena del presidente.

Al Napoleon il clima era tesissimo. Rutalini e Pancetta, a nome dei moderisti, protestavano per lo smacco ricevuto da Berlanga. Berlanga si era nascosto nella sua suite privata, con settanta uscite segrete e settanta cessi, talvolta coincidenti. L'albergo era completamente isolato. Il servizio di sicurezza teneva lontani i fotografi e i giornalisti accampati nei paraggi. Lo schieramento delle telecamere e degli zoom sembrava una batteria antiaerea. Eroicamente in trincea, tra le dune infestate di zanzare, la stampa faceva finta di assediare e gli assediati facevano finta di essere indignati. La Gragnocca Gragna e Felina Fox si erano subito precipitate in terrazzo ognuna con un tanga delle dimensioni di un elastico, e si erano messe a rosolarsi al sole, ma dopo un'iniziale erezione di obiettivi, i flash erano cessati. Belsito e Sapone si ignoravano e giocavano a carte con i rispettivi staff. I Bi Zuvnot chiesero dieci gelati panna cioccolato e simmenthal e poi apparvero un istante alla finestra, per constatare con stupore che non c'era neanche una fan. Protestarono vibratamente. Cinquanta marines dovettero mettersi delle parrucche bionde e strillare sotto il balcone. Ma quelli che più soffrivano della mancanza dei giornalisti erano Zenzero e Rik. A che serve compiere atti virtuosi o trasgressivi se nessuno ti vede? Ma i loro uffici stampa lavoravano alacremente. Zenzero vendette in esclusiva il servizio fotografico del battesimo del terzo figlio, ed era sicuramente un buon affare, visto che non ne aveva ancora neanche uno. Pataz diede le formazioni della squadra di calcio Cantanti, che avrebbe affrontato i Condannati a morte in diretta televisiva. Disse che Rik era concentratissimo nel cercare le vibrazioni giuste per il concerto, e non usciva perché continuava ad avere violenti attacchi di trasgressione in camera. Aveva svitato tutta la rubinetteria, violentato la moquette e, insieme al chitarrista, aveva sfasciato metà della mobilia. Non era vero. Nella camera di Rik la situazione era questa:

Orango e Gibbone giocavano a scalaquaranta.

Il batterista Crotalo confezionava delle canne di marijuana che sembravano cotechini.

Tremor scriveva alla fidanzata, una cubista sordomuta.

Eremo dormiva abbracciato a un grosso peluche di Jimi Hendrix.

Rik si era fatto portare un piano a coda, poi aveva tagliato la coda, poi aveva preso la chitarra perché non sapeva suonare il piano e aveva composto una canzone.

Baby baby sei come me
La stessa rabbia la stessa voglia che
Nel mio albergo c'è un grande letto ma non ci sei
Se ci fossi sai che ti direi
Togliti quel vestito rosso
Fatti saltare addosso
Daddda ye ye ye dadda ye ye
E ora ti vorrei
In questo grande albergo
Dove tutto solo suono la chitarra e smergo.

Dopodiché s'era incazzato come una bestia perché gli avevano detto che sul vocabolario non esisteva il verbo smergare, lo smergo era tutt'al più un'anatra.

– Il mondo è di merda e anche il vocabolario è di merda – aveva detto. – Pataz, fammi uscire di qui, mi annoio.

– Soldout dice che per adesso devi restare misterioso. Farai casino quando cominciano le prove. L'albergo è recintato, nessuno può allontanarsi.

Ma qualcuno si era allontanato. I Raz non potevano restare senza la rissa quotidiana. Perciò scesero dal terrazzo legando insieme le corde della gigantesca chitarra basso di Grankio, evitarono le sentinelle e si avviarono verso la pineta. Là avevano fatto nascondere, sotto uno strato di foglie e aghi di pino, le loro supermoto Marley Mammuth milleduecento. Ognuna aveva la marmitta così grossa che poteva contenere un vespino d'emergenza. Rombando terribilmente, si addentrarono tra gli alberi, verso il mare. Il sole si velò di colpo e si fece scuro. I tronchi erano così fitti che i quattro dovettero abbandonare le moto e proseguire a piedi, finché videro un grosso camper bianco, posteggiato in una radura. Alcuni ambulanti neri ci dormivano dentro, per andare ogni mattina a vendere la loro merce sulle spiagge. Erano sparsi qua e là a sonnecchiare, meno uno grasso e barbuto che stava cucinando qualcosa in un pentolone.

– Ragazzi, è il Walhalla che li manda – disse Adolf, facendo schioccare le nocche della dita.

– Un branco di scimmie da pestare, è un sogno – disse Mansonk.

– Lasciateli tutti a me – disse Grankio.

– No, un po' per uno, come coi sindacalisti di Hamburgo, ricordate? – disse Jacintus.

Un nero magrissimo con un cappello di paglia li vide e puntò un dito:

– Ehi, ma io vi conosco. Siete un gruppo musicale, vero?

– Proprio così – ringhiò Grankio.

– Per caso non avete mai suonato con Aretha Franklin? – disse il cuoco, buttando verdure indistinte nel pentolone.

– Aretha Franklin è una negra di merda, e noi non suoniamo coi negri di merda – disse Jacintus.

I neri si radunarono un po' spaventati dietro al cuoco.

– Volete mangiare qualcosa con noi? È la nostra zuppa. Riso integrale, crocchette per gatti, ricci di mare vuoti e sardine quasi fresche.

Grankio si avvicinò al pentolone e ci sputò dentro.

– Ma come fate a mangiare questa schifezza? – disse.

– È vero – disse il nero col cappello di paglia – è più buona con il kurku.

– Ma oggi non abbiamo kurku – disse uno piccolo, con la maglietta di Maradona.

– Perché venite qui, in una terra di bianchi, bianchi di merda ma sempre bianchi? – chiese Adolf serio, sedendosi su un tronco e sfoderando ostentatamente un serramanico. – C'è tanto posto nel vostro continente, perché venite a spargere fetore e malattie da noi? Non sapete, come dice il Libro di Malachia, salmo V che "Chi invade la terra del giusto avrà la punizione che gli angeli hanno preparato per lui"?

– Conosco bene quel libro – disse il cuoco, gettando un chilo di sale nella zuppa – e il salmo XII aggiunge "Maledetto colui che si dice giusto ed è guidato solo da rabbia e dominio, poiché la maschera gli verrà strappata, e gettata insieme a lui nel fuoco".

– Sei colto per essere un saraceno di merda – disse Adolf.

– Oh, noi non veniamo da lì, signore – disse il piccolo.

– No, veniamo da molto più lontano – disse una specie di asceta magrissimo in canottiera da basket e scarpe di vernice.

– E non siamo di merda – disse serio il cuoco – certo, neanche di carne, ma di merda, poi...

– Contestate quello che dice il mio capo? – disse Grankio, e colpì con un cazzotto in pancia il vecchio magro, che volò letteralmente contro un albero, cadde, rimbalzò e si rialzò stirandosi come se fosse stato di carta.

– Ovviamente lo contestiamo – rispose il vecchio, come se il pugno non l'avesse neanche sfiorato – non siamo mori saraceni. Siamo del gruppo di Kimala.

– Spiriti di seconda schiera – disse con un certo orgoglio il piccolo – dobbiamo intervenire per piccole cose. Portare in giro gli ordini del capo, fabbricare un po' di pioggia, riparare i pungiglioni degli scorpioni, fare veleni coi funghi.

– Sì – disse Cappello di paglia – io ad esempio mi chiamo Halkin, costruisco brufoli e faccio piccole apparizioni da fantasma.

– È un guitto – disse il piccolo – sa fare soltanto il morto che cammina, lo sciacallo giallo e qualche volta mezza mahakanga.

– Voi siete fumati, o drogati – disse Jacintus, e tirò fuori una pistola. Quella storia gli piaceva sempre meno.

– Oh no, signore. Attualmente siamo travestiti da venditori di occhiali, parei e orologi, ovverossia operatori di beach-marketing, lavoro umile ma dignitoso. Ma abbiamo impersonato anche ussari, zombi, rane giganti e orchetti lepricauni. Non ci droghiamo né spacciamo. Siamo spiriti onesti – disse Halkin – e tu Hazel, non deridermi, posso fare la mahakanga come e quando voglio.

– Bum – disse Hazel il piccolo.

– Dai, allora – disse Grankio – fateci ridere prima che vi spezziamo tutte le ossa, branco di negri fumati, fatemi la mahakanga o quello che vi pare.

– Come vuole, signore – disse Halkin. – Posso, capo Brot?
– Certo – disse il cuoco.
Halkin si mise a ballare in tondo cantando una canzone stonata. I Raz iniziarono a sghignazzare. Smisero appena videro che dai piedi di Halkin spuntava una radice d'albero. Poi la testa gli si gonfiò e deformò in qualcosa di verde e peloso, le braccia divennero rami e in pochi secondi, davanti agli occhi dei Raz, c'era una pianta carnivora alta almeno quattro metri.
– Per Odino – disse Adolf, estraendo la pistola. Troppo tardi. Halkin Mahakanga era scattato e lo aveva ingoiato come una mentina.
– Chi cazzo siete? – chiese Grankio, indietreggiando.
– Non preoccupatevi – disse il cuoco, che ora aveva due belle corna da bufalo e zanne che spuntavano dal labbro inferiore – quello che importa è che stasera avremo kurku nella zuppa.
– Kurku, kurku – dissero i neri in coro, entusiasti.
– Ehi – disse Hazel il piccolo guardando Grankio – questi tatuaggi sono belli. Posso tenermi almeno un braccio?
– No – disse il cuoco, afferrando Grankio e tuffandolo vestito nel pentolone – è tutto kurku di prima qualità. Più son cattivi, più son saporiti.
L'urlo dei Raz risuonò nella pineta. Sul palco, non era mai venuto così bene.

Nello stesso istante la prima intelaiatura del palco, dieci dinosauri di acciaio incastrati uno nell'altro, veniva colpita da una raffica di vento caldo, come il respiro del vulcano.
– Niente paura, è una struttura elastica – disse Porthos.
Mentre così diceva, la struttura si spaccò esattamente nel mezzo e crollò, tirandosi dietro un tabellone della Copsicola che si schiantò al suolo frizzando cortocircuiti e bollicine di vetro. Contemporaneamente, uno sciame di vespe nere e pelose costringeva gli operai a rifugiarsi nelle baracche di lamiera. Porthos, che aveva in mezzo alla fronte un ponfo da unicorno, si lamentò con Soldout.
– Non ho mai visto niente di simile – disse l'architetto – ho parlato con Hacarus e mi ha detto di stare attento a quello che potrei vedere, o potrei credere di vedere. Se non fossi una mente geometrica e razionale, direi che siamo vittime di una maledizione.
– Impossibile – disse Soldout – io non credo a queste cose, e poi i due cantanti che portano notoriamente sfiga non li ho invita-

ti. Per le vespe ho già chiesto a Ciocia tre elicotteri Seminoles. Impesteranno tutta la palude di insetticidi. In quanto al palco, sono cazzi tuoi.

Porthos consultò con aria preoccupata la carta geologica della zona, tutta insanguinata da salme di zanzare.

– Come si fa a costruire su un terreno che frana anche se sotto dovrebbe essere roccia arenaria, da cui sgorgano soffioni di aria bollente, e con un minitornado al giorno?

– Adesso il tempo è tornato bello – disse Soldout.

Il getto di vapore lo scagliò in alto e una nuvola di polvere rossa lo avvolse. Dal suolo esalò un tanfo di moffetta che lo impuzzonì da capo a piedi.

– Quest'isola di merda vuole la guerra – disse Soldout furioso – domani esigo cinquecento soldati di rinforzo. Ho costruito palchi in tutti i posti della terra, ho tenuto concerti sotto la neve e sotto la bufera, e ho perso solo trecento operai e settanta spettatori. Non mi fermerà una maledetta salina abbandonata.

Da lontano il vulcano brontolò in modo derisorio. Era troppo lontano perché sulla cima si potessero vedere sventolare le ali nere di Kimala.

– Poros, mi senti? – disse lo spirito del fuoco. – È inutile che facciamo le cose a modo tuo. C'è molto kurku, su quest'isola, e noi ne approfitteremo.

Gli alberi del bosco agitarono le foglie, udendo la voce del loro padrone. Gli uccelli cantarono, uno stormo di corvi si alzò in volo. Ma la risposta di Poros non venne. Kimala sospirò, aguzzando lo sguardo sotto le sopracciglia bruciate. Vide uscire dal villaggio una fila di bambini, sorvegliati dai soldati. Sentì l'odore acre del piretro che gli aerei versavano sulla palude. Qualcuno incendiò il canneto, e le canne esplosero una dopo l'altra come bombe.

– La loro sola magia è distruggere – disse Kimala, iroso – cattivo voodoo, maghi da strapazzo.

19.
IL MAGO OMARO

“Il mago Omaro, del sacro ordine di Oriente e Ninive, riceve su appuntamento ogni mattina dalle 9 alle 13 nel suo studio di via Cagliostro, esclusa la domenica. Risolve ogni tipo di problema amoroso, ma è anche esperto di fatture, malocchi, mette in contatto coi defunti, cura malattie rare, dà numeri per il lotto, e soprattutto vende il famoso talismano di Raunkanazaar, da lui avuto in dono durante un viaggio nel tempo dal mago babilonese ononimo, o omomimo, o omonino. È stato ospite di varie trasmissioni televisive su reti private e anche alla Trivù in *Lotta di maghi*, in cui la sua squadra Maghi del centro Italia si è classificata seconda (ma il gioco era truccato). È stato condannato per truffa e atti osceni ma questo fa parte della persecuzione inquisitoria. È consigliere personale della madre di un noto calciatore di serie A. È socio della Agraaao, della Smiomag e della Amiru.”

Così dicevano le note biografiche del grande Omaro, nella cui sala d’aspetto si trovavano Aladina e Behemotta. Fumavano stravaccate su un grande divano aranciato, tra due statue di draghi, acquistate presso il signor Hiang, arredatore di tutti i ristoranti chinesi del Nord. Alle pareti tre immagini significative. Un autoritratto di Belzebù con tanto di firma. Una gigantografia che ritraeva il mago a braccetto del noto presentatore televisivo Polipone, con la dedica “A Omaro, la luce del cosmo”. Per finire, una serigrafia di Géricault intitolata *Zattera della Medusa*, acquistata su una bancarella. Vi erano poi una statuetta di padre Pio, un Cristo in bachelite luminescente, una Madonna e un Buddha. Sul tavolino, diverse riviste parapsicologiche e oroscopali, un portacenere ricavato da uno zoccolo di toro, o forse di diavolone, e una rivista porno di incerta provenienza.

– Che razza di idea venire qui – disse Behemotta guardandosi intorno.

– Perché no – disse Aladina – tutt'al più ci facciamo quattro risate.

– E se lui è davvero un mago e si accorge che siamo del settore?

– Lo inceneriamo – ghignò Aladina, consultando con leggera curiosità la rivista porno alla pagina "E chi lo avrebbe detto che la bella fornaia era così porca?". Chiuse di colpo la rivista al cigolare della porta. Annunciato da un odore di erbe sacre e dopobarba, apparve Omaro. Grassottello e olivastro, con una faccia da porcellino soddisfatto, avvolto in un kimono argentato con ricami di stelle blu, e un berrettino papale a coprire la calvizie. Sembrava un gigantesco Bacio Perugina. Le mani ostentavano una decina di anelli, ognuno dei quali sormontato da un meteorite di colore diverso. Giunse i palmi e con un leggero inchino così parlò:

– In nome di Baal l'immenso, il mago Omaro vi dà il benvenuto. Prima di entrare, dovete essere purificate.

E con un bastoncino d'incenso le affumicò davanti e dietro. Ciò gli permise di valutare con precisione le caratteristiche volumetriche delle sue clienti. Molto soddisfatto dell'esame disse alzando gli occhi al soffitto:

– Manga parchinga problok.

– Prego?

– Scusate – spiegò – talvolta il mio spirito guida, in presenza di belle ragazze, parla per bocca mia, nella sua lingua, cioè il babilonese antico.

– E cosa ha detto? – chiese Behemotta sospettosa.

– Ha detto "Avanti, bei fiori" – e con gesto elegante il mago Omaro le introdusse nello studio.

Il quale studio era tutto nero, illuminato da quattro candele rosse. Sullo sfondo c'era un altarino con vasellame e statuette, diplomi alle pareti, e sulla scrivania una grande quantità di palle d'oro, boccette, quarzi, un satirello di legno a cazzo dritto, una pergamena e un quotidiano sportivo, che il mago fece scomparire con gesto rapido.

– Sapete, ogni tanto mi chiedono consigli sul totocalcio.

– Certo – disse Aladina. Un gatto nero chiazzato di rogna attraversò la stanza e miagolò pigramente all'indirizzo di Behemotta.

– Non tradirci fratello – comunicò telepaticamente Aladina. Intanto il mago aveva socchiuso gli occhi, e si era puntato gli indici alle tempie.

– Scusate – disse con voce drammatica – ma il cliente precedente mi ha sottratto molta energia. Devo ricaricarmi. Ci vorrà pochissimo. – Ciò detto iniziò a mugolare e a muovere la bocca come se masticasse una castagna secca. Aladina pensò che non avevano visto nessun cliente precedente uscire dallo studio, e quindi il mago raccontava palle, oppure i suoi clienti, dopo la visita, volavano via dalla finestra.

– Allora ragazze, come vi chiamate?

– Perché non lo indovina? – disse Behemotta.

– Il vostro atteggiamento ostile e frettoloso potrebbe influenzare la mia orbita di psicoplasma divinatorio e impedirmi di sentire la voce di Baal. Allora, voi vi chiamate Alda e Brunella...

– Indovinato – disse Aladina.

– Davvero? – disse Omaro, e per nascondere lo stupore accese un candelotto, riempiendo la stanza di un odore saponoso.

– Allora, Alda e Brunella, vergini fiduciose, rilassatevi, mettetevi pure in libertà e lasciate che la luce rischiarante di Baal vi penetri. Cosa volete voi sapere da noi?

Behemotta si tolse la maglietta e sotto aveva una quinta di reggiseno. Il mago Omaro si torse sulla sedia e diede segni di agitazione.

– Io ho una sorellina. Si chiama Miriam. So che abita in questa città. Ma non riesco a trovarla. Può aiutarmi?

Il mago Omaro batté le mani corazzate di anelli e disse:

– Sono espertissimo di queste situazioni. Sono stato consulente di "Adesso ti becco", la trasmissione televisiva con ventitré per cento di share e trentasei di ritrovamenti. Ora tieni la testa ben dritta, chiudi gli occhi e rilassati. Noi entreremo nei tuoi pensieri.

Ciò detto si posizionò rapidissimo alle spalle di Behemotta e iniziò a massaggiarle le tempie, da lì passò a una rapida ricognizione degli zigomi e poi scese al collo, dove iniziò un massaggio ravanante che faceva sospettare che lui e Baal non volessero entrare nei pensieri, ma in ben altre profondità.

– Hamba. Uruin hamba burdela – disse Omaro, agganciando con la mano una tetta.

– Hambe. Huruine hambe burdela – lo corresse Aladina.

– Cosa hai detto? – sbiancò Omaro.

– L'ho pronunciato esattamente. A forza di fare questa mascherata hai dimenticato il paleobabilonico. Seno femminile si dice "hambe". "Hamba" è il tapiro di montagna. Volevi forse dire, che bei tapiri di montagna ha questa ragazza?

– Che cosa significa tutto questo? – disse Behemotta, coprendosi la quinta.

– Che questo non è il mago Omaro ma Farfaro Alvaro Kalanda, demone cacciatore di seconda categoria, misteriosamente scomparso in missione nel 1967. L'ho riconosciuto appena l'ho visto.

– Non smascherarmi, spirito – disse Omaro, lamentoso – era una vita d'inferno. Correre di qua e di là, trasformarsi eccetera. Adesso guadagno bene. Sono sposato. Ho due figli prestigiatori. Vuoi vedere la foto?

– Va bene, Farfaro, tutto resterà tra noi. Ma tu vivi in questa città da tempo. Conosci le sue vibrazioni. Dovresti sentire uno spirito forte come quella ragazzina.

– Ci proverò. A un patto.

– Cioè?

– Dovete pagare, come tutti. Ho una dignità professionale da difendere. Sono un ciarlatano professionista, ora.

– Pagheremo.

Il mago Omaro avvolse nelle manine un boccione luminescente e cominciò a sudare.

– Vedo una testa bionda. Un angioletto, forte come dieci diavoli, ma lei è furba e si nasconde. Ecco, vedo qualcosa... no, mi è sfuggito.

– Forza, Farfaro, concentrati – disse Aladina.

Farfaro mugolò. Per lo sforzo, gli spuntò anche una parte dell'aspetto originario, una bella proboscide rosea. Poi emise una serie di flatulenze da partenza di Formula Uno.

– Ci siamo – disse Aladina.

– Speriamo – disse Behemotta – sembra di essere in una zolfatara.

– Vedo dei tonni – disse Farfaro.

– E poi?

– Una grande luce fuori dalla città, dove puoi comprare ogni felicità. Frigo pieno e cuore lieto, i tonni conoscono il segreto.

– Grande luce, comprare, frigo pieno. Sembra la descrizione di un supermarket – disse Aladina.

– Trova i tonni e troverai la ragazza – disse Omaro Farfaro. – Lei ha uno schermo contro i tuoi poteri, perché ancora non si fida di te, non è certa di voler essere trovata. Perciò ti occorre un talismano di Baal. Eccolo qua. La punta del corno di un rinoceronte del Congo pieno di polvere di Ninive, ossidiana tritata e zizzirighedda. L'ho tenuto sette giorni alla luce della luna e sette giorni sotto il cuscino perché i sogni di Baal lo impregnassero. È l'ultimo che mi rimane e ti farò un buon prezzo, perché la tua anima è candida. Dieci talleri babilonesi. Centomila lire.

20.
IL PIEDE GIGANTE DI KIMALA

Soldout e Ciocia cercavano di scordare le grane davanti a due cataste di gelato. Il tenente Korpzynsky, aiutante scelto del generale, raccoglieva con un bavaglino il gelato che colava dal mento di Ciocia e lo riportava sull'obiettivo, cioè in bocca. Un gabbiano e un corvo osservavano la scena, da un traliccio vicino.

– Abbiamo perso prima Petoloni, poi uno dei Bi Zuvnot, adesso sono spariti i Raz – disse Soldout. – Abbiamo cercato di rimettere insieme Michael Teflon ma ormai la permanenza sotto ossigeno liquido l'ha ridotto a un cetriolo. Ho telefonato ai G-gang ma sono in galera, gli Art 35 devono fare una pubblicità per una scarpa, i Radioheel e gli As/salti hanno detto che non vengono a queste stronzate, me la pagheranno. Se chiamo Glucosio non canta Rik, se chiamo Vanes Banana non canta Zenzero, Papalla si è arrabbiato perché non l'abbiamo chiamato subito. I Brisa Picerum Gozzem si stanno separando, Lisa Luna aveva detto sì ma si è fatta male saltando giù dal palco, si è conficcata su uno spettatore coi capelli troppo laccati. Resta solo Madoska, ma costa una cifra. Ho dato ordine a Sys di contattarla rapidamente via Cosmonet.

– E c'è riuscito?

– Attualmente è in contatto con un navigatore di Montreal che possiede la password per un sito segreto di fan di Madoska, uno dei quali sa come raggiungere un hacker di Hong Kong che conosce l'indirizzo e-mail del massaggiatore di Madoska.

– Scusi, ma Madoska è in vacanza in un albergo sull'isola di fronte, se vuole la faccio chiamare subito.

– Non discuta i metodi di Sys Req. Non dimentichi che è stato collegato a un sito porno spiando per tre anni un culo tramite telecamera, prima di scoprire che era quello di sua moglie nella stanza vicina.

– Roba da civili – sbuffò Ciocia – certo, quella Madoska ci costerà una cifra.

– Sì – disse Soldout – ma dobbiamo rafforzare la squadra.

– È una scelta strategica obbligata – convenne Ciocia – mi ricordo una volta sulle montagne del Montecalvo, eravamo in dieci e avevamo di fronte duecento soldati nemici. Era uno scontro preponderante. Si ricorda come facemmo, Korpzynsky?

– Credo di sì signore. Ma eravamo noi in duecento e loro in dieci.

– Appunto, uno scontro preponderante – si interruppe, sentendo il corvo gracchiare, come se ridesse. – Passami il fucile, Korp. Non posso permettere che dei fottuti scaldafili di pennuti ascoltino i nostri discorsi.

Ciocia fece fuoco tre, quattro volte. Mancò il colpo e gli uccelli neanche si mossero.

– Oggi non sono in forma – disse Ciocia – vorrei ancora della fragola e del puffo.

– Ha smesso di sparare quello stronzo? – disse il gabbiano Poros.

– Sembra di sì – disse il corvo Kimala.

– E tu quando smetti – disse Poros, tirandogli una beccata in testa – chi ti ha detto di far fuori i Raz? Vuoi smetterla di fare a modo tuo?

– Volevi che pestassero i nostri uomini, uccellaccio? – disse Kimala, schiaffeggiandolo con un colpo d'ala. – Smettila di fare il capo.

– Se ammazzi ancora qualcuno – minacciò Poros puntando la zampa palmata – giuro che scateno tutti i gabbiani dell'isola e ti riempio il vulcano di guano, dovrai traslocare per l'odore.

– Se non la smetti di interferire col mio piano – strillò Kimala – ti arrostisco quelle belle alucce da cherubino.

– Un piano? – rise Poros. – Tu sei troppo stupido per avere un piano.

– Ah sì? Ebbene, ho mandato Behemoth a controllare Aladino, gli ruberà la gemella e me la porterà, e io la libererò solo se tu mi darai il permesso di fare un Krakatoa.

– Sei così stupido che appena hai un piano lo riveli subito – gracchiò soddisfatto Poros.

– Mi hai fregato, maledetto – disse Kimala diventando verde, colorazione insolita per un corvo – dovrei sempre ricordare che sei lo spirito delle parole.

– Guai a te se non fermi Behemoth. E poi niente Krakatoa, se ne può fare uno ogni cento anni e tu hai già esaurito il bonus.

– Burocrate.

– Maniaco di effetti speciali.

– Retore, sofista, semiologo.

– Piromane, dinamitardo, sismologo.

– Culopeso dell'Ottagono.

– Fottuto comunista.

E mentre i due così altercavano, nella piccola arena di sabbia dietro il palco erano stati portati i trecento bambini. Stavano in fila per dieci, tutti vestiti con la maglietta dello sponsor. Ridevano a piena dentatura, e la scena sarebbe stata perfetta, se non fosse stata per i militari che li circondavano e il truccatore di scena che li esaminava.

– Nove da sostituire – disse alla fine.

– A casa – disse Soldout – e chi si lamenta per quello che gli è successo, la prossima volta, botte.

– Io voglio restare – pianse una bambina bionda.

– Non vogliamo bambini coi denti guasti nel coro – disse Soldout – vanno benissimo i monchi, gli zoppi, gli ustionati, gli stampellati, i ciechi, ma devono avere un bel sorriso telegenico. Perciò fuori dai coglioni, piccola. E adesso dite alle pattuglie di procurarmene altri nove, possibilmente carucci e compassionevoli.

– Non ci sono più quei bei cori di adolescenti ariani di una volta – disse tristemente il maestro Von Tudor. Si passò una mano sulla chioma canuta, salì sul podio e batté le mani per richiamare l'attenzione.

– Bambini profughi e isolani – disse – so che qualcuno di voi è un po' turbato per il modo con cui è stato portato qui. Ma se avessimo fatto dei provini, ci sarebbe voluto troppo tempo. E così avete cominciato a imparare che la musica non è solo divertimento o discoteca, ma anche disciplina, ordine, fatica. Voi siete dei piccoli soldati dell'ugola, cardellini miei.

Si udì qualche pianto e qualche colpetto di tosse.

– Starete insieme tre giorni, nelle eleganti camerate a vostra disposizione. In questo periodo dovrete stare lontano dalle vostre famiglie, ma sarete ricompensati, perché parteciperete al Megaconcerto della Dolce Guerra. Voi sarete il più grande coro in playback mai visto, lo giuro o non mi chiamo più Von Tudor.

Le reazioni furono, secondo Ciocia: venti per cento, entusiasmo;

sessanta per cento, perplessità; quaranta per cento, pianti, strepiti e qualche bestemmia precoce. (Ciocia non sapeva contare.)

Von Tudor allontanò con fastidio una mosca che si era posata sullo spartito e disse con voce marziale:

– Voi starete sul palco per ben quattro ore e dovrete stare fermi e geometricamente schierati. Ma non vi annoierete, perché sarete pieni di impegni. Dovrete fingere di cantare la sigla di apertura. Poi sarete soldati e contadinelle col tenore Platirron. Farete ua-ua-ua mentre Zenzero canta *Famiglia è positivo* vestiti da sposini. Canterete in playback insieme ai Bi Zuvnot (qualche gridolino entusiasta). Canterete il jingle della pubblicità delle scarpette mentre Sterlinho, Marchi e Mac Beck palleggeranno. Verrete presi in braccio da Belsito e potrete sentire da dietro le famose scoregge bitonali di Sapone. Porterete fiori agli ospiti d'onore. Infine, avrete l'onore di cantare l'inno americardo insieme al presidente Max. Ebbene, direte voi, cosa ci vuole a fare tutto questo, se un disco registrato canta al posto nostro? In fondo la vita è così: a volte è meglio muovere la bocca, e lasciare che altri parlino per noi. Ma io pretendo molto di più, poiché sono il miglior direttore in playback del mondo! Io voglio la perfezione! Le vostre boccucce dovranno sillabare ogni labiale e ogni nasale, aprirsi nelle *e*, spalancarsi nelle *a*, unire i dentini nelle *i*, ululare le *u* e stupirsi nelle *o*. Le vostre tonsille dovranno vibrare a ogni acuto, ogni smorfietta dovrà essere perfetta. Il playback è un'arte, e non voglio vedere facce imbalsamate, labbra fuori sincrono, boccucce chiuse e dita nel naso. Chi sbaglia non tornerà più a casa!

Si levò qualche pianto. Soldout fece cenno con la mano a Von Tudor di andarci piano.

– Voglio dire – sospirò il direttore – che non tornerà a casa contento. Siete stati scelti perché siete tutti profughi o nati su quest'Isola e noi vogliamo dimostrare che i bambini, maturati da questa guerra, amano i soldati, sono contenti dell'occupazione e non ascoltano le bugie dei genitori facinorosi. Perciò dovrete essere sempre sorridenti e a testa alta. Avanti, al tre un bel sorriso. Uno due e tre.

Trenta sorrisero, il resto digrignò i denti.

– Sarà dura – commentò Von Tudor a bassa voce, poi alzò la bacchetta imperiosamente. – Piccole rondinelle, diamoci sotto. Per chi sarà bravo, ci sono in palio dieci posti da pubblico nelle trasmissioni della Trivideo, con la possibilità di diventare anche minipresentatore. C'è qualcuno a cui interessa?

– Io, io – disse una vocina.

– Come ti chiami?

– Ofelia.

– Bene Ofelia, quanti anni hai e di che etnia sei?

– Ho undici anni e sono una kuduin.

– Perfetto. Ebbene Ofelia, visto che sei così carina, porterai tu i fiori a Berlanga, a metà spettacolo. Lo vuoi?

– Oh, sì, lo voglio – disse Ofelia, incrociando le dita dietro la schiena.

– E ora cominciamo. Il primo coro sarà facile. Mentre viene letta la lista delle star, ci sarà una musica di sottofondo. È la sigla della Trivideo.

– Protesto – disse Rutalini, sbucando dalle quinte. – Doveva essere l'inno usitalico.

– Neanche per sogno – disse Ciocia, sparando una raffica in aria – la sigla iniziale sarà *Bonanza*, inno dei bombardieri americardi.

– Mettetevi d'accordo – disse Von Tudor spazientito. – Non sono qui per perdere tempo.

– Forse è meglio passare alla seconda canzone – disse Soldout dalla cabina di regia.

– Come volete. La seconda canzone è una famosa romanza che tutti conoscete, *Deh, non sei tu la dama* dalla *Petunia* di Meyerstein. Il tenore Platirron entrerà da sinistra, voi da destra vestiti da contadinelli con le giacchette di velluto nero e le calze bianche col ponpon.

– Scusi – disse una vocetta – io sono contadinello. Ha mai visto qualcuno raccogliere le barbabietole con la giacchetta di velluto e le calze bianche?

– I costumi li fanno Zippo e Banana, io non c'entro – tagliò corto Von Tudor. – Voi entrate vestiti così e poi il tenore, rivolto al soprano, intonerà: *Giammai vidi fior sì bello*. E voi dovrete rispondere cantando: *Giammai lui lo vide, no*. Capito?

– Scusi – disse una vocina flebile – mia zia Silvia ha dei gerani bellissimi. Forse se il tenore li vedesse...

– Silenzio!

– Anche la zia non è male – esclamò un'altra vocetta.

– Basta, basta! – gridò Von Tudor, scendendo dal podio. – Lo sapevo che da un coro di meticci e zingari non poteva nascere che disordine, sberleffo e melofobia. Adesso, trenta bacchettate sulla mani a tutti.

– Io le mani non le ho – disse un bimbo monco. – Ti ho fregato, stronzo.

Ci fu un tentativo generale di fuga. Molti bambini furono raggiunti e strigliati. La prova fu sospesa. Von Tudor, in preda a una crisi di dodecafonia cardiaca, fu accompagnato in albergo.

– Sono testoni, questi piccoli bastardi – disse Ciocia tormentando il grilletto del fucile – ma canteranno, oh se canteranno. Mi ricordo una volta, stavamo torturando un coreano...

– No, quello è morto – lo corresse il tenente Korpzynsky.

– Dettagli. Comunque li terremo sotto un pugno di ferro. Canteranno come canarini, a costo di accecarli.

– Speriamo – sbuffò Soldout. – Siamo in ritardo con tutto.

– Ma cosa dice, c'è già mezzo palco – protestò Ciocia – ci sono già i cartelloni degli sponsor, le toilette e le biglietterie. Basta con la paura di quella dannata maledizione. Perché sta tremando?

– Io non tremo – disse Soldout.

Eppure il piccolo palco delle prove stava vibrando e cigolando. E alcuni bambini voltavano la testa verso il mare spaventati.

– Kimala! – gridavano. – Il piede di Kimala.

– Non vedo nulla – disse Ciocia – rientrate nei ranghi.

– Il piede gigante di Kimala – gridò Ofelia – mettetevi in salvo.

– Non c'è nessun gigante, cretina! – urlò il generale. Ma Soldout con gesto imperioso gli passò il binocolo e disse:

– Guardi lì che effetto speciale.

L'imbuto nero di un tornado, contornato da saette, avanzava sul mare, in quella giornata di sole e aria limpida. Correva a balzi, e il mare davanti a lui ribolliva e schiumava.

– Ma è impossibile – disse Soldout – non c'era una nuvola in cielo, fino a un istante fa.

– Portate in prigio... in salvo i bambini! – gridò Ciocia. – Avvertite l'albergo e il servizio d'ordine. Passatemi quei fottuti passacarte dell'Ottagono. Preparate i missili anticarro...

– Ma generale – disse Korpzynsky – i missili non servono a niente, è fatto d'aria.

– Quasi tutto quello che spariamo non serve a niente, ma le industrie ci pagano per questo – disse Ciocia.

La risposta di Korpzynsky fu coperta da un frastuono in crescendo. Il tornado fischiava e rombava avvicinandosi. Era un tubo alto un chilometro di aria densa e nera, il piede vendicatore di Kimala, e sembrava pronto a scalciare via qualsiasi cosa sul suo cammino. Ma appena fu sulla riva si fermò all'improvviso, roteando e oscillando come una trottola.

– Questa poi – disse Ciocia, che coraggiosamente si era scavato una trincea nella sabbia e ci si era sdraiato.

– Cosa succede adesso? – chiese Soldout, che si era messo al riparo dietro il vasto sedere del generale.

– Il fottuto scoreggione si è attestato sulla riva e sembra temporeggiare – disse il sergente Madigan, armato di un bazooka lungo come un oleodotto.

– Cosa facciamo – disse Korpzynsky – lo attacchiamo?

– Lo attacchiamo come? – disse Ciocia. – È lì, fermo come un birillo. Mi ricordo una volta, al bowling di Hanoi...

– È immobile. Forse l'abbiamo spaventato – disse Korpzynsky.

– Sì – gli fece eco Madigan – in realtà non è altro che un innocuo fottuto pallone gonfiato.

Una saetta, partita dalla base del gigante, ridusse tre soldati alla massa complessiva di un criceto.

– È fermo ma è operativo – disse il generale Ciocia – dite a tutti di stare al coperto. Qualcuno chiami quei fottuti culidipiombo dell'Ottagono.

Nessuno li chiamò: sapevano che quella era soltanto una frase che Ciocia amava immensamente dire.

– Prendo io il comando delle operazioni – disse Soldout, che passata la prima paura stava recuperando il suo istinto di showman. – Voglio qua tutti i fotografi e le telecamere. E passatemi l'albergo, la camera di Gragnocca Gragna.

Gragnocca Gragna dormiva vestita solo del suo profumo preferito, l'Autan antizanzare. Il suo paffuto cellulare rosa squillò. La Gragna si stirò languida e disse:

– Hallo Oui?

– Sono Soldout, tesoro, esci sul balcone e guarda verso il mare, alla tua destra.

La bella uscì e lanciò un grido di orrore. Il grido allertò tutto l'albergo, e i balconi si riempirono.

– Allora, cosa vedi? – disse Soldout.

– Un orribile ciclone – disse Gragnocca Gragna – un brutto tornadaccio nero che ci ucciderà e spettinerà.

– No – disse Soldout – quella che tu vedi è la scena del secolo. La bella e la bestia.

– Non capisco – disse Gragnocca Gragna.

– Non capire è il tuo mestiere, bella. Tutti i media stanno arrivando qua. Ed ecco la scena che vedranno. Gragnocca Gragna, sprezzante del pericolo, avvolta in veli trasparenti, affronta il mostro, gli corre incontro, lo seduce. Sesso, pericolo e grandi misure. Ricordi King Kong?

– Cazzo – disse Gragnocca Gragna, che nei momenti di emozione non usava mai francesismi.

– Allora Gragnocca Gragna, avvolgiti di veli e corri qui, sarai l'icona del secolo.

– Smetti di dire volgarità – protestò Gragnocca Gragna.

– Voglio dire che entrerai nell'immaginario del secolo. Allora, ti decidi?

– Ma se mi morde... cioè se...

– È un tornado statico – improvvisò Soldout – non c'è pericolo, non si muoverà di lì. Tra un po' potrebbe sgonfiarsi. Corri.

Ma la conversazione era stata intercettata da tutta la concorrenza. Già Felina Fox era partita, avvolta in una bandiera belga divelta dal tetto del Napoleon, la prima che aveva trovato. La seguiva il fotografo di fiducia. Dietro a loro arrancava nella sabbia Rik col suo batterista Crotalo, gridando: – Lo voglio, voglio cantare col tornado sullo sfondo, altro che ventilatori di scena! –. Belsito pensava che se riusciva a prenderlo in braccio perlomeno rivinceva tre premi. Sapone era intenzionato a distruggerlo con una contraerea di peti. Tutti correvano lungo la spiaggia, verso il piede di Kimala. Ma Gragnocca Gragna ebbe l'idea migliore. Sul tetto c'era un elicottero del Berlanga, con pilota incorporato. Ci balzò sopra e ordinò:

– Là dal tornado, subito.

– Fossi matto – disse il pilota. Ma subito un sorriso gli illuminò la faccia, gli spuntò sulla divisa un papillon amaranto e mise in moto il rotore.

– Con te fino all'inferno, baby – disse Bes.

L'elicottero atterrò con qualche difficoltà a un centinaio di metri dalla base del gigante, che s'era scavato una buca nella sabbia, da cui zampillava acqua salata. Oscillava e ronzava tranquillo, come un gigantesco insetto. Ai suoi piedi crepitavano piccole saette e saltellavano migliaia di sardine argentee centrifugate in mare. Gragnocca Gragna, a veli fluttuanti e piedi nudi, gli corse incontro. Telecamere e zoom fotografici si impennarono.

Gragnocca Gragna giunse ai piedi del mostro. Lo guardò col seno palpitante, spalancò le braccia e... compose un numero sul telefonino rosa.

– E adesso cosa gli dico? – chiese a Soldout.

– Provocalo – disse lui.

– E come?

Soldout sussurrò qualcosa. Gragnocca annuì entusiasta.

Avanzò ancora di qualche passo. Il vento scopriva le sue generose forme, i veli vorticavano, i capelli dorati schioccavano come la coda di un destriero.

– Brutta troia, è arrivata per prima – disse Felina Fox, cadendo esausta sulla sabbia.

– Baldracca rifatta – sibilò Rik, anche lui stremato.

– Ascoltami – disse Gragnocca Gragna al tornado con voce seducente – o tu, misteriosa creaturaccia, mostro che viene dal mare, prendimi tra le tue braccia e fai di me ciò che vuoi, chionontitemo, né ti temesti né ti temesterò mai.

Il tornado si piegò nel mezzo e vibrò, non si sa per turbamento erotico o grammaticale.

– Io ti sfido, prendimi con te, sublime bestia. – E Gragnocca Gragna si mise a saltellargli intorno, come una gazzellona.

Il tornado non rimase insensibile al suo fascino. Sotto gli occhi delle telecamere, si mosse delicatamente e fece uscire dalla base un tentacolo, un vicetornado roseo e cirriforme che afferrò la Gragna e la fece levitare, issandola fino all'orlo del suo imbuto, dove la bella restò miracolosamente sospesa, le cosce nel vuoto.

– È la foto del secolo – urlò Soldout – fuoco con gli obiettivi! Sorridi, bella!

– Ci provo – disse Gragnocca Gragna, ma nel dirlo si sporse all'indietro e precipitò con un grido nella gola del tornado. Si udì un rumore di ossicini e poi si vide la Gragna rimbalzare più volte in aria, e anche qualcuno dei suoi pezzi, un seno di qua e un seno di là, e poi la parrucca e poi vari brandelli di rassodanti e siliconoidi e ciglia finte e labbra sintetiche. Il tornado stava frullando la povera attrice e rovinando il lavoro di due generazioni di chirurghi plastici.

– Stop – disse Soldout – stop, basta riprese.

Troppo tardi. Con un rumore di tappo il tornado sputò sul bagnasciuga una donnetta senza tette, panciuta e quasi calva, tutto ciò che restava di Gragnocca Gragna. Dopodiché, il mostro iniziò a rombare minaccioso. Aveva visto gli assaltatori schierati nella trincea.

– Sparate – disse il generale Ciocia.

Partì una raffica di pallottole, che il tornado respinse come biglie. Un missile terra-aria fu polverizzato in un istante. Poi il piede di Kimala, con precisione da fuoriclasse, cominciò a calciare i soldati come birilli, puntò un tank e lo ridusse a un'utilitaria, quindi si diresse verso la salina, sbriciolò le toilette sollevando milioni di coriandoli di carta igienica, si avvicinò al palco, prese la rincorsa e con un pedatone lo spaccò in cinque pezzi. I tabelloni degli sponsor volarono in mare, insieme agli amplificatori. Infine il mostro si piantò come una vite nella sabbia e si sotterrò in pochi secondi.

– Bella uscita di scena – disse lapidario Soldout.

– Merda – disse Ciocia.

Squillò il cellulare con la linea segreta dell'Ottagono. Era Hacarus.

– Adesso che avete visto, siete disposti a credermi? Riunione tra mezz'ora, nella suite di Sys Req.

21.
IL MEETING SEGRETO

Sys Req aveva fatto inchiodare tutti gli infissi, la suite 75 era quasi buia. Brillavano soltanto gli schermi dei computer. In un angolo della camera, un letto, un pacco di riviste specializzate e cassette di videogiochi. Tutto il mobilio era accatastato in un angolo. Erano noti i problemi di Sys con tutto ciò che non era virtuale.

Sys stava giocando al suo videogame preferito, e piangeva ascoltando la melodia di un'ocarina. Quando entrarono Ciocia, Berlanga e Rutalini, fece segno di indossare le pantofole per non fare rumore. Lo guardarono: il volto era sempre più azzurro, la sindrome di Bowser peggiorava.

– Per favore, ognuno si metta davanti a una telecamera – disse – comunicheremo attraverso i monitor.

Nella stanza chiusa il caldo era soffocante. Ciocia borbottò qualcosa sulla guerra nel deserto. Si sentiva un ronzio di mosche, ma erano anche quelle su uno schermo.

– Potrei avere un po' d'acqua? – chiese Rutalini.

– Acqua? Ce n'è nel videogioco "Waterfalls" – disse Sys Req. – Oppure potrei ordinare via computer dell'acqua minerale in Canada. Oppure...

– Non potrebbe semplicemente aprire un rubinetto? – disse un po' seccato Ciocia.

– Non sono capace – sospirò Sys Req – non ho la password.

– I rubinetti si aprono girandoli – disse Berlanga – cioè, io non ne ho esperienza diretta, ma l'ho visto fare spesso dai miei servitori. Se vuole...

– Io so farlo da solo – disse orgoglioso Rutalini – l'ho imparato alla Scuola quadri. So anche che il rubinetto rosso è l'acqua buona e potabile, il rubinetto blu è quella cattiva.

– Fate bere il generale, ma non voglio assistere – disse Sys Req –

non sopporto troppa realtà. Questo viaggio mi sta uccidendo. Accomodatevi ai vostri posti, per favore. Hacarus sta per collegarsi.

Ciocia si saziò di cloro e i tre si sedettero.

– Digitate un'acca sulla tastiera – disse Sys.

Ci fu una simpatica sigla di ossa e teschi che ballavano e poi apparve Hacarus, vestito da imperatore romano.

– Bella elaborazione grafica, vero? – disse Sys, ridendo fanciullescamente.

– La smetta di giocare, Sys – disse Hacarus – siamo qui per motivi urgenti e importanti. Vi parlo dalla portaerei *Dread*. È appena giunto l'ordine di armare i missili a testata atomica, perché la situazione potrebbe diventare esplosiva.

– Testate atomiche? Ma quei fottuti culocrati dell'Ottagono non mi hanno avvertito – disse Ciocia.

– Il mio paese vuole essere informato – protestò Rutalini.

– Io sono un alleato fedele, ma se lanciate l'atomica dovete avvertirmi prima, per le riprese televisive – si lamentò Berlanga.

– Signori, ho con l'Ottagono un rapporto più stretto di quanto lo abbiate voi e quel tonto del presidente Max. A proposito, se volete vederlo in diretta mentre prepara maschera e pinne accingendosi a un misterioso incontro d'amore, potete consultare Cosmonet a Maxporc.www.com. Sullo schermo alla vostra sinistra, invece, potete vedere cosa resta del palco dopo il tornado. Uno scheletro di tubi e lamiere contorte. Gli operai sono terrorizzati. E da quando abbiamo deciso di fare questo concerto sono morti o lesionati, o spariti in circostanze misteriose, quasi metà degli artisti in cartellone. E non abbiamo ancora trovato la bambina per la cerimonia. E questo perché?

– Ho attivato tutta la rete – si difese Sys Req – sono arrivate due milioni di segnalazioni sul nome Miriam, ci vorrà molto tempo per vagliarle. Intanto abbiamo già eliminato dall'elenco mezzo milione di Miriam gatte, ottuagenarie, massaggiatrici e transessuali.

– Questo mi conforta – sospirò Hacarus.

– Se vuole – disse Rutalini – i moderisti sono a sua disposizione.

– Possiamo muovere i nostri ragazzi – dissero Ciocia e Berlanga.

– I vostri ragazzi obbediscono ai miei ragazzi – ghignò Hacarus. – No, nessuno di voi ce la può fare. Neanche lei, Sys. Perché qua non siamo nel campo del virtuale, ma del soprannaturale. Abbiamo a che fare con spiriti.

– Spiriti? – dissero i tre e diteggiò il quarto.

– Proprio così. Voi sapete che nei pressi dei millenni e delle date tonde, si scatenano suggestioni collettive. Diciamo che al di là del fiorire di catastrofisti e apocalittofili e sfigologi con relativi libri sull'argomento, noi non sappiamo niente di queste suggestioni. Io sono un essere razionale, ma se l'irrazionale mi pesta i piedi, devo farci i conti. Allora diciamo che con la fine del millennio una forza elettromagnetoide o psicocinetica che non conosciamo si aggira per il mondo, e influenza i comportamenti dei consumatori. Se ne conoscessimo forze, leggi, regole potremmo imbrigliarla e sfruttarla. Così possiamo solo cercare di non farci danneggiare.

– Possiamo attaccare. Attaccare per primi è sempre una buona cosa – disse Ciocia – ricordo come ci rimasero gli helvetici...

– Possiamo metterci d'accordo. Formare una nuova alleanza politico-teorico-esoterica che... – disse Rutalini.

– Possiamo corromperli – lo interruppe Berlanga.

– Possiamo arrivare fino al boss salendo di livello in livello e poi distruggerlo – disse Sys.

– Come al solito non avete capito – disse Hacarus, sprezzante – provo a spiegarvela così: questa forza di suggestione che noi chiameremo per facilità "Spiriti", causa turbative nel comportamento degli umani. Hanno allucinazioni. Si comportano in modo strano, credono di vedere cose, hanno tendenze suicide. Petoloni, Owl, la Corday, il Bi Zuvnot mancante. La scomparsa nel nulla dei Raz, la rottamazione di Gragnocca Gragna. Non possiamo continuare a dire balle alla stampa. E poi pazzi che raschiano i cani dai quadri, sciami di api che attaccano aerei, falene che assediano i grattacieli, zanzare sabotatrici di grammatica. Questa suggestione, in modi ancora non accertati, prende anche gli animali.

– Allora lei ci crede?

– Io non credo, constato. E dico che se dobbiamo combattere questa suggestione, dobbiamo creare una suggestione più forte. Dobbiamo inventare spiriti più forti, che guidino le azioni degli uomini come noi vogliamo.

– Spiriti generali d'armata – disse Ciocia.

– Spiriti leader – disse Rutalini.

– Spiriti opinion-maker – disse Berlanga.

– Un software di spiriti – disse Sys Req.

– Cominciate a capire. Per questo noi non ostacoleremo le strane voci che girano su quest'isola. Che gli spiriti ci hanno attaccato, che sono stanchi della guerra, che stanno sabotando questo concerto. Ma diremo che in nostra difesa stanno arrivando altri spiriti, potenti, spiriti alleati. Costruiremo una controsuggestione. Non c'è disgrazia, catastrofe o apocalisse a cui non ci si possa abituare o che non possa diventare un affare. Questo vale dal week-end autostradale all'incidente atomico e dalla guerra alla malattia incurabile. Vedere i miei bilanci per credere.

– Signor Hacarus – disse Rutalini – è vero che lei da anni consulta uno sciamano?

– Queste sono cose private – disse Hacarus spazientito – Ghewelrode è un consigliere personale, ma se volete d'ora in poi chiamatelo pure sciamano. Da oggi le televisioni potranno parlare di misteriose influenze sull'Isola e sul clima del mondo, ma diranno che nuovi spiriti si sono alleati con noi, e che c'è un potente Spirito amico del Megaconcerto. Il suo nome è Enoma!

– Enoma – dissero i tre e diteggiò il quarto.

– Quindi non chiedetemi più se Enoma esiste davvero, poiché siamo noi che facciamo esistere le cose, abbiamo fatto esistere i motivi di questa e altre guerre, e di altre necessarie distruzioni. Enoma colpirà subito. Stasera un centinaio di marines si recherà nel bosco sotto il vulcano. Là, secondo una credenza popolare, vivono gli spiriti di quest'Isola. Bruceremo il bosco. Poi troveremo questa ragazzina, figlia di sciamani, e la mostreremo per quello che è, un'innocua bambina dentro una bella maglietta di sponsor. Nessuno si meravigli più se accadranno cose strane. Siamo dentro una grande suggestione, un grande show, una grande recita virtuale, caro Sys, e allora giochiamo. L'operazione Enoma è avviata. Generale Ciocia, bruci quel bosco. Rutalini, ordini ai suoi colleghi sindaci di spiegare che gli spiriti si schierano con i più deboli solo nei libri. Berlanga, lei martelli a tappeto con ogni mezzo di informazione. Sys Req, lei inietti in rete le dicerie più strane, leggende e serpenti di mare. E fate correre la voce: lo Spirito più forte vuole il Megaconcerto, vuole la guerra ed è al nostro fianco.

– Enoma! – gridò Ciocia, e sparò sul muro.

– Enoma – disse Rutalini – e alzò il pugno come non faceva da anni.

– Mettete a libro paga un certo Enoma – telefonò Berlanga.

– Enoma – diteggiò Sys. E sullo schermo si disegnò un diavolone gigantesco, con la scritta Enoma Bug sulla maglietta.

22.
LA GROTTA MAGICA

Era sera, e qualche nuvola spossata disegnava chiazze d'ombra sul nevaio della salina. Dopo il tornado era subentrato un caldo appiccicoso e le docce cantavano a piena voce. All'Hotel Napoleon erano stati ammessi i giornalisti e fiorivano conferenze stampa e servizi fotografici. Fu data la notizia dell'arrivo di Madoska, una stella in più tra le stelle. Si parlava dell'improvvisa indisposizione che aveva colpito Gragnocca Gragna, ovverossia la sindrome di Matusalem. Il noto videomedico Anapesti spiegava che, quando si esagera con la chirurgia plastica, in presenza di un forte choc ci può essere un collasso improvviso dei tessuti. Dicendo ciò si accalorò, gli si spaccò una vite del lifting e il naso gli scese a dondolare sotto il mento. Fuggì tra gli impietosi flash dei fotografi.

– I miei seni sono veri – diceva Felina Fox con aria di sfida, e invitava i giornalisti a forarli con un ago. Soffriva, trionfante. Zenzero, riguardo alle voci di maledizioni e sortilegi, diceva che ben presto si sarebbe messo in contatto con le forze positive che lo ispiravano e soprattutto avrebbe chiesto a Sua Santità un gemellaggio tra il Megaconcerto e il Giubileo. Sapone e Belsito rivaleggiarono in paragoni tra tornadi e altre forme di emissione d'aria. Soltanto Rik, secondo la strategia di Soldout, non si faceva vedere e scalpitava, immerso nel fumo dei cannoni di Crotalo, negli arpeggi di Eremo e nei rutti di Tremor.

Era arrivato anche il mago delle luci Greenspan. Aveva chiesto duemila lampade e aveva iniziato a illuminare un fenicottero. Quando tutto era pronto, il fenicottero purtroppo era volato via, e Greenspan si era arrabbiato.

Chi invece non aveva perso il buonumore era il presidente. Stava giocando a golf nella sua suite ed era impegnato alla buca due, quella della toilette. Stava cercando, con un colpo difficile, di uscire dal lavandino. Non lo sconvolse la notizia del tornado. – Io ci sono nato tra i tornadi – disse – nella mia regione, il Karkansas, ce n'è uno al mese, io andavo a scuola col deltaplano. – Non lo turbò la notizia che, dopo gli ultimi bombardamenti, migliaia di profughi si stavano avvicinando con battelli di fortuna all'Isola. – I profughi sono un problema finché se ne parla, – sentenziò, – perciò non parliamone più. – Non lo sconvolse neppure l'incidente di Gragnocca Gragna.

– Queste attricette credono di essere chissà chi – disse. – Melinda è più bella di tutte le dive di Hollywood che io abbia mai conosciuto, e tu sai che ne ho conosciute, vero Stan?

– E come no – disse Stan masticando polpa di granchio. La tensione lo aveva reso bulimico – ma Melinda è la più pericolosa.

– È una ragazzetta del Sud, molto carina e furba, ma prima o poi me la farò – disse con sicurezza il presidente – e la porterò con me a Hakalaimarakanalahame. Conosci quest'isola, Stan? È meravigliosa.

– Ne ho sentito parlare, signore, ma non cambi discorso – disse Stan – come mai i servizi segreti non sono mai riusciti a scoprire niente sul passato di Melinda?

Il presidente fischiettò ostentatamente mentre preparava una sacca da mare. Ci mise pinne, maschera, accappatoio, dodici preservativi anfibi, muta e magliette di ricambio. Poi si pettinò con cura e disse:

– Andiamo, Stan.

– Dove?

– Giù alla scogliera, voglio fare il bagno.

– E io che ci vengo a fare? – disse Stan cupo, continuando a rosicchiare pane e olio.

– Quello che hai sempre fatto: la mia scorta.

Stan accompagnò il presidente sul balcone, poi gli mise un binocolo in mano. Sulla scogliera era visibile Melinda, con un accappatoio rosso e scarpette di plastica. I lunghi capelli sventolavano alla brezza marina. Con lei c'erano tre cani. Baywatch, sempre in versione bipede, e due cani strani, mai visti prima.

– Come supponevo, là c'è la sua Melinda. Nota niente di bizzarro?

– I tre cani.

– Esattamente. Due sono i cani spariti dai quadri di Velázquez. Ho controllato sul giornale, sono identici, colore, muso, stazza.

– Sì – disse Max – e il terzo è Rin-Tin-Tin.

– No, signore, il terzo sembra Baywatch, ma in realtà è il suo murkuma.

– Il suo cosa?

– Il suo murkuma, il demone che ha preso le sue sembianze canine, come accadde quando non salvò Petoloni. Ed è inutile che io venga a scortarla laggù, tanto, come al solito, cadrei addormentato appena Melinda mi guarda.

– Tu sei pazzo. L'abuso di crostacei ti sta dando alla testa. Basta con le tue follie sul voodoo. Sì, va bene, sono accadute cose strane, ma adesso sto meglio. Ero solo stanco.

Stan scosse la testa e una coscia di pollo.

– Quando il voodoo è all'inizio, si può ancora vedere la differenza tra realtà e magia. Poi il voodoo ti avvelena il sangue e cadi dentro al pozzo della magia. Per lei, presidente, non c'è più nulla da fare. È dentro al sortilegio di Melinda, e non può uscirne. Spero che non le facciano del male. Io chiedo umilmente di essere assegnato ad altro incarico. Magari, di scorta alle cucine.

– Niente affatto, Stan. Tu sei al mio fianco da dieci anni. Verrai con me. Nessuno deve sospettare.

– Come vuole, signore – disse Stan – posso portarmi dei panini?

Il presidente lo guardò con commiserazione. Scesero dalle scale di servizio. Ad attenderli c'erano solo venti fotografi e cinquanta marines in assetto di guerra.

– Be', che c'è, non posso neanche andare a fare un bagno? – disse il presidente irritato. – Via questa gente.

– Riguardo ai fottuti paparazzi sono d'accordo – disse il sergente Madigan – ma i ragazzi del mio plotone hanno l'ordine di seguirla fino al buco del culo della fossa delle Marianne.

– Va bene, ma in acqua entro da solo – disse il presidente – so nuotare. – E partì di corsa, col suo elastico footing. Stan lo seguì, con passi da rinoceronte. Arrivarono col fiatone in cima alla roccia. Marines e stampa continuavano a seguirli a distanza.

– E adesso che si fa? – disse il presidente rabbioso. Sotto di lui, il mare azzurro si frangeva con onda lunga, invitante. Di Melinda nessuna traccia.

Stan ebbe un sorriso divertito e raccolse da una pozza d'acqua salata una conchiglia rosa. Si pappò il mollusco crudo e mise il guscio in mano a Max.

– È per lei, presidente – disse.

– Grazie, Stan, ma ti sembra il momento per gli spuntini?

– Le ho detto che è per lei. Ascolti la conchiglia.

Il presidente accostò all'orecchio l'insolito cellulare e una nota voce risuonò.

– Grazie di essere venuto, amore.

– Melinda...

– Ascoltami. Ora tuffati, e io ti verrò a prendere. D'accordo?

Il presidente restituì la conchiglia a Stan che sorrideva soddisfatto.

– Ha sentito? Vada pure, presidente. Resterò io qua in cima, a spiegare a tutti che lei è un esperto subacqueo e sta facendo un giro esplorativo tra le grotte marine.

– Grazie, Stan – disse il presidente. Gonfiò il petto e si portò sul bordo della roccia. Il mare era dieci metri più sotto. Era incerto se esibirsi in un carpiato Weissmuller o in un doppio avvitamento Louganis. Decise di prodursi nella famosa panciata Morton con cui aveva vinto il premio per il tuffo più osceno all'Università del Karkansas. Prese la rincorsa, volò e percosse l'acqua con rumore di trippe. Si trovò sotto di due o tre metri. Aprì gli occhi e vide Melinda, che lo afferrò per una mano e rapidissima, lo trascinò nuotando. Il presidente resistette eroicamente in apnea, ma il tragitto era lungo e Max era sul punto di svenire, quando si ritrovò all'asciutto.

Erano approdati sull'orlo di sabbia di una grotta marina, l'acqua era color zaffiro e latte alla menta, i riflessi sulla roccia la facevano sembrare illuminata da un misterioso fuoco interno. L'entrata era una strettissima fessura, e si poteva accedere solo nuotando.

– Si chiama Grotta dei Granchi Musicisti – disse Melinda – ne puoi vedere qualcuno là, sulle rocce.

Schierati in fila, i granchi salutarono Melinda battendo le chele a ritmo di samba.

– E come fai a conoscerla?

– Ci venivo quando ero piccola – disse Melinda, strizzandosi i capelli, da cui uscì acqua d'argento. – Non te l'ho mai detto, ma venivo in vacanza qua. C'era una bambina della mia età, credo si chiamasse Miriam, lei mi indicò come arrivarci, attraverso un passaggio nella scogliera.

– Miriam. Chissà, forse potresti ritrovarla. Magari è una grassa signora con figli. Oppure una bella gattona come te.

– Chi lo sa – disse Melinda, sottraendosi all'umido abbraccio presidenziale. Nella poca luce della grotta, i suoi occhi viola sfavillavano. Gli zigomi brillavano di minuscole perline umide. Il presidente, incantato, le si avvicinò e le sfiorò una spalla. Sentì un brivido tale che quasi svenne.

– Hai la pelle d'oca, caro – disse Melinda. – Già, il tuffo, l'acqua, il freddo di questa grotta. Dimenticavo che non sei più tanto giovane. Bay, vieni qui.

Dal fondo, fradicio e scodinzolante, arrivò Baywatch. Aveva al collo una botticella di cognac.

– Vecchio fedele Bay – disse il presidente – arrivi sempre al momento giusto.

– Grazie, signore – disse Baywatch, o almeno così risuonò il suo uggiolìo, nell'eco della grotta. Baywatch non solo si slegò la botticella dal collo con una zampa, ma tirò fuori da chissà dove un bicchiere da cognac e versò il liquore con ogni cura, porgendolo al padrone.

– Questa poi... – disse confuso Max.

– Lo sto addestrando bene – disse Melinda.

Baywatch tirò fuori anche dei bermuda di ricambio, un pullover di cachemire e un paio di scarpe da ginnastica. Melinda rivestì il presidente. Baywatch sparì, con un tuffo da foca.

– Vieni – disse Melinda. – Adesso che non hai più freddo voglio farti vedere una cosa.

Il presidente, emozionato, la seguì. Entrarono nell'acqua fino al collo, e avanzarono su un fondale di sabbia soffice, dentro un cunicolo di rocce aguzze come denti di squalo, poi l'acqua calò di livello e iniziarono a risalire verso una luce rosata. Davanti a loro si apriva una grotta color madreperla, che sembrava ideata da un bizzarro architetto marino. Era una cupola perfetta, con quattro arcate che si univano in un gigantesco lampadario di stalattiti, da cui scrosciava un getto d'acqua illuminato dal sole. Una sottile crepa nel punto più alto della volta lasciava filtrare la luce. Le pareti erano istoriate da graffiti. In mezzo alla grotta c'era un lago e in mezzo all'acqua un'isoletta con una statua, forse scolpita dall'uomo o dallo stillare dei secoli. Raffigurava una donna, avvolta in un mantello, nella posa di chi fugge da qualcosa. Sull'isoletta c'erano anche due misteriosi cani, con occhi umani. Scodinzolarono, vedendo Melinda.

– Questa è la Grotta degli Scampati, e quella è la loro dea, la Madonna di sale – disse Melinda. – Qua si rifugiavano gli antichi abitanti dell'isola, quando arrivava qualche invasione.

– E questi disegni? – disse il presidente, sfiorando la roccia fredda con le mani.

– Questi disegni sono la loro storia. Vedi, le navi arrivano, i soldati sbarcano. Vengono e depredano. Rubano il grano, tagliano i boschi, portano via il bestiame. E uccidono chi si oppone.

– Che tempi – disse il presidente.

– Ed ecco il più crudele di tutti, il tiranno Metrone. Lui aveva bisogno di quest'Isola, per farne una base per la sua flotta, e da lì spadroneggiare su tutti i mari. Arriva, con la scusa di pacificare una faida, brucia e uccide. Dopo di lui, c'è la guerra tra i popoli della montagna e quelli del mare. Poi una nuova invasione. Così per secoli e secoli, quest'Isola non trova pace.

– Finché arriviamo noi – disse soddisfatto Max – guarda, qui c'è disegnato un aereo, e la gente ci accoglie con i fiori. È vero, abbiamo portato la pace: alberghi, campi da golf, aiuti umanitari, aspirine, tranquillanti.

– No, queste figure con le ali sono spiriti – rise Melinda – una antica superstizione locale. Questi disegni hanno più di mille anni. Io non ero ancora nata. E tu somigli un po' a Metrone.

– Scherzi. Guarda, c'è anche la nostra bandiera.

– Le stelle esistevano prima della tua bandiera.

– Che strana cosa – disse Max, con un brivido di freddo. – Dipingere una storia dove nessuno la può vedere.

– La storia degli oppressi è troppo grande per essere chiusa nei libri – disse Melinda. – Solo spezzandole le ossa e tagliandole le ali, riuscite a farcela entrare. La vostra storia è più facile da scrivere. Scava una strada tra le rovine, non conosce soste, curve, dubbi, non torna mai indietro, non soccorre i feriti, non ricorda i morti.

– Melinda, i tuoi studi di filosofia politica ti hanno rovinato. Noi siamo i padroni della storia, noi la rendiamo ordinata e comprensibile, e il mondo va dove noi lo spingiamo: in avanti.

– Non più. I disegni di questa caverna lo mostrano. Dal primo buio si torna al buio. Avete perso la strada, state tornando indietro e non avete il coraggio di ammetterlo. Non c'è che miseria e morte davanti a voi. E solo chi sa ricominciare vivrà.

Gli occhi di Melinda erano così addolorati, che il presidente dovette distogliere lo sguardo.

– Ma non è vero – protestò Max – guarda questa, è disegnata rozzamente, ma è una delle mie navi. E quello è un bosco che brucia per il napalm. Ci sono tutte le nostre battaglie. Qui ci sono due nani, due figure gemelle, i miei figli forse. E qualcosa che sembra un fungo atomico. Be', naturalmente, se saremo costretti... e guarda qua, c'è uno scontro all'arma bianca. Certo, se le guerre tra le etnie proseguono, mica è colpa nostra. E qui c'è una figura scura, che afferra alla gola un'altra figura, coi capelli lunghi...

– Baciami – disse improvvisamente Melinda.

Il presidente se la ritrovò tra le braccia, leggera come fosse incorporea. Odorava di acqua salata e alghe, il suo volto era così luminoso che Max dovette chiudere gli occhi, avvicinò la bocca a quella di lei, la sentì respirare e tutto turbinò, era come avere trovato il proprio posto nell'universo, era come uscire dall'acqua la prima volta del mondo, era come bere, era la perfetta felicità. Ma nemmeno quella volta riuscì a baciarla. I cani ringhiavano e si avvicinavano.

– E questi cosa sono? – balbettò il presidente.

– Sono un regalo del tuo rivale – disse Melinda, carezzandone uno, bianco con il collare.

– Rivale? Ho un rivale? – disse il presidente, fremente di gelosia. – Chi è? Lo mando al fronte, lo faccio sequestrare dal Moshad, incenerire dalla Cia, cementare dalla mafia, corrompere dal Berlanga.

– Oh, lui non mi piace come mi piaci tu – disse Melinda passandogli la mano tra i capelli – è anche più vecchio di te.

– Quanti anni ha? È bello?

– Ha più o meno tremilaseicento anni. Nella versione standard è alto tre metri e mezzo, ha le corna da capro, è color verde ramarro. Ma può diventare Bogart o Marilyn in un istante, se lo vuole. Si chiama Bes Budrur Ghemeus, ed è uno spirito primo, o protodemone maggiore. Lui mi ha sentito dire che volevo dei cani speciali e li ha rubati dai quadri del Prado. Ha poteri molto particolari. Ti ricordi Monna Lisa?

– Monna Lisa... quella dell'italiano, Leonard da Vinci? – balbettò confuso Max.

– Sì, be', la Gioconda, non era una donna vera, era lui travestito. Si era invaghito del genio di quell'italiano, Bes ha gusti sessuali molto vari. Fu lui a ispirare a Leonardo quei disegni, le ali, l'elicottero, le invenzioni, il resto.

– Melinda, smettila di prendermi in giro. Non so come hai portato quei cani qua dentro, ma falli stare buoni.

– Non credo che ti sbraneranno se mi baci – disse Melinda, riavvicinando il viso a Max.

– Melinda, io ci provo ma guai a te se mi inganni ancora. Avevi giurato – disse il presidente.

Melinda allacciò le mani dietro al collo del presidente, accostò le labbra e lo baciò. Il presidente si sentì elettrizzato fino agli alluci, che si contrassero nella sabbia. La lingua di Melinda era dolce, e arrivava fino in fondo al suo palato. Troppo in fondo. Il presidente cercò di liberarsi di quel bacio violento e appassionato, la lingua della ragazza lo soffocava, strangozzò e vomitò uno spruzzo d'acqua.

Aprì gli occhi. Era steso sulla sabbia, nella Grotta dei Granchi Musicisti, e Melinda, china su di lui, lo guardava sorridente.

– Eri svenuto e mezzo annegato, amore. L'apnea è stata troppo lunga. Ti ho dovuto fare la respirazione bocca a bocca. Per fortuna ti sei ripreso.

– Ma... i cani... i disegni sulla parete?

Il presidente si alzò di scatto. Melinda non c'era più. Guardò verso il fondo della grotta. La marea aveva ancor più alzato il livello dell'acqua, chiudendo il corridoio verso la seconda grotta, quella degli Scampati, e l'acqua continuava a salire. Dall'altra parte, verso l'entrata, non si vedeva più la striscia di cielo che indicava l'uscita, e al presidente mancava l'aria. Cercò un varco nella parete di roccia, in preda al panico. Davanti ai suoi occhi, apparvero due esseri mostruosi, con un cappuccio nero e piedi palmati.

– Via, diavoli. Via, malvagio Bes! – urlò Max.

– Si calmi, signor presidente. Siamo sommozzatori dei marines – disse uno dei due – l'abbiamo trovata appena in tempo. Baywatch è corso ad avvertirci, portandoci questo suo golf di cachemire.

– Non è prudente avventurarsi in queste grotte, la marea può salire all'improvviso e sommergerle – disse l'altro.

Il presidente fu caricato su un canotto. Lo pilotava Stan, con un sorriso beffardo.

– Tu sai sempre tutto, eh Stan?

– Sissignore – disse il nero. – In quanto alla signorina Melinda...

– Non occorre che tu me lo dica – disse nervosamente Max. – È stata tutto il pomeriggio nella piscina dell'albergo.

Tornarono al Napoleon, tra i lampi dei fotografi. Il presidente, in piedi sul canotto, salutava i primi turisti del Megaconcerto. Un branco di tonni scortava il gommone, saltando festosamente. Il più grosso era cavalcato da un signore con una pinna verde sulla schiena.

23.
DRAMMA AL SUPERMARKET

Un grande camion surgelatore vomitò tonni sul retro del supermarket. Facchini in elegante tuta da calciatore cominciarono a scaricare. Dal cassone, trasportavano i pesci nel grande freezer, voragine bianca e nebbiosa, palude di ghiaccio infernale. Tra di loro c'era un facchino nuovo, la bionda Behemotta.

Il direttore del supermarket, tale Pastorizio, giunse. Era vestito color seppia, in tinta col reparto, e camminava schizzinoso sul pavimento umido della pescheria. Trasalì, sentendo uno schianto alle sue spalle. Il cadavere di un tonno, sfuggito dalle mani dell'addetto, scivolava dolcemente sul pavimento, tentando un'impossibile fuga.

Pastorizio urlò sgarbatamente:

– Piano, cialtroni, questo è pesce pregiato.

Il facchino, per tutta risposta, lanciò un tonno come una palla da bowling.

– Mi hai sentito? – disse Pastorizio, puntando un dito minaccioso. – Vuoi che telefoni al tuo capo? Vuoi entrare nel ventisette per cento dei disoccupati regionali?

Il facchino non rispose e tornò con due tonni sotto braccio. L'altro, che fumava, mise la sigaretta in bocca al suo trasportato e strizzò l'occhio a Behemotta. La quale scaricò il suo pescione e rivolse un sorriso seduttore a Pastorizio. Bisognava prender tempo, per capire che rapporto c'era tra gli argentei scombridi e la gemella. Pastorizio si avvicinò, la soppesò e le si rivolse democraticamente.

– Credono di poter fare quello che vogliono – disse indicando i facchini – dieci quintali di tonno oceanico pregiato, trattati così. Ma lei, signorina, è nuova, non l'ho mai vista prima.

– Assunta ieri. Mi sto laureando e devo arrotondare.

– Mi sembra già ben arrotondata – disse Pastorizio. Questa era la sua battuta migliore dall'inizio dell'anno, e se ne compiacque.

– Lei mi confonde – disse Behemotta. Si caricò un tonno in spalla e da un impercettibile fiato vitale capì il loro segreto. Non erano morti, ma solo in ibernazione sospesa. Era un trucco per potere scegliere il momento adatto per la fuga.

– Se ci tradisci, noi tradiamo te – sussurrò Musashimaru, capo dei tonni, centoventi chili di snella bellezza.

– Una signorina come lei non dovrebbe fare lavori così faticosi – disse Pastorizio, affascinato dai bicipiti della bella. – Perché non fa domanda come cassiera qui dentro? Potrei aiutarla.

– Ci penserò – disse Behemotta. In quel momento si accorse che il freddo del tonno le stava distruggendo il travestimento. Dal braccio le spuntavano peli rossi lunghi un paio di centimetri. I demoni hanno una temperatura corporea di cinquanta gradi e sono allergici al freddo.

– Bene bene – disse Pastorizio, contemplando le sue maestranze – allora voglio i tonni impilati nel freezer a strati di dieci, belli ordinati e non accatastati come al solito...

– Scusi, dottore – disse il facchino – ma questo lavoro tocca a quelli dello stoccaggio. Noi siamo già fuori orario.

– La rotazione dei ruoli, il benessere dell'azienda, non avete voglia di fare un cazzo e qui comando io – enumerò Pastorizio – facciamo così, voi finite il lavoro e intanto io e la signorina andiamo a prenderci una birra al Mac D'Onald, che ne dice?

– Io veramente... – disse Behemotta – be', sì, finisco di scaricare e la seguo.

Caricò in spalla SaintMalò, un tonno azzurro tutto pieno di cicatrici: proprio non capiva come da quella faccenda potesse saltare fuori Miriam.

– Le do una mano – disse Pastorizio, approfittandone per toccarle abilmente il culo.

– Oh, no – disse Behemotta – lei è un demone terziario, pardon, voglio dire un lavoratore di concetto, non manuale.

– Io? Io signorina vado in palestra per fare questo lavoro – esclamò Pastorizio, gonfiando il petto – cosa crede che sia, un lavoro da burocrati? Venti chilometri al giorno, su e giù a controllare, e io mica mi fido dei vigilantes, quattro ladruncoli ho scoperto questo mese, una vecchietta che non le dico dove s'era infilato il salmone, e poi questi ragazzini bastardi. Tre ne ho mandati al carcere minorile. E anche oggi, un bambino biondo con un cappello, girava nel reparto dolci, l'ho puntato subito, si voleva fregare una torta sbrisolona, ma gli sono saltato addosso, per un pelo non l'ho preso, si è nascosto tra le auto del parcheggio, l'abbiamo cercato, ma niente da fare. Se lo prendevo...

– E se prendesse me? – disse Behemotta, sventolando le ciglia e nascondendo un pezzo di coda...

Fuori dal supermarket, dentro un furgone regolarmente rubato, Aladino aspettava ormai da due ore. "Qua non si combina niente," pensava. "Forse sarei dovuto andare con Behemoth, è troppo impulsivo, è capace di farsi smascherare. Perché avrà insistito per andare lì da solo?" E una spiacevole inquietudine iniziò a tormentare Aladino.

Il primo tonno entrò nel freezer. Il secondo lo seguì. Con tutto il posto che c'era, lo scaraventarono sull'altro.

– Scusa, Charlie – disse il secondo tonno, Edgar.

– Non è colpa tua – disse Edgar.

Entrarono Ice M, T Tuna e Waldemar, tre tonnetti da mezzo quintale. Poi, con uno schianto, atterrò Big Boy, novanta chili e un muso da pugile.

– Se non fossi surgelato – ringhiò – gli farei vedere io.

– Stai calmo – disse Edgar, che era il filosofo del gruppo – un giorno molto vicino, ci risveglieremo. La nostra è una morte virtuale.

– Non so cosa vuol dire – disse Big Boy.

Entrarono Samantha, Bottarga detta Botty e Mel T.

– Ehi, ragazzi – disse Mel T. – Là fuori c'è una ragazza che deve andare a un appuntamento col suo spirito.

– La cosa è ancora più complessa – disse Charlie – c'è una guerra di spiriti in corso.

– E noi cosa c'entriamo?

– Tutti gli animali sono arruolati – disse Charlie – insetti, mammiferi, pesci. Lavoriamo per chi non vi posso dire. Ma il nostro messaggero è Asmodeo.

– Quel diavolaccio che puzza di ammoniaca? – disse Botty. – Non lo sopporto, scredita la nostra categoria.

Piombarono Goemon e Ebisumaru, quasi gemelli. Poi Halibut, il vicecapobranco, col dorso gibboso: – La ragazza sta arrivando, la sento.

– Dobbiamo solo tenere buono quel Pastorizio. Il travestimento di quello spirito sta cedendo e presto si accorgerà che lei è fasulla – disse Bottarga.

– Giusto – disse Samantha – sistemiamo quello stronzo color seppia.

Pastorizio passeggiava e fumava, contemplando perplesso Behemotta, che sudava ed era sull'orlo di un collasso. L'esimio dirigente rinnovava ogni trenta secondi il suo invito per una birra con possibili sviluppi. Passò il facchino reggendo Baba, il tonno più grasso, che dondolava molle tra le sue braccia. Baba aprì la bocca come fosse vivo e mollò per terra un litro di acqua viscosa. Pastorizio fece due passi distratti, ci scivolò sopra e si schiantò un polso sul pavimento gelido.

– E vai! – dissero i tonni dal freezer.

– E adesso? – disse Botty. – Che si fa?

– Gli eventi vanno verso un non-incontro, una direzione obbligata – disse Musashimaru – proprio come quando noi andiamo in branco, e io do un ordine e voi obbedite. Tutti a destra, tutti a sinistra. Così si va nella rotta prevista. Quand'è che succede qualcosa per cui il branco impazzisce, si va in tutte le direzioni, gli eventi si disperdono e poi si ritrovano?

– Quando siamo spaventati – disse T Tuna.

– Quando ci attacca l'orca – disse Samantha.

– Ci vuole l'orca dell'inatteso.

Mentre Pastorizio veniva portato via ululante, i facchini scaricavano Tonton e Palomito, gli ultimi due tonni.

– Ragazzi – disse Edgar – c'è da fare un crollo.

– Uffa – disse Tonton – proprio adesso che mi potevo riposare.

I facchini sistemarono Tonton in cima a tutti. – Geronimo! – urlò Tonton, e si lanciò giù trascinando Palomito che colpì Edgar che colpì Ebisumaru e così via. Ventotto tonni scivolarono fuori dal freezer e sette addirittura fuori dal portone, roteando elegantemente fino al parcheggio del supermarket.

Lì, argentei e umidi, li vide Aladino, e uscì dal furgone per capire cosa stesse succedendo. In quel momento, dall'altro lato del parcheggio, una figurina si mosse incontro a lui. Era Esenin. Quando fu a pochi passi, si tolse il cappello a tortellone. Non era un maschietto, era una femmina, era la magica gemella, con le tasche piene di torroni. Aladino le mostrò subito il ramo di corallo.

– Non occorre – disse Miriam – i tonni garantiscono per te. Sei uno spirito buono. – E lo abbracciò, senza nessuna paura.

Sentirono un rumore alle loro spalle. Uno alla volta, i tonni scivolavano lungo il parcheggio e si lanciavano nel canale che costeggiava il supermarket. Si potevano sentire le loro grida entusiaste.

– Li abbiamo fregati anche questa volta – disse Musashimaru, che fu l'ultimo a tuffarsi.

– Robe da pazzi – disse Behemoth. Il ghiaccio gli aveva sciolto le curve, e appariva per quello che era. Un diavolaccio rosso con la ghigna da pazzo e una lunga coda attorcigliata a cavatappi. Si trasformò all'istante in un signore panciuto con gli occhiali e disse:

– Si va? Guido io il furgone?

– Niente affatto – disse Aladino, con tono poco rassicurante – credi che non sappia per chi lavori tu, attore?

24.
GHEWELRODE TRADISCE

L'elicottero atterrò ai piedi della montagna, ai margini di un bosco buio. Ghewelrode non sopportava più la luce. La sua carrozzella venne spinta dentro a una vecchia casa di pietra, una volta abitata dai guardaforesta. Teste di cinghiali e cervi impagliati lo guardarono entrare: un vecchio imbalsamato dall'artrosi e quasi cieco, che tornava nella sua terra dopo tanto tempo. Ghewelrode annusò l'aria e sorrise stancamente.

– Odore di resina e di erba santaclara – disse – lo riconosco. E anche il rumore del vento, il mistral. Attraversa tutto il mare, è fresco.

– Non siamo qui per i tuoi ricordi – disse secco Hacarus. Era seduto su una vecchia poltrona, davanti al camino. Sopra la sua testa, su una mensola, una volpe imbalsamata mostrava i denti. Era vestito di bianco, e pallidissimo, la bocca contratta e storta, residuo di un'ultima plastica non del tutto riuscita. Non voleva testimoni a quell'incontro. I suoi sgherri erano fuori, a combattere con le mosche. Hacarus congedò con un gesto brusco i due portantini.

– Allora? – disse – ti ho accontentato, sei tornato nella tua Isola. Ora cosa devi dirmi?

– Hai sempre avuto fretta di sapere – disse Ghewelrode. Il suo sorriso aveva qualcosa di nuovo, come se un raggio di luce fosse entrato nel buio della sua prigione. – Ebbene, stavolta sono disposto ad aiutarti. Dopo tanti anni che me lo chiedi. Non ti stupisce?

– No – rispose Hacarus – tutti gli uomini hanno un prezzo e tutti gli uomini hanno un punto dove cedono e si spezzano. Ma non capisco perché ora.

– So che mia figlia è morta – disse Ghewelrode.

– Non so chi te l'abbia riferito – disse infastidito Hacarus. – Ma ti assicuro che...

– So che è morta e basta. La sua vita si è spezzata tre giorni fa, l'ho sognata. Quindi potrei smettere di obbedirti. Ma ora che la mia storia sta per finire, e vedo quanto dolore è costata, ho capito.

– Cosa hai capito, vecchio? – disse Hacarus, aggressivo.

– Ho capito che parlare agli spiriti è un sogno vano. Un sogno di grandezza, che finisce sempre per essere punito. Io, Fraie, Ameunsis. Vite buttate via. Tutto questo deve finire.

– E allora? – disse Hacarus.

– Non essere sospettoso. Anche i malvagi nella loro vita hanno bisogno di fidarsi di qualcuno. Tutto quello che ti dirò accadrà molto presto – disse Ghewelrode. Nel suo vecchio corpo piegato, c'era una strana energia. Hacarus sentì che, in qualche modo, non era più il suo servo, ricattato e umiliato.

– Tu hai un grosso problema, Hacarus – continuò Ghewelrode. – I gemelli. Sono due e lo avresti scoperto tra breve, il fratello di Miriam non è morto. È vivo, e abita su quest'isola. Io so bene che non è soltanto per mostrarli al mondo che li vuoi. Nella tua astuzia, hai capito quanto sono importanti.

– Sì – disse cupo Hacarus – se stanno accadendo queste strane cose, se tutto sta diventando così irrazionale deve esserci un perché, uno spiegabile concreto perché. E i gemelli c'entrano...

– Tu non lo vuoi ammettere, Hacarus, ma qualche spirito parla anche a te – disse Ghewelrode. – Credi che le tue azioni siano libere, ma qualcuno le guida.

– La mia intelligenza e il fiuto per gli affari mi guidano – disse Hacarus – ma poiché le superstizioni sono importanti per gli stupidi, come la pubblicità o la paura, allora io devo saper governare anche le superstizioni.

– Allora è per questo che hai fatto bruciare le foreste in Borneo? È per questo che hai avvelenato i fiumi degli indigeni in Australia? Per questo hai massacrato gli indios del Sud? Per questo continui a sostenere queste guerre inutili?

– Affari. Tutto ciò che hai nominato, sono affari – disse Hacarus, gli occhi rivolti al cielo, in ironica posa da predicatore – l'ho fatto perché l'economia è il bene supremo, e tutto le si deve sacrificare. È lo Spirito che ha vinto dall'occidente alle steppe. Ogni grattacielo è un suo totem, ogni sala Borsa una chiesa, ogni cifra una preghiera. Domenica Dio non riposò, fece i conti.

– No – disse Ghewelrode, e di colpo spalancò gli occhi velati, parlò forte e ad Hacarus sembrò che riuscisse in qualche modo ad alzarsi sulla sedia. – C'è qualcosa di più oscuro che ti ha spinto ad agire. In qualche strano modo, intuivi che la gente che hai ucciso poteva parlare con gli spiriti. Che conoscevano le ultime parole, le ultime differenze, gli ultimi segreti. Hai cercato di uccidere tutte le Porte. Le Porte attraverso le quali uomini e spiriti possono parlare e ascoltarsi. E lo hai fatto perché qualcuno ti ha guidato.

– E chi?

– Lo Spirito più oscuro di tutti. Quello che anche Poros e Kimala temono. Quello che separa e spegne. Tu sei un suo sacerdote. Non troverai mai i gemelli senza di lui. Se però vuoi, lui arriverà e ti aiuterà.

– Perché dovrebbe aiutarmi e perché mi stai aiutando tu? – disse Hacarus, senza più rabbia nella voce.

– Te l'ho detto. Questa storia ha già causato troppo dolore. Kimala e altri spiriti vogliono distruggere il mondo. Vogliono accelerare quello che l'uomo sta facendo lentamente. Forse non hanno tutti i torti. Ma io non sono uno spirito, sono un uomo. E non posso permettere che venga distrutta la mia specie, per quante nefandezze abbia commesso.

– Allora io sarei uno strumento per la salvezza dell'umanità? – rise Hacarus.

– Non ridere. Tu sei un uomo più potente degli altri, e puoi fare di più. Io sono una vecchia e logora Porta, Hacarus. Tra breve morirò. E allora resteranno solo i gemelli. I gemelli sono figli di sciamano, loro sono le ultime Porte. Chiudendole, si interromperà il contatto tra l'uomo e il mondo degli spiriti. Gli spiriti non potranno più agire sulla terra, e Kimala non avrà più potere su nulla. Il mondo andrà incontro a una noiosa fine, senza grandi sconvolgimenti, morirà poco alla volta, per mano vostra, per mano tua. Ma non è diritto degli spiriti giudicare e condannarlo. Nessuno può farlo.

– E allora, visto che sono il Messia, come devo agire? – chiese Hacarus, con voce beffarda, ma incrinata dall'inquietudine.

– Lo Spirito più forte arriverà e tu lo accoglierai. Lui troverà i gemelli. Li userai e li esibirai come vuoi. Ma dopo devi ucciderli. Le Porte si chiuderanno.

– Che malvagie cose mi suggerisci per salvare l'umanità – disse Hacarus.

– Io recito la mia dolorosa parte. Gli spiriti se ne andranno, solo voi resterete, ma io non lo vedrò. Obbedirai allo Spirito oscuro?

– Mi conviene?

– Non puoi fare altro. È mille volte più forte di te e di me.

– Non ho paura. Quando arriverà?

– Domani, quando sarò morto. Lo riconoscerai. Avrà in mano qualcosa di mio. Il suo nome è Enoma Pandemius.

– Cosa intendi dire con "quando sarò morto"? Mi servi ancora, Ghewelrode. Sono io che licenzio, uomini e spiriti.

– Sei un vecchio con la pelle da bambino e un cuore di polvere. Sei un miserabile – disse Ghewelrode, con voce tagliente come il vento che scuoteva la capanna – hai torturato per anni me e la mia famiglia. Ho parlato, ho tradito i miei amici. Lasciami almeno morire in pace. Il mio dono è consumato, finalmente. Addio.

Hacarus uscì, fingendo sicurezza. La scorta era sparsa nel bosco. Migliaia di corvi si erano radunati sul tetto della casa. Iniziò a piovere. – Andiamo – disse Hacarus ai suoi, con un brivido di freddo.

25.
L'INGORGO

Tutto procedeva regolarmente in cielo e in mare, in terra e in Borsa. Gli aerei civili arrivavano con solo sei ore di ritardo. Giunse anche un charter delle vacanze, anche se erano quelle dell'anno prima. I virili bombardieri ronzavano attorno alle snelle aviogette private.

Nel porto dell'Isola, il mare era pieno di grandi navi. I traghetti della Berlangamar trasportavano le prime migliaia di spettatori nei ben attrezzati campeggi Berlangatur. Nel biglietto del Megaconcerto erano compresi tre pernottamenti, tre cene a base di pesce surgelato Berlangagel, un buono sconto per i magazzini Berlangashop e dieci anni di indulgenza. Il gemellaggio tra Megaconcerto e Giubileo era cosa fatta. Una marea di giovani sbarcava con zainetti Berlangavai sul molo, dove erano già in vendita le magliette e i gadget del concerto, i portacenere del papa, l'agenda di Rik, il cappellino di Zenzero, i calendari di Felina e Gragnocca. La polizia sorvegliava e perquisiva senza troppa severità.

I traghetti vomitavano auto. I guidatori venivano da chilometri di fila, scendevano in fila e si mettevano in fila. Le strette strade dell'Isola li inchiodarono subito all'ennesimo ingorgo. Ma la radio rassicurò: la fila è di soli cinque chilometri, ed era nulla per quei cultori dello sport più estremo del secolo, il weekending.

Ma all'altro lato dell'Isola, a levante, la situazione era assai diversa. Il mare era pieno di piccole navi. I profughi arrivavano su gommoni, gozzi, chiatte, mosconi, tartanelle, nazadre e dodicioni. Un gruppo arrivò su una tavola da surf. Altri cinquanta in una grande tinozza di legno fatta a mano. Le motovedette militari non sapevano cosa fare. Ci fu un summit e poi si presero le seguenti decisioni:

su dieci barche, una doveva venire accolta a riva e filmata per mostrare le buone intenzioni dell'Alleanza;

tre dovevano essere fatte attraccare in un luogo segreto e gli occupanti rispediti indietro con il primo aereo, possibilmente paracadutati in zona impervia;

tre dovevano essere speronate per errore e affondate;

tre dovevano essere invitate a proseguire per i mari dell'Artide, dove c'era un grande e caloroso posto di accoglienza.

Il natante che portava Aladino, Behemoth e la gemella era un coccodrillo-salvagente, rubato al supermarket. Lo tiravano Musashimaru e Bottarga, imbragati come cavalli. Appena fu a un miglio dalla riva, apparve chiaro che non era nel numero delle barche fortunate. Una motovedetta lo puntò decisamente, mitragliandolo a prua, cioè sul muso. I due tonni presero in groppa il natante e partirono alla velocità di trenta nodi, scomparendo alla vista. Aladino ordinò di ammarare alla cala Manzana, una baietta nascosta. Lì c'erano alcuni pescatori del paese, che accoglievano il maggior numero di persone possibile, nascondendole nelle grotte, oppure trasferendole di notte sulla montagna.

Ora erano tutti lì ad aspettare. La notizia che stava per arrivare qualcuno di speciale si era sparsa in tutta la zona. C'erano Polipo, Becchetto, la Stralunata, Bocciolino, Imbatto, Vulcano, Spiridione, Macherel, Mano-di-ferro, il Cosacco, Kazumbas, Amodelsei, Zirriga, Bilancione, Trancio, lo Squalo, la bella Triga, Ismè, Scorfano. Dalle montagne erano scesi Butirro, Picozza, Galletto, la Cativa, Gigi, Bisou, Sandokan, Schivagocce, Labbro-di-lupo, la Volpe, Ginepra, Boleto, Quindici, Occhionero, Sirbone, Bacat, Sgabariona. Dagli stagni erano venuti Cerniuzza, il Professore, Sirio, Barore, Qua-Qua, Miurament, Cavasassi, l'India, Boccioletto. E Aniceto, Carburo, Feroce, Nik, Giallo, Tremalnaik, Saltaonda, Orchetto, Pedagno, Scilla, Corallino, Squartamosche e la Russa.

Tutti in attesa, silenziosi. E in mezzo a loro Kaucciù, alias Poros, col solito travestimento da ambulante. Al suo fianco Salvo, con un mazzo di fiori azzurri, che saltava emozionato da un punto all'altro della riva.

E la strana barca arrivò. I tonni, compiuto il loro dovere, virarono verso il mare aperto. Aladino e Behemoth esibivano uno dei loro look migliori, due zingari riccioluti. In mezzo a loro la gemella, bionda e impacciata, dentro un salvagente arancione tre volte più grande di lei.

– È proprio la figlia di Fraie – disse Polipo.
La barca si fermò a pochi metri dalla riva. Aladino prese in braccio Miriam, che però volle scendere e affondò nell'acqua fino al collo, ma camminò con grande dignità fino a riva. Una ragazzina coi capelli corti e il volto bruciato da un'ustione le andò incontro.
– Benvenuta – disse Corallina – sono uno dei pochi bambini del paese che è qui ad accoglierti. Gli altri li hanno presi a forza, per il coro.
– Grazie – disse la gemella, e si chinò a toccare la sabbia rosa, come a volerla riconoscere. – Dov'è mio fratello?
Salvo era nascosto, emozionato, dietro il mantello di Poros. Si fece avanti, e la somiglianza tra i due fu evidente. Salvo era un po' più robusto, e aveva le sopracciglia più scure. Ma il loro volto e i loro gesti, mentre si abbracciavano, sembravano riflessi in uno specchio.
– Sorella – disse Salvo – sei proprio come ti ho sognato.
– Ogni volta che tu mi hai sognato io ho sognato te – disse Miriam.
– Non c'è tempo per le smancerie – disse Polipo – bisogna che vi nascondiate subito. I soldati continuano a cercare i profughi e a rispedirli indietro.
– Ma io non sono profuga, questa è la mia terra – disse Miriam.
– Se sapessero di chi sei figlia – disse Polipo – saremmo tutti in pericolo. Vai, segui Carburo e Kaucciù. Loro conoscono la strada che porta al vostro nascondiglio.
– Io voglio vedere la casa della nonna – disse Miriam, decisa.
Polipo sorrise: che caratterino la piccola. Si fece avanti Poros.
– Bimba, venire con uomo nero, più sicuro che con uomini bianchi.
– Ma come parli, Poros? – disse la bambina.
– Come ti ha chiamato? – chiese Carburo, sospettoso.
– Poros in mia lingua vuole dire bell'uomo alto – disse lo spirito. – Allora andiamo?
– E questi due chi sono? – disse Polipo, indicando Aladino e Behemoth.
– Due profughi sordomuti – rispose Miriam – mi hanno portato fin qui. È gente fidata. Vengono con noi.
Si incamminarono. Salvo e Miriam non parlavano, si guardavano ogni tanto sorridendo, troppe erano le cose da dirsi. Salvo indicava le erbe, gli alberi e diceva il nome nel dialetto locale. Il fiordipena, che decora le tombe. L'edera satanassa, che strangola i dormienti. Il trefogu, che ha due petali che curano e uno che uccide,

bisogna rischiare. Miriam ne ricordava qualcuno. Alle loro spalle fischiettava Behemoth. Dietro, Aladino e Poros.

– Maestro – disse Aladino – non è stato facile. La piccola non voleva essere trovata, ha messo uno schermo potentissimo davanti a lei. Si è fatta trovare solo quando è stata sicura che ero uno spirito buono. E dire che non lo sono mica tanto.

– Ha un bel po' di magia nelle vene. Mi ha riconosciuto subito, mi aveva visto solo una volta da piccola. È andato tutto bene in città?

– No, maestro, ho capito subito che Behemoth voleva fregarmi. Ha promesso che sarà leale. Possiamo fidarci?

– Di un protodemone non si può mai essere sicuri. È un noto estremista kimalista. Teniamo gli occhi ben aperti.

In quel momento una pattuglia di soldati sbarrò loro la strada. Aladino si trasformò all'istante in un cane bastardo di media taglia. Behemoth, Salvo e Miriam svanirono. Poros-Kaucciù sorrise con un ampio gesto mercantile.

– Guarda mio campionario, amico militare. Vuoi comprare? Palette e pallina per rompere i coglioni a tutta la spiaggia. Accendino carro armato. Maglia di Inter, Milan e Los Angeles Crackers. Occhiali neri quasi firmati, talismano osso-di-pollo contro tornadi e malefici.

– Non scherzare, ragazzo – disse il soldato. – Vi abbiamo visto dalla collina, c'era qualcuno con te, fino a qualche momento fa. Almeno cinque persone.

– Amici ambulanti, andati via – disse Poros. Con un rapido sguardo, notò che le orme di Salvo e Miriam svanivano sotto un ginepro.

– Adesso basta – disse il sergente – tu vieni con me al posto di polizia.

In quel momento, dalle dune apparve, con un bikini mozzafiato, ancora fresca di salsedine e crawl, Felina Fox.

– Oh, che fortuna, l'esercito – trillò – sono così stanca, qualcuno mi dà un passaggio in albergo?

Il sergente esitò un momento. Ma Felina, fingendo di inciampare, lo speronò con una tetta e il sergente si convinse.

– Tu vai pure, pezzente, ma se ti becco ancora a gironzolare qua intorno, ti metto dentro – disse autoritario. La jeep ripartì. Felina Fox, all'ultimo momento, si voltò verso Poros e mostrò una rassicurante zanna all'angolo della bocca.

– Behemoth sarà anche un protodemone infido ma è il re dei trasformisti – disse Poros.

– Bau – disse Aladino.

– Non hai ancora imparato a ritrasformarti in fretta, vero? – disse Poros.

Aladino si grattò le pulci. Sentì un muso frugargli il culo. Sua Maestà il cane di Velázquez lo stava corteggiando.

– A proposito, ti sei accorto che sei una cagna femmina, e anche graziosa? – disse Poros.

Aladino tornò al suo aspetto umano, con grande delusione del suo pretendente. Salvo e Miriam uscirono da sotto il ginepro, un po' graffiati. Cento metri più avanti c'era l'Addolorato, e il cunicolo verso la grotta.

– Ci nasconderemo qua sotto, sorella – disse Salvo – ho portato là un po' di cibo e coperte. È il posto più sicuro.

– Mi fido di te – disse Miriam. Scomparvero nel fogliame odoroso.

– Che qualche altro spirito li aiuti – disse Poros – io non posso fare di più.

– Se almeno Kimala fosse al nostro fianco – disse Aladino – e se potessimo fidarci di Behemoth.

– Sì – disse Poros, guardando verso le montagne – se fossimo tutti uniti.

26.
PROTESTE

Soldout arrivò un po' tardi. La notte di provini per le Copsigirl lo aveva stremato. Si erano presentate in tremila con mamme, manager e morosi.

Il generale Ciocia lo stava guardando con muto rimprovero. Lui era stato tutta notte a fare la guardia al palco, come un soldato qualsiasi, e come un soldato qualsiasi aveva cantato le bellissime canzoni che allietano le notti militari.

Recluta recluta devi morire
Le scarpe del nonno devi pulire.

– Tutto bene, Soldout? – chiese.

– In gran forma – disse Soldout buttando giù due pasticche – l'unica grana è Cicciobello. Non riesce a prendere neanche un tonno, passano sotto la sua barca come siluri e sembra che lo prendano per il culo. Poi vuole a tutti i costi conoscere Madoska. Prima del concerto, la ospiterà nel suo yacht.

– Infedele e depravato – disse Ciocia.

– Ci ha appena ordinato l'atomica – continuò Soldout.

– Però vuole bene ai suoi sudditi – convenne Ciocia.

Insieme si avviarono a controllare il buon andamento dei lavori. Fasci di laser tagliavano l'aria. Greenspan aveva voluto illuminare una tomba guerriera del neolitico, con scudo bronzeo infisso, mettendola sotto il fuoco di settanta riflettori. Ma non era una tomba del neolitico con scudo bronzeo infisso, era un ovile di pietra con parabolica televisiva e ne erano uscite duecento pecore strinate dal calore e un pastore incazzato. Greenspan era stato rimandato a casa e sostituito da un elettricista. Finalmente i lavori del palco procedevano rapidi. La parte sinistra era terminata e si stavano montando le luci, un'altissima torre si riempiva di proiettori, come un albero di frutti. I tabelloni degli sponsor lanciavano intermittenti seduzioni. Un formicaio di sedie nere spiccava sul bianco della salina. Gli operai locali, quelli del Service e i marines lavoravano duro, sotto il martello di un caldo scirocco. Ma la tensione era altissima, ed erano già scoppiate diverse risse.

– Sanno che abbiamo bombardato le postazioni sulla montagna – disse Ciocia, che osservava la situazione dal palco delle autorità, mentre un'ausiliaria graziosa e muscolosa lo riforniva di ghiaccioli. – Non possiamo permetterci che azioni di ribelli disturbino la manifestazione. Nessuno deve pensare che durante il concerto ci stiamo rilassando. Bipì, Bipì e ancora Bipì.

– Siete troppo permissivi con questi indigeni – disse Von Tudor, cupo. Non era contento del coro in playback. – Bambini insubordinati, bruttarelli e stonati. Datemi trecento teutoni autentici e vi farò vedere che sincrono.

– No – disse Ciocia – devono essere locali ed entusiasti. Tutti qui devono essere entusiasti del concerto.

In quel momento, sotto di loro scoppiò una rissa tra gli operai e volarono denti e martelli.

– Cosa succede, Madigan? – urlò Ciocia.

– La fottuta maestranza bolscevica protesta per i turni – disse il sergente – dicono che sono troppo duri. Dicono che alle due fa troppo caldo, i frocetti.

– Troppo caldo? – disse Ciocia. – Forse che i nostri aerei alle due del pomeriggio non volano perché c'è troppo caldo? Forse che io facevo l'intervallo, quando attaccavo le posizioni del Quataq e i miei mottarelli si squagliavano uno dopo l'altro?

– Forse che le Esseesse... – iniziò Von Tudor, ma fu zittito.

– Tira brutt'aria – disse il sergente Korpzynsky – parlano di qualcuno che è arrivato sull'Isola. Dicono che il tornado è il segno che gli spiriti non vogliono questo palco.

– Portatemi qui quelli che lo dicono.

Vennero portati tre isolani dall'aspetto arruffato. Uno piccolo, uno magro, uno grasso.

– Come vi chiamate?

– Il Filosofo – disse il piccolo, che aveva la barba bianca, occhi azzurri, ma due mani che sembravano morse da officina.

– Fedele – disse il magro, rasato a zero e con un paio di occhiali aggiustati con lo spago.

– Boccadifuoco – disse il terzo, con uno stomaco prominente

e una cintura da attrezzista reggente il necessario a riparare l'universo.

– Cosa avete da protestare? – disse Ciocia, col più democratico dei sorrisi, tormentando il grilletto della pistola. – Cominci lei, Filosofo.

– Gli uccelli le formiche le api fanno il nido, perché sarà casa loro. Idem i castori e, mi dicono, anche il becchetto culgrigio delle palme, il topo bazzicarolo, la rana gigante di Thompson, la bonasia betulina...

– Tagli corto – disse Ciocia.

– Erano esempi necessari al prosieguo. Noi, invece, facciamo qualcosa che non è mai nostro, che non ci aiuterà, anche se poi ci farete l'elemosina di qualche container di medicine fenice, latte scaduto e scarponi da sci usati. È per questo che non c'è spirito di sacrificio qui, questo palco non ci serve, abbiamo bisogno di un porto, di acqua per irrigare, di un ospedale, ma non di un palco. Fate che le strutture del palco restino a noi, ci faremo un ottovolante, una casa, un cinematografo e lavoreremo.

– Il palco verrà trasferito in altra sede per un altro concerto, scordatevelo – disse Ciocia – e adesso parli lei, Fedele.

– Il partito per me è come l'esercito per lei, generale. Io credo obbedisco e combatto. Il partito mi ha detto che dovevo ridurre lo stipendio e l'ho fatto. Mi ha detto che Berlanga è un potenziale alveo e io gli ho creduto. Ha detto che non avremmo mai fatto una guerra e l'abbiamo fatta. Il partito dice che devo costruire il palco e io lo faccio. Ma c'ho due coglioni così.

E tracciò nell'aria un'ampia circonferenza.

– Le farò parlare personalmente da Rutalini – disse Ciocia – e adesso parli lei, Boccadifuoco.

– Parlerò con calma e serenità. Io sono solo un operaio e tu un esimio sacco di merda vestito da minestra di verdura. Il mio campo è pieno delle tue bombe intelligenti, hai distrutto case, strade e ponti, ci hai messo uno contro l'altro e adesso mi vuoi fare festeggiare tutto questo per la gloria dei tuoi cantanti miliardari e delle tue televisioni di merda, be', ti dico in diretta che puoi infilarti quel megafono nel culo dalla parte larga e cantarci dentro, tu e tutti i tuoi alleati.

– Molto bene – disse Ciocia – mi sembra che la discussione sia stata produttiva. I tre che hanno parlato sono licenziati, gli altri al lavoro. Da questo momento siete sotto legge marziale, e chi viene trovato a oziare, gli sparo con le mie mani. Voglio vedere quale spirito vi salverà.

27.
ENOMA

Il bosco era silenzioso, incantato da una luna gialla. La figura col mantello appariva e scompariva tra i pini, diretta verso la luce fioca della capanna. Passò come fosse invisibile tra i soldati di guardia. Aprì la porta con un soffio e si avvicinò a Ghewelrode, che stava chinato di spalle e ravvivava con un ferro la brace del camino. Il vecchio girò faticosamente la sedia ansimando di emozione, sembrò quasi alzarsi per andare incontro al visitatore misterioso. Per lo sforzo rantolò. Una mano uscì dal mantello e si posò con dolcezza sulla testa bianca del vecchio.

– Non agitarti, Ghewelrode – disse Poros – non hai nulla da temere.

– Lo so – disse Ghewelrode – non ho paura, sono contento. Speravo che tu venissi.

Poros si tolse il mantello. Alla poca luce, Ghewelrode vide il suo vero aspetto, come lo aveva lasciato tanto tempo prima. Anche Poros scrutò Ghewelrode, e distinse benissimo i lineamenti dell'amico di un tempo, anche dopo tanti anni di sofferenza.

– A me è toccato di invecchiare – disse Ghewelrode – mentre tu sei lo stesso, trent'anni dopo, intatto come un vecchio albero.

– Dentro ho molti anni e molti cerchi – disse Poros – e quando cadrò, si vedranno.

– Io sto cadendo, Poros – disse Ghewelrode, con la voce rotta – ho poco tempo, e una domanda che mi pesa sul cuore: mi avete perdonato?

– Non ti abbiamo mai condannato – disse Poros – abbiamo capito perché l'hai fatto. Sei un uomo.

– Avrei dovuto avere più coraggio, Poros – disse il vecchio, sollevando la testa – avrei dovuto sacrificare le persone care, la posta in gioco era alta, tanto più alta della mia misera vita. Ma non sono stato capace.

– Hai fatto ciò che era giusto – disse Poros, e a quelle parole fu come se qualcosa si spezzasse nel petto di Ghewelrode, e facesse passare, finalmente, aria, vento, sollievo. Il vecchio respirò profondamente e poi odorò il legno che bruciava.

– Grazie – disse soltanto. – Ma ora riuscirete a fermarlo?

– Enoma è bene e male, come tutti noi – disse Poros – ora è più forte, e gli tocca la parte peggiore. La farà, con tutta la sua spietatezza.

– Io non vedrò la fine di questa storia – disse Ghewelrode.

– E io non posso raccontartela – disse Poros – ma la tua storia finisce bene. Riposa, vecchio.

La mano di Poros disegnò sul muro l'ombra di un uccello. L'uccello si posò sull'ombra indistinta di Ghewelrode. L'uccello volò via, e Ghewelrode dormì.

La *Dread* era ormeggiata a tre miglia della costa, illuminata come un grattacielo, puntando verso le stelle i suoi trecento lanciamissili. Era considerata il simbolo della flotta imperiale. "Quando la *Dread* affonderà, l'Impero affonderà con lei, ma la *Dread* è inaffondabile." Così aveva detto il presidente, varandola. Era quattro volte più grande di ogni altra portaerei, poteva far decollare un aereo ogni trenta secondi, rinchiudersi in un guscio di metallo come una tartaruga, gonfiarsi di aria compressa evitando l'affondamento, correre sulle onde più veloce di un motoscafo, e rendersi invisibile ai radar sparando nubi di cristalli di ghiaccio. Aveva armi per distruggere uno stato in mezz'ora. Aveva l'aria condizionata nelle scialuppe, cinque cinema, un campo da golf antirollio, i più buoni hamburger della flotta e un quartiere a luci rosse, sottopoppa, con un corpo speciale di puttane e travestiti selezionati per moralità e fede nella patria.

Ma ad Hacarus di questo non importava. Nella sua cabina al piano più alto della torre ufficiali, davanti ai resti di un pasto frugale, fumava nervosamente. Non sapeva come e quando lo spirito gli sarebbe apparso. La grande nave si cullava nella bonaccia, non erano previsti decolli notturni. Sulla pista tre, i soldati giocavano a pallone sotto la luce della torre di controllo. Sotto coperta si sentivano musica e risate. "Dio, come odio i giovani con e senza divisa," pensò Hacarus, "come odio vederli arrivare a migliaia al concerto, marciare in fila, stravolti e fiduciosi. Ma i conformisti sono la benzina del motore della storia, degli affari, della guerra. Bisogna allevarli, come i polli, e io ne ho tritati a milioni, ne ho fatto hamburger, li ho rimangiati, riciclati, vomitati, rimangiati. Se facessi la pubblicità ai miei affari dicendo quello che penso veramente, mi lincerebbero. O forse, chissà, consumerebbero anche di più."

Scese la scaletta di ferro verso il ventre della nave, e schivò due marinai che andavano a vomitare nel vasto oceano. Percorse il corridoio che portava al ponte di prua, aspirando malvolentieri l'odore di nafta, rancio e alcol. Entrò nel vasto salone di lettura per gli ufficiali, e lo esaminò con disgusto. Una moquette azzurra sporca come acqua di porto, un biliardo, alcuni libri malati di abbandono, e brutti quadri di vecchie navi da guerra. La sala era deserta, erano tutti al bar a fare il pieno di coraggio con ghiaccio. Domattina, Bipì, cento missioni di guerra, cioè circa trecento missili, cioè un miliardo e mezzo di cucuzze nelle banche di Hacarus.

"Il mondo ha ormai distribuito le parti della sua recita," pensò Hacarus, "fare soldi e fare la fame, ormai, sono destini diversi, ma ugualmente inarrestabili."

Così filosofando, si sedette su un divano consunto e notò sul pavimento un cerchio di luce pallida. Guardò in alto e vide sul soffitto un grande oblò pieno di stelle. Hacarus distolse lo sguardo. Non gli piacevano le stelle. Niente di ciò che era più grande della terra, gli piaceva. La terra poteva essere tutta sua. Che esistessero altri mondi, altre libertà possibili, lo riempiva d'ira. Un universo enorme, disordinato, e una piccola avida vita mortale con cui poteva arraffarne solo una briciola. "Sono il re di un granello di sabbia," pensò. Bestemmiò, a bassa voce.

In quel momento, l'oblò esplose, come centrato da una pallottola. Il vento di mare gli entrò in gola all'improvviso, lo avvolse e lo sollevò, in un acre odore di putrefazione. Cercò di gridare, ma il turbine freddo lo trascinò fino al ponte superiore, sotto il cielo notturno. Cadde in ginocchio. Le stelle lo circondavano, il vento lo schiaffeggiava, spruzzi d'acqua lo accecavano. Eppure, tutto intorno, il mare era perfettamente calmo. C'era una bufera solo per lui. Dovette attaccarsi al parapetto. L'acqua stava per trascinarlo via. E una mano ferrea lo trattenne.

– Bravo, Hacarus – disse una voce fioca – non è male, ogni tanto, pensare alla propria fragilità.

Alzò gli occhi. Enoma stava davanti a lui. Era preparato a qualsiasi visione, ma questa superava ogni incubo. Enoma era avvolto in un mantello lacero, color sangue rappreso. Il volto era incredibilmente lungo e giallastro, e aveva entrambi gli occhi sul lato sinistro della faccia. Ma subito il suo aspetto cambiò. Ora era una faccia liscia e senza occhi. Poi divenne uno scheletro con un cappello a cilindro, rise selvaggiamente e prese le sembianze di un gigante sdentato. Mostrò qualcosa che teneva in mano: era l'occhio glauco di Ghewelrode.

– Come ti faccio più paura, Hacarus?

– Non mi fai paura – disse Hacarus, gocciolante e intirizzito – non capisco questa messa in scena.

– Allora vuoi che resti invisibile? – chiese Enoma. E sparì del tutto.

– Fai come vuoi – disse Hacarus. Sentì risuonare i passi dello Spirito sul ponte. Poi la voce risuonò da una scialuppa, che prese a dondolare.

– Forse è meglio che io scelga un aspetto più normale – disse Enoma – in fondo dovrai giustificare la mia presenza al tuo fianco. Immagino che un pappagallo rosso sulla tua spalla sarebbe bizzarro.

– Odio i pappagalli.

– Una bella ragazza bionda no, tutti sanno che da tempo le donne non ti interessano più, solo qualche amichetta a pagamento su cui sfogare il tuo sadismo.

– Fatti miei.

– Un gorilla della tua scorta? No, ne hai anche troppi. Un socio giapponese? Li hai ammazzati tutti. Un maggiordomo in marsina?

– Non farmi ridere.

– Un clown personale, allora? Già, tu non ridi quasi mai. Ehi, ho un'idea – disse Enoma, cambiando voce. – Potrei diventare Elmer, tuo fratello.

– No, lui no – disse Hacarus.

– Bene – disse trionfante Enoma – anche tu hai un piccolo rimorso allora. D'accordo. Sarò tuo fratello, Hacarus. Il tuo fratello, simile a te e così buono, così ingenuo da sacrificarsi per te.

– No, non voglio.

– Faccio io i patti, Hacarus – disse Enoma, e il suo corpo riprese forma. Ora era un manichino di argilla grigia, pronta a plasmarsi. – Vuoi tuo fratello come vorresti ricordarlo, o come lo vedesti l'ultima volta, crivellato di colpi?

– Basta, Enoma. Non tormentarmi con i tuoi trucchi. Fai ciò che vuoi.

Enoma girò su se stesso e si ripresentò con le fattezze di un giovane dai lineamenti affilati, già stempiato e con la fronte corrugata. Gli occhi erano spenti. Si muoveva con grande lentezza.

– Sì, Hacarus – disse Elmer-Enoma – mi piace essere tuo fratello. E adesso cominciamo a lavorare. Per prima cosa troveremo i gemelli. Ho un talento per scovare i bambini. Ho imparato dagli orchi che popolano la terra. So che ci sono molti bambini che lavorano nelle tue fabbriche d'Oriente, vero, Hacarus? Ma non facciamo discorsi tristi. Parlami di questo bel concerto. Portami giù al bar, sento che stanno suonando. Ho un debole per la musica, ricordi i nostri duetti al piano?

Prese sotto braccio Hacarus, il suo corpo comunicava un tremore gelido. Apparvero al bar, davanti agli occhi stupiti degli ufficiali. Il viso spettrale di Elmer turbò tutti. Sembrava un morto preso dalla bara e rimesso in piedi. Chiese una coppa di champagne e la alzò in un brindisi.

– Salve. Sono Elmer Chapman, fratellino di John Hacarus Chapman. Non vi aveva mai parlato di me?

– Piacere – disse il comandante della nave – no, non ce ne aveva mai parlato. Ma che bella sorpresa. Come è arrivato qui, non mi risulta siano atterrati aerei.

– Vada a vedere sul registro. È arrivato un caccia nero, da un paese lontano del Nord, con autorizzazione speciale segreta. Il numero di codice è zeta centotrenta tau.

– Come fa a conoscere quel codice? – disse il capitano, inquieto.

– So tutto – sussurrò Elmer-Enoma all'orecchio del comandante – anche che lei morirà tra due giorni, spolpato dagli squali.

28.
LA GUERRA DEGLI SPIRITI

Kimala dormiva e sognava come sognano gli spiriti, ovvero come sognano gli uomini, poiché quello è il luogo dove normalmente spiriti e umani si incontrano. C'era il mondo primordiale, le grandi foreste, voli di pterodonti e lui che dormiva, su una foglia grande come un'arca. Un dolore improvviso al petto lo svegliò. Salì di corsa gli scalini di basalto che portavano alla cima del vulcano. Uscì dal cratere, e vide ciò che aveva presagito. Il bosco sotto di lui bruciava, gli ulivi si torcevano, le canne esplodevano come bombe, bruciavano i sugheri e i lecci, e gli animali scappavano.

– Maledetti! – urlò Kimala, e nel fumo ascoltò le parole delle piante.

– Non è un uomo – ruggì un ulivo, schiantandosi bruciato al suolo.

– Questo non è fuoco di uomo – gridò una quercia, che ancora resisteva in piedi – qualcun altro ci ha acceso, il fuoco è venuto strisciando controvento, come una serpe.

– Salvaci, Kimala – disse un pino, colando lacrime di resina.

Kimala gonfiò il petto, cercò di radunare nuvole dal mare, ma il vento di terra era più forte, e continuava ad alimentare l'incendio.

– Poros – gridò – non puoi farmi questo! Non puoi essermi così nemico!

– Non è opera di Poros – disse la quercia – lo Spirito oscuro è sull'Isola.

– È già arrivato – disse Kimala, e guardò la portaerei bianca, lontana – spargerà male, in chi è pronto ad ascoltarlo.

L'elicottero di Madoska si posò sul ponte del *Lara*. La cantante scese, il vento dell'elica le fece volare in mare il cappello da gangster; due uomini rana lo recuperarono all'istante. Un tappeto di raso giallo attraversava il ponte del *Lara*, la musica di *I'm a saint*, ultimo hit della cantante, si diffondeva sul mare. Madoska indossava una giacca da smoking, con sotto un tanga, e scarpe da ginnastica argentate. Due eunuchi la presero sotto la protezione di un ombrellone di shantung. Una parrucchiera le pettinò la chioma fulva, scompigliata dal viaggio. Le fu portato un drink ghiacciato. La leggendaria ospitalità del califfo Almibel non era una diceria.

La cantante entrò nel salone di prua. Camminò su una coltre di tappeti pregiati, sui quali posavano le gambe d'avorio alcuni videogiochi personalizzati, in ebano intarsiato, e schermi filettati d'oro, flipper decorati con perle e rubini, un ping-pong formato da lastre di giada, un calcetto i cui omini d'argento riproducevano tutti le fattezze del califfo. In un angolo, un canestro da basket con calamita, dentro al quale finivano invariabilmente i palloni magnetizzati di Cicciobombo. In fondo, un trono a dondolo, a cui facevano corona giannizzeri e ragazze seminude con vassoi di frutta e bignè. E sul trono, il califfo Almibel.

– Benvenuta, signorina – disse con voce chioccia. Era piccolo e grasso, con la faccia da porchetta, un accenno di baffi e due ridicole basette a virgola. Vestiva un caffetano bianco, e portava sul petto una catena col Gran Zhap, il topazio più grande del mondo, da lui trasformato in telecomando.

– Lieta di essere qui, califfo – disse Madoska. Si inchinò e subì un baciamano viscido. Il califfo la squadrò con interesse.

– Credevo che fosse più alta – disse alla fine. Era famoso per la sua maleducazione.

– Lei invece è più adulto di quanto immaginavo – disse Madoska ingoiando amaro. – Non sembra un tredicenne.

– Coi miei soldi io posso avere qualsiasi età – disse il califfo dondolandosi – posso avere i capricci di un bambino, i piaceri di un giovane, l'intolleranza di un vecchio.

– Dove posso sedermi? – chiese Madoska.

– Preferirei che lei restasse in piedi – disse il califfo; prese un chicco d'uva e lo fece schioccare in bocca, poi scoppiò in una sonora risata.

– La faccio ridere? – disse la cantante, irritata. – È per questo che mi ha fatto chiamare qui?

– Oh, no – disse il califfo. – Perdoni la mia maleducazione. Si sieda pure, posi il suo leggendario e usatissimo culo sul tappeto più morbido. Sa perché ho insistito tanto per farla venire?

– Vuole che canti per lei? Che balli per lei? O altro? – disse Madoska. Accettando di salire sullo yacht era pronta quasi a tutto. Aveva davanti un odioso adolescente viziato, ma anche uno degli uomini più ricchi del mondo, che possedeva metà delle azioni della sua casa discografica.

– No, niente di tutto questo – disse il califfo, congiungendo le mani grassocce – volevo solo farle una domanda. Ho letto in un'intervista che a lei non piace Lara Savage, l'eroina del videogioco.

– Be', non ho detto proprio così – rispose Madoska – ho detto solo che c'è troppo fanatismo intorno a lei, in fondo è una creatura virtuale, e poi è mascolina e un po' violenta, e ha un taglio di capelli francamente ridicolo.

– Quindi – disse il califfo, con voce melliflua – lei ritiene di essere meglio?

– Se non altro sono viva – rispose Madoska.

– Questo è vero – disse il califfo, con un mezzo sorriso. – Ora, signorina Madoska, vorrebbe essere così cortese da alzarsi in piedi e togliersi la giacca?

Madoska obbedì. Restò solo col tanga, a sfidare lo sguardo del califfo. Il gioco non la eccitava, ma voleva mostrare di non temerlo.

– Signorina, mi duole dirlo ma Lara Savage, a cui ho intitolato questo yacht, è molto più bella di lei – disse Almibel al termine del suo esame. – Non so se ci sono al mondo donne degne di me, ma Lara ci va vicina. Lei invece ha un viso volgare, le gambe storte e un'aria, diciamo così... un po' frusta.

– Credo che basti – disse Madoska, rimettendosi la giacca – lei mi ha fatto venire qua soltanto per insultarmi. Me ne vado. Ho milioni di fan io, molti più della sua Lara.

– Ecco il punto – disse il califfo, con un gesto infastidito – lei è più popolare di Lara, e questo mi addolora. Non lo merita. Come ha detto prima, lei ha un grande vantaggio sulla mia Lara. Lei è viva. Ma possiamo provvedere.

Il califfo estrasse da un bracciolo del trono un bastone d'avorio, che terminava nella testa aguzza di un falco. Due uomini bloccarono Madoska.

– Lei non può farlo – disse la cantante tremando – è un uomo potente, ma non tanto da potersi permettere di farmi del male.

– Oh, sì – disse Almibel – per amore di Lara posso farlo. Lei ha voluto fare un tuffo nella mia piscina, è scivolata, ha battuto la testa sul bordo. Lara non avrebbe mai fatto un tuffo così goffo. Lara è una vera atleta, una forte e sensuale eroina. Non avrebbe dovuto insultarla, in quell'intervista, signorina Madoska.

– Aiuto! – urlò Madoska.

Nel sonno il presidente si svegliò di colpo. Aveva sognato un falco in picchiata e una macchia di sangue su un tappeto prezioso. Si rigirò nel letto. Un'aria pesante e afosa ristagnava nella camera. Si svegliò sudato e girò per la stanza: eppure l'aria condizionata era in funzione. Tornò nel letto. Melinda era lì, tra le lenzuola, che dormiva al suo fianco.

"Sto sognando," pensò, "devo resistere a queste allucinazioni." Ma un sole improvviso riempì la stanza, abbagliandolo. Riaprì gli occhi. Ora si trovava nella camera di un piccolo albergo, la sua valigia giaceva aperta disordinatamente su una sedia, c'era odore di fiori e spray antizanzare. I suoi bermuda a scacchi erano stesi ad asciugare su un filo, vicino a un costumino olimpionico blu. Dalla finestra si vedeva la piazzetta di un paese esotico, palme, un mercato di gente colorata e allegra. Melinda si svegliò e stirò le braccia.

– Buongiorno, amore – disse.

– Dove siamo, strega? – chiese Max.

– È un bellissimo posto, Max. Ti va di fare una passeggiata?

Prima che il presidente potesse rispondere, camminavano già insieme tra la gente, i venditori di frutta e stoffe colorate. L'odore delle spezie era forte e inebriante. Facce indie sorridevano, un ubriaco gli passò vicino e lo esaminò con occhi socchiusi da gatto.

– Gringo – disse – somigli a quel fetente del presidente dell'Impero. Ma se hai vicino una donna così bella, non puoi essere lui.

– Ma io non posso camminare senza scorta – disse il presidente a Melinda.

– Non ne hai bisogno – disse lei – qui sei uno come tutti. Nessuno ti odia. Sei libero. Puoi uscire ed entrare da queste case, ti accoglieranno. Magari, stai attento al portafoglio...

– Ma è bellissimo qui – disse il presidente, respirando a pieni polmoni – e mi sento proprio bene.

Melinda lo abbracciò. Camminarono fino al mare. La spiaggia era lunga e orlata di palme altissime, con un gran traffico aereo di pappagallini colorati e ciarlieri. Un gruppo di barche tornava dalla pesca. Le donne aspettavano. Chine sulla riva, cucivano grandi foglie per metterci dentro il pescato. I bambini avevano costruito uno squalo di sabbia e si divertivano a distruggerlo, pestandolo con i piedi. Due ragazze camminavano e ballavano i Bi Zuvnot al suono di una radiolina.

– Un Peto de Diablo, signore? – offrì un ragazzo con una brocca e un bicchiere, e versò il liquore ghiacciato.

– Grazie – disse Max, mettendo mano al portafoglio.

– Niente, gringo – disse il ragazzo – omaggio del mio paese. E per lei, signorina con gli occhi viola, se permette, ecco una bella conchiglia tigrata. Viva la libertà.

– Viva – disse Max – ma cosa c'entra?

– Quando c'è – sospirò il ragazzo – ci piace parlarne e festeggiarla, perché potrebbe andare via. Un po' come fate voi col bel tempo.

– Sei un filosofo, ragazzo – disse Max.

– Mi tocca – spiegò il ragazzo e si allontanò zoppicando leggermente.

– Che posto di matti – disse Max – ma che luce, e che sole. Che tipo di governo hanno?

– Non farti domande. Ti piace qui?

– Io... non so come dire, ma era tanto tempo che non mi sentivo così, Melinda. Melinda, non svegliarmi.

Gli occhi di Melinda si velarono di tristezza.

– Non possiamo restare, Max. Qualcuno non ha voluto. Qualcuno non vorrà.

– Chi non vuole?

– Tu, Max.

– Io? Ma questo è un posto bellissimo, io potrei viverci anche due mesi all'anno, insieme a te, potremmo costruire una casa su quelle dune, mi sembra il posto più sicuro, l'eliporto si potrebbe fare là, se facciamo saltare quelle rocce con l'esplosivo ecco pronto un attracco...

– Niente di tutto questo, Max. Questo paese non esiste più. Pochi anni fa è stato raso al suolo, e tutti gli abitanti uccisi. Lo ha fatto un dittatore, un uomo che tu hai armato e appoggiato. E i tuoi cosiddetti nemici sapevano ed erano consenzienti, nessuno ha difeso questa gente.

– Ma cosa dici, io non sapevo...

– Sì, nessuno ha saputo. È stato solo un piccolo episodio in una guerra confusa, per un po' di diamanti, per qualche piantagione. Poi il dittatore è stato destituito, qualcuno ha saputo e si è indignato, ora c'è un nuovo dittatore, chissà se è meglio o peggio, ma questo paese non c'è più. Da qualche parte, forse, nel labirinto dei tuoi archivi, c'è una traccia di questo delitto. Nel cuore di qualcuno resta la ferita, la volontà di non scordare. Ma la storia si è richiusa dietro queste vite spente, come su un'orma sulla sabbia. Ogni giorno vengono cancellati paesi come questo. Tu non sai, nessuno sa.

– Non si può sapere tutto, Melinda – disse Max – l'Impero è così grande, ma io ti giuro...

– Tu sapevi – disse Melinda – nel fondo del tuo cuore, nel silenzio delle tue precise mappe geografiche, tu sapevi. Quelli come te sanno. Non è vero che non potrebbe essere diverso. Lo Spirito che vi guida dice che tutto sarà sempre sangue e guerra, ma ci sono altri spiriti, che non ascoltate mai. Recitate, per non sentirvi troppo vili, i vostri riti di pietà e compassione, le vostre preghiere senza dolore. Ma non ci ascoltate...

– Io ti sto ascoltando, Melinda – disse Max – ma ripeto, non posso farci nulla.

Melinda gridò all'improvviso, un grido di belva, e si coprì gli occhi, come se non volesse vedere. Si mise a scavare, nella sabbia, come a dissotterrare qualcosa. La sabbia diventò nera, e apparvero ossa, e cocci di piatti, pagine di un libro, il mattone di una casa. La sua furia alzò una nube di polvere che accecò Max. Poi il grido cessò. Nella nube che si diradava, il presidente vide che la spiaggia era vuota. Tra le palme, solo due baracche abbandonate. Nel mare, il relitto di una barca. Le orme di un piede piccolo, di ragazzo, che finivano in una chiazza di erba bruciata, e quattro croci bianche.

– Voglio svegliarmi – disse Max. Aprì gli occhi e vide le tende della suite agitate dal condizionatore. Si alzò sul letto. Aveva i piedi pieni di sabbia, e sul lenzuolo c'era una conchiglia tigrata.

Quella mattina giunse la notizia della sparizione del Filosofo, di Fedele e di Boccadifuoco. I tre operai erano usciti dopo cena, ma non erano più rientrati a casa. Qualcuno aveva sentito degli spari notturni, vicino al bosco degli eucalipti. Il generale Ciocia si accorse subito che nel campo c'era molta paura. Tutti guardavano verso le pendici del vulcano, dove il bosco continuava a bruciare, segnando il cielo di nubi grigie e basse.

– Questa paura mi piace – commentò il generale – lavorano di più e stanno zitti.

Il palco in effetti era quasi completato, e nessun tornado o acquazzone arrivava a guastare l'opera. Una bonaccia irreale avvolgeva il mare e l'Isola. I traghetti continuavano a sfornare gli spettatori in perfetto orario. Oggi arrivavano quelli previsti per ieri. A migliaia entravano disciplinatamente nei campeggi Berlangatur, ognuno con la maglietta promozionale, un rosario omaggio e un flacone di antizanzare. Erano ordinati come i soldati che li scortavano. La fila delle auto era salita a trenta chilometri, ma erano stati messi dei megaschermi ogni chilometro dove proiettavano il film *Truck il camion impazzito*. Dagli elicotteri venivano sganciate confezioni di acqua minerale, e chi non moriva per l'impatto le prendeva o le vendeva. I telefonini cantavano come grilli.

– Grande pubblico – commentò Soldout, binocolando il porto dal balcone della suite – io me ne intendo. Lei avrà un gran successo, presidente.

– Potrò cantare e suonare? – disse Max.

– Lei salirà sul palco tre volte. La prima farà il suo bel discorsino introduttivo, e leggerà il programma della serata con la topmodel-top-secret. Poi farà un duetto con chi non le dico, sarà una sorpresa. Il terzo intervento lo ha organizzato Hacarus: lei dovrebbe presentarsi insieme a due bambini o qualcosa di simile. Una cosa da far intenerire in diretta la più dura carta di credito.

– Io avrei un'idea – disse il presidente. – Perché non pensare a un intervento... meno ufficiale, ecco. Potrei suonare l'oboe, e ci vorrebbe vicino a me qualcosa di sexy, i soldati hanno bisogno della buona vecchia pelosa, come diceva il mio sergente, e adesso che non c'è più Gragnocca Gragna manca qualcosa. Che ne direbbe di una ballerina? Io ne conosco una bravissima.

Dalla sua sdraio, Stan sospirò. Aveva davanti a sé una zuppiera di cozze e continuava a ingoiarne al ritmo di dodici al minuto.

– Non sei d'accordo, Stan? – disse il presidente, un po' nervoso.

– Faccia quel che vuole – disse Stan – ma credo che la signorina Melinda abbia altri problemi.

– Melinda? Quella fichetta che si porta sempre dietro? – chiese Soldout.

– È laureata in scienze politiche ed è la mia stagista consulente per i paesi del marenostrum – rispose piccato il presidente.

– Va bene, è una fichetta laureata – disse Soldout – però, presidente, lei mi sembra abbastanza chiacchierato in merito. Il sito Cosmonet sui suoi amori è trenta volte più frequentato del Louvre. E mi lasci dire che ci sono ballerine migliori, in giro.

– Lei dice? – disse Melinda. Era apparsa come sempre dal nulla. Vicino a lei, una ragazza che le somigliava, più alta, con una gran massa di capelli biondi e ricci. Un'angelona fatale. Soldout la esaminò da intenditore. La ragazza, di nome Zelda, ricambiò con uno sguardo fiammeggiante e, all'istante, le borchie della giacca di Soldout si arroventarono.

– Ahi – disse Soldout, sfiorandone una – ma che razza di sole c'è oggi.

– Sì, è un sole infernale – disse Zelda, guardandogli il collo e anche il foulard di Soldout prese fuoco.

Stan lo spense con una secchiata d'acqua, e lanciò a Zelda uno sguardo preoccupato.

– Siamo abituati, ormai, alle stranezze di questo posto – disse Soldout, i cui peli strinati spargevano odore di tacchino – ma vorrei arrivare vivo a stasera.

– Zelda – disse Melinda – mettiti gli occhiali neri. Allora, che ne pensa di questa ballerina?

– Signorina Melinda, non si offenda – disse Soldout – lei è una gran bella ragazza, ma salire su un palco con milioni di spettatori, è roba da professionisti.

– Non parlo di me, parlo di mia sorella Zelda – disse Melinda.

– Tua sorella? Ma non mi avevi mai detto... – disse Max.

– Ora lo sai – disse Melinda. – Allora, glielo fa un provino?

– Volentieri – disse Soldout, estraendo un sigaro – va bene stasera nella mia suite, alle otto?

– Va benissimo – disse Zelda, e accese il sigaro di Soldout con un'occhiata.

– Be', io vado – disse Soldout – ho dei problemi con Felina Fox. Sembra che ci sia una sua sosia in giro, e lei è inviperita. A stasera, bella. Sarà una gran serata.

Soldout fece tre passi e barcollò.

– Che c'è? – disse Stan. – Si sente male?

– No – disse Soldout – sono solo un po' stanco. – I suoi occhi sembravano immersi in una luce oscura. Melinda guardò la sua ombra, e impallidì.

– Io non capisco – disse Max, appena Soldout fu uscito – hai una sorella? E dov'è adesso?

– Se n'è andata – disse Melinda – chissà se la rivedrò ancora. – Era appoggiata alla ringhiera del balcone, con uno sguardo cupo che il presidente non aveva mai visto.

– Melinda, io ho capito: credo che tu sia un'ipnotizzatrice, o qualcosa di simile. Non mi importa, ti amo lo stesso, ma vuoi almeno dirmi cosa sta succedendo?

– Chiedilo a Stan – disse Melinda.

– Oh, no, padrona – disse Stan, sorbendo una megacozza. – Non mi metta nei guai.

– Padrona? – disse Max inviperito. – Ma Stan, cosa stai dicendo? Parla, è un ordine!

– Va bene – disse Stan, pulendosi la bocca – allora, la sua Melinda è uno spirito primo, sarebbe a dire a livello anche superiore del Baron Samedi voodoo. Quella che ha visto, sua sorella Zelda, non è il solito travestimento di Bes, ma uno spirito di seconda schiera. È venuta di rinforzo perché è in corso una guerra di spiriti contro Enoma l'oscuro. Lo ha chiamato Ghewelrode, sciamano pensionato, che è morto ieri notte.

– Stan, per pietà – disse il presidente.

– È la verità, Bes in questo momento entra ed esce da Baywatch. I due cani che seguono sempre Melinda sono quelli scomparsi dal museo del Prado. Felina Fox e Behemoth in questo momento hanno la stessa misura di reggiseno. Vento di terra e vento di mare, bene e male contro l'uguale, ci sarà un gran finale con gran piangianza e gran ridanza, la guerra degli spiriti avanza.

– Guerra di spiriti? E io da che parte sto?

– Dipende, caro – disse Melinda.

Il presidente sorrise.

– Mi avete preso in giro, vero?

– Certo – disse Stan – lei non lo sa, ma io ho fatto l'attore, da giovane.

– È bravo – disse Melinda. – Meglio di Behemoth e di Bes.

– Ancora quel Bes – ringhiò il presidente – dimmi dove posso incontrarlo, voglio spaccargli la faccia.

– Lo conoscerai presto – disse Melinda.

– Voi mi fate diventare pazzo – disse il presidente – almeno stasera cena con me. Sono così solo. Stan, lo vedi anche tu, è stressato e bulimico. Non lasciarmi solo, amore.

– Non ti lascerò – disse Melinda guardandolo con dolcezza – ma sarai tu a lasciare me. Non ti schiererai mai al mio fianco. Sei malato, come tutti.

– Farò qualsiasi cosa per te – disse il presidente – chiedimi un regalo, ti darò quello che Bes non può neanche sognare.

– Va bene – disse Melinda – voglio un quadro. Il quadro più bello che conosci.

– Lo avrai. Ma dimmi, stai andando da lui, vero? E io non ti lascio uscire, chiudo la porta a chiave.

– Ah sì? – disse Melinda con aria di sfida. – E cos'altro farai per fermarmi?

Il presidente ebbe uno scatto d'ira e la afferrò per il collo.

– Se vai da lui, ti strangolo! – gridò, ma subito si pentì e lasciò la presa. Negli occhi di Melinda c'erano un terrore e un dolore indicibili.

– Perdonami – disse il presidente.

– Ti perdono, gelosone – disse Melinda, con improvvisa finta allegria. – Non vado dal mio amante, vado da due vecchi amici. In quanto alla porta chiusa, vuoi che voli fuori dalla finestra o che mi trasformi in ragno?

– Fai quello che vuoi – disse il presidente rassegnato – c'è qualcosa di più grande di me in questa storia.

– È la cosa più intelligente che le ho sentito dire in vent'anni al suo servizio, presidente – disse Stan.

– Stan, io ti probisco di parlarmi così. Io ti licenzio.

– Non me ne frega un cazzo, signore. Vuole una cozza?

29.
IL RACCONTO DI MELINDA

Nella grotta c'era uno sciabordio tranquillo. I riflessi dell'acqua disegnavano, con un po' di fantasia, un programma di cartoni animati sulla volta di roccia. I granchi snaccheravano un mambo. Ma Salvo sbuffò.

– Ci annoiamo, signora spirito – disse.

– Sì, ci sono i libri da leggere e Salvo che fa suonare i granchi – disse Miriam – ma ci piacerebbe poter uscire e vedere l'Isola.

– Capisco – disse Melinda – però questo è il posto più sicuro.

– È difficile sapere cosa fare, quando tutto è così doloroso, e riguarda tutti. La tua storia si perde in mezzo alle altre – disse Miriam.

– Come potremo combattere? – disse Salvo, roteando la spada invisibile tra lo stupore dei granchi.

– Vi racconterò una storia – disse Melinda.

"Tanti tanti anni fa, quando la gente credeva molto meno agli spiriti, io frequentai un'università per streghe. In quegli anni molti spiriti lavoravano come streghe, era un lavoro duro e pericoloso.

Non pensate alle streghe delle favole che mangiano i bambini, a tutte noi piacevano i bambini, qualcuna li mangiava, qualcun'altra ci giocava. Be', nel corso tenuto dalla professoressa strega Pederia c'eravamo io, Zelda, Carmilla, Facocera, Alichina, Farfarella Gabriella e tante altre amiche. Ma c'era una strega che stava sempre in disparte e non ci era molto simpatica. Si chiamava Ranetta, era piccola e baffuta, sempre vestita di nero, e con un borsone pieno di erbe e rospi e lombrichi, che seminava per strada.

Noi invece eravamo giovani e belle, ed eravamo brave in tutto.

Io ero una gran seduttrice e facevo filtri d'amore insuperabili, vinsi tre volte il premio per il miglior Love Cocktail, e dovetti stare chiusa in bagno tutta notte perché la giuria era assatanata.

Zelda era la più brava stregavolante del corso, cavalcava la scopa come fosse un destriero, era capace di passare attraverso le finestre di una casa, traforare le nuvole e fare il surf sugli uragani. Nessuna sapeva passare davanti alla luna di notte come lei, sghignazzando e terrorizzando la gente. E non c'era pattuglia stradale o aeronautica che potesse raggiungerla.

Facocera era una grande avvelenatrice, conosceva tutti i segreti delle erbe e dei funghi, andava nel bosco di notte e ne usciva con un codazzo di funghi, che camminavano dietro a lei come nanetti. Se vi dicessi chi ha fatto fuori, e quali epidemie ha causato, non ci credereste.

Poi c'era Carmilla, esperta di formule magiche per trasformazioni. Ne sapeva a memoria ventimila, in cento lingue diverse, da Salaga Dula a Movivedibeee, la formula che trasforma gli umani in pecore... oh, scusate, basta belare ragazzini, adesso vi riporto al vostro aspetto. Beevedimorimoo... tutto bene, posso continuare? Allora, c'era Carmilla che sapeva trasformare re in rospi, rospi in principi, regine in alberi e topi in bei ragazzi, e se ne approfittava anche un po', usciva sempre con dei gran fusti con la coda. Era un bel caratterino. Ad esempio la sua compagna di banco, Aloisia, le copiava sempre i temi, e lei si vendicò. Scrisse sul suo tema una formula magica a presa rapida. Appena Aloisia cercò di copiare e lesse la formula, si trasformò in cimice, e per fortuna non c'era nessun uccello nei paraggi. Carmilla la guarì dall'incantesimo, ma Aloisia restò sempre un po' puzzolente tutta la vita.

Alichina sapeva ipnotizzare, bloccava processioni ed eserciti e faceva nascere visioni e apocalissi, fu lei che rovinò Savonarola. Farfarella Gabriella era strega cuoca, faceva nascere dal nulla pasticci, dolci, pagnotte, macedonie. Per questo era un po' sovrappeso. Ma nessuna come lei sapeva magicamente allestire un pranzetto, faceva trovare pagnotte purgative nella bisaccia dei soldati e torte sul davanzale ai bambini, e se qualcuna di noi aveva bisogno di uno spuntino, bastava rivolgersi a lei.

Così noi lavoravamo e studiavamo, dentro la grande quercia che era la sede dell'ateneo. E in un angolo Ranetta borbottava le sue formule e i suoi malefici. Ma era proprio sfortunata, e non le veniva bene nulla.

Faceva gli elisir d'amore e non funzionavano, ne diede uno a una coppia in crisi e si ammazzarono di botte, ne diede uno a una poveretta che cercava un principe azzurro e trovò un omaccio che la mise a battere il marciapiede, ne diede uno a Cenerentola e se non intervenivamo noi, era ancora lì che trombava con tutta la corte, ne provò uno per lei e per un anno ebbe un tapiro che le faceva la serenata sotto la finestra.

Con la scopa si schiantava contro gli alberi, prendeva un sacco di multe, non riusciva a fare la marcia indietro e ogni volta gliela rubavano.

Quando provava a fare un'erba magica si intossicava, diventava gialla e doveva lasciare le lezioni a metà perché se la faceva addosso. Cercò di uccidere un re cattivo con un risotto ai funghi e quello disse che non aveva mai mangiato niente di così buono, lui la assunse come cuoca, lei gli preparò le melanzane gratinate e lo fece schiattare in un'ora.

Non azzeccava una formula magica. Una volta si trasformò in sedia e per la vergogna rimase così due mesi, zitta, coi nostri sederi sulla faccia. Trasformava i rospi in rospi e i principi in principi, e questo non aiutava molto le trame delle favole. Per finire, ne fece una davvero grossa. All'esame di formule magiche, trasformò la commissione d'esame, che era formata da sedici fate, in sedici yogurt. Poi non fu capace di ritrasformarle. Ciò causò grave tensione tra noi e le fate, anche perché quando riuscimmo a farle tornare al loro aspetto abituale, ormai erano scadute.

Insomma, noi uscivamo nei borghi medievali a far scherzi ai giovanotti, a ballare il sabba, a fare le gare di velocità con le scope, e Ranetta rimaneva dentro la quercia a studiare, a rimestare nel pentolone, a cercare di combinare qualcosa, e diventava sempre più brutta e pallida, una vera strega.

Ma la nostra spensieratezza di colpo finì. L'Inquisizione divenne padrona del paese, ci processò, ci cacciò, ci perseguitò. La guidava il cardinale Acario Censorio Unghiadiporco, che aveva fatto un patto con Enomius Biffus, un demone maggiore misogino e invidioso del nostro successo. I nostri poteri erano deboli contro la sua forza, e così fummo catturate e imprigionate. Ci portarono sulla pubblica piazza e ci legarono sul rogo, in mezzo a una folla tumultuante. Alcuni avevano pietà, altri gridavano – A morte! –, altri masticavano carrube, il popcorn dell'epoca. Il rogo fu acceso e ci sentimmo perdute, perché i poteri delle streghe sono quasi annullati dal fuoco.

– Fate qualcosa – disse la professoressa Pederia – possibile, con tutto quello che vi ho insegnato, che non riusciamo a tirarci fuori da questa situazione?

Ma nessuna riusciva a far nulla. Io mi intendevo solo di elisir d'amore, Zelda chiamò la sua scopa ma quella si incendiò subito per il gran calore del rogo. Facocera sapeva fare solo veleni, Farfarella Gabriella approfittò delle fiamme per cuocere dei biscotti e morire contenta, Alichina cercò di ipnotizzare il boia ma quello aveva gli occhiali neri sotto il cappuccio. Come ultimo tentativo, Carmilla cercò di trasformarsi in salamandra, ma col fuoco le formule non funzionavano, le vennero solo delle gran macchie gialle dappertutto.

– Siamo perdute – disse Pederia.

– Scusate – disse Ranetta. L'avevano legata sul retro della pira, tanto era brutta. – Io so fare una cosa, una cosa sola, però la so fare bene. Posso provare?

– Cosa? – dicemmo.

– So far piovere – disse Ranetta.

E infatti si mise a mugolare una nenia, sputò tutto intorno, anche addosso a noi (chissà se era poi necessario), lanciò un urlaccio sgraziato, il cielo si coprì di nuvoloni neri, e risuonarono tuoni.

– Dio vuole salvarle – urlò un frate, cadendo in ginocchio. In realtà era interessato, perché aveva passato una notte niente male con Alichina. Ma la gente gli diede retta e iniziò a gridare: – Dio non vuole, sono innocenti, Dio non vuole!

– Ormai è fatta – disse Acario Censorio con un sorrisino ipocrita. Ma Ranetta gli sputò in faccia, un lumino da venti metri, e si scatenò un temporale mai visto. Il rogo si spense in brevissimo tempo. Ripresi i nostri poteri, ci trasformammo in cornacchie e volammo via sopra la scopa. Ci accorgemmo solo dopo che, in quanto volatili, la scopa era in più, ma in quei momenti non si ragiona. E da quel giorno Ranetta fu nostra amica. Sapeva fare una cosa sola, ma era quella di cui c'era bisogno in quel momento."

– Perciò, ragazzi, qual è la morale? Azzeccatela o vi trasformo in vongole.

– Quando c'è una difficoltà non è indispensabile saper fare grandi cose, basta che uno abbia coraggio e faccia la cosa che sa fare – disse Salvo.

– Ognuno di noi deve sognare di fare grandi cose, ed essere unico e cercare di diventare speciale, ma ci sarà sempre il momento in cui gli servirà l'aiuto di qualcuno – disse Miriam.

– Esatto – disse Melinda – e come ultima cosa: habaramà, guaradambà, ninnabeimà.

– Cos'è?

– Si chiama formula della baby-sitter. Serve per far dormire i bambini dopo la favola, e poter stare un po' tranquilli.

– Ma va' – disse Miriam, e si addormentò.

– Ma dai – disse Salvo, e si mise a russare.

30.
RIK, IL GRANDE VIDEO

Sul palco viene ricostruito il quartiere malfamato di una città. Neutra, non si deve capire da chi è amministrata. Si aggirano bande, tipacci, disoccupati dagli occhi di brace. Una vecchietta passa in fretta e viene scippata. In un angolo, qualcuno spaccia droga. Un gruppo di profughi scende da un camion. Due bambini si aggirano spauriti. Un tossico barcolla. La polizia passa, ma viene presa a sassate e scappa. Arriva una coppietta normale, faccia da Auditel, a braccetto. La gente li circonda, ostile. Un uomo mediamente di colore estrae un coltello e li minaccia. La Lei della coppietta si rifugia dietro a Lui. Lui estrae dalla tasca qualcosa: non è una pistola, è una radiolina. Accende. Si sente l'inizio dell'arpeggio della canzone. E sopra il tetto, appare Rik con il complesso. Inizia a cantare

Baby sei come me
La stessa voglia la stessa rabbia che
Cambierà
Per me e per te questa città
Pulita come il tuo visino
Diventerà
Baby metti quel vestito rosso che piace tanto a me
C'è un paradiso per me e per te
In quel motel
Dadda ye dadda ye ye ye.

A queste note, tutti iniziano poco alla volta a ballare. Lo spacciatore ripone la bustina di droga e dà al bambino un gelato. La coppietta inizia a danzare insieme alla banda. I profughi vengono sommersi di pacchi dono. I poliziotti iniziano a dimenarsi molto macho. Appare Belsito. Prende in braccio il più cattivo dei teppisti. Rik passa in mezzo ai ballerini, e come per miracolo questi si liberano dei vecchi grigi costumi e ne appaiono di nuovi, sgargianti (nel videoclip gireremo la prima parte in bianco e nero, e poi a colori). La città diventa vivibile. Sui megaschermi appaiono immagini dei concerti di Rik. L'amore trionfa sul degrado. Finale con fumi ed elevatore che porta Rik in alto, a scomparire, assunto in cielo. The End.

Pataz ripose il foglio con mano tremante. Per compilare quella paginetta di sceneggiatura erano stati convocati e strapagati quattro dei più noti cervelli usitaliani:

Crepaldi, psicologo ed esperto di ogni forma di disagio giovanile, dall'acne al suicidio di massa;

Bazzara, massdamsmediologo, autore del libro *L'immagine enigmatica e la morte dell'alea nel quiz usitaliano*;

Pepero, giovane scrittore di cinquantadue anni curatore dell'antologia *Ri/belli*, nonché presentatore del Festival di Sanremo;

Zippo, della ditta Zippo e Banana, giovane stilista celebre per avere rivoluzionato la scena della moda inventando le mutande ribaltate della cantante Serpenta.

Il giudizio a cui la pagina era sottoposta non era solo quello di Rik, ma soprattutto quello di Soldout. Soldout stette in silenzio alcuni minuti, scricchiolando. Era infatti vestito con la solita giacca di cuoio nero spessa come la cotica di un drago. Ogni volta che si muoveva, la cotica gemeva e apparivano rughe e crepacci. Scricchiolare era il suo modo di riflettere. Alla fine si grattò la barba incolta e disse:

– Manca qualcosa.

– Certo – disse Rik – l'ho notato anch'io, in quattro avete fatto mezza sceneggiatura, stronzi.

Soldout lo zittì, onore concesso a lui solo, e con la mano inanellata tracciò un gesto avvolgente nell'aria.

– Ma quello che c'è non mi dispiace – aggiunse.

– Sono d'accordo – disse Pataz – è come la storia della bottiglia piena e della bottiglia vuota.

– Ci sono solo due problemi – disse Soldout.

– Certo – disse Rik – e anche grossi.

– Ma risolvibili.

– Grossi, ma non per Soldout – rise Pataz.
– Il primo è che il clima è giustamente di tragica attualità, visto che questo è un concerto di guerra, ma ci vuole il tocco comico per mandar giù tutto. Non basta un videogiullare qualunque, ci vuole proprio Belsito, e non sarà facile convincerlo a partecipare. Sapete, lui ormai è una star mondiale. Ha impegni fino al duemiladieci.
Rik digrignò i denti.
– Ma ultimamente il troppo successo gli ha fatto nascere delle invidie – disse Soldout – perciò sarebbe lieto di tornare a lavorare in Usitalia e far capire che non ha dimenticato le sue origini.
– È un ragazzo modesto – disse Pataz.
– Con un'offerta di mezzo milione di dollari, io penso che potrebbe diventare abbastanza modesto – disse Soldout.
– Non se ne parla neanche – disse istintivamente Pataz.
– Del resto, Glucosio sta contattando Woody Apple per fargli fare il contadino nel prossimo video, per un milione di dollari.
– Non se ne parla neanche, nel senso che è come se i soldi ci fossero già – disse Pataz. Aveva sentito, alle sue spalle, il ringhio di Rik.
– Il secondo problema sono gli sponsor. Un video così deve avere degli sponsor. E qui nessuno beve, nessuno mangia, nessuno ha qualcosa in mano, non ci sono auto né moto. Come faccio ad andare da Berlanga o da Murderk a proporgli un video senza sponsor?
– Ci vuole un'idea – disse Rik.
– Un'idea non sfacciata, subliminale, che suggerisca senza imporre, che evochi senza dichiarare – intervenne Crepaldi.
– Qualcosa che faccia capire che la pubblicità non è solo mercato ma ingerenza ludica, atopia culturale, immagine iperreale del non-detto e del non-consumato, poltergeist del gusto – disse Bazzara.
– Ribellione alla forma culturale alta che rivendica il basso come alto se visto da più in basso, coattismo dandy/trans/trash/cheese/cloak – disse Pepero.
– Una cosa che lasci vedere senza rivelare, un flou, un tulle, un organdis – disse Zippo.
I cervelli ronzarono, le teste rombarono, qualcuno scriveva, qualcuno si mangiava le unghie, qualcuno mandava giù pastiglie. Poi Soldout schioccò le dita.
– Ce l'ho – disse.
Tutti ristettero.

– Quando i riflettori illuminano Rik, lui sta fumando la sigaretta col pacchetto ben visibile infilato nel taschino, beve birra con la scritta sul bicchiere, ha gli occhiali firmati, la scritta sul maglione, la scritta sul berretto, le scarpe in bella evidenza, la moto alle spalle, il sacchetto con gli hamburger e le chiavi della macchina in mano.

– Splendido – disse Pataz.

– È un genio delle sfumature – convennero i presenti.

– Spaccheremo il culo a tutti – disse Rik.

31.
BERLANGA

Gli alberghi erano pieni, erano affittati camere, garage, cisterne, sgabuzzini e sottotetti, il campeggio strabordava, c'erano tende fino alla spiaggia, la gente si accampava ovunque. I traghetti scaricavano centinaia di appiedati. Ma scaricavano anche auto, e questo causava i maggiori problemi. La fila, sull'unica strada che portava alla salina, aveva toccato i duecentosettantotto chilometri, ne mancavano solo trenta e sarebbe diventata un girotondo perfetto intorno all'Isola. Ma altre auto si aggiungevano, anche se non c'era più posto. Le vetture venivano impilate una sopra l'altra, come nei castelli di carte, fino a quattro piani. Quella sotto trasportava le altre, con grande risparmio di carburante. Nessuno mollava, nessuno tornava indietro. Quegli uomini, quelle donne, quegli eroici equipaggi avevano affrontato tangenziali e lavori in corso, buche e crepacci, catrame rovente e segnaletica criptica. Avevano duellato sportello contro sportello coi giganteschi Tir degli Appennini, i lunghissimi autosmodati e i colossali frigodonti, avevano combattuto nei grill per pochi litri di super e un cappuccino freddo, avevano superato cisterne di ammoniaca ribaltate, trasporti speciali, incendi di boschi vicino alla carreggiata, cani abbandonati, pistoni esplosi, gomme sgonfie, carri-attrezzi fantasma, salti di corsia. Avevano schivato pietroni e incudini dai ponti. Avevano lasciato sul campo, in quel week-end, centonovanta vittime. Avevano affrontato tre scioperi di traghetti, lo speronamento di una petroliera, paludi di vomito e furti di bagagli. Ma ora erano sbarcati e, perdio, sarebbero arrivati a quel maledetto Megaconcerto vivi o morti.

Niente li avrebbe fermati, perché dopo anni e anni di pericoli e sofferenze avevano una sola certezza: che morire, soffrire, perdere tempo in macchina non è come morire e soffrire a piedi. Come dice la pubblicità, la macchina è libertà.

Così liberamente incolonnati si azzuffavano per una bottiglia di minerale, duellavano a colpi di clacson e cacciavite, si tamponavano da fermi. I più irosi stavano appoggiati allo sportello, per ore e ore, lanciando oscure minacce verso l'orizzonte, là dove la fila svaniva. Altri, con maggior filosofia, dormivano sui sedili. Altri suonavano i bonghi, i più acculturati tiravano fuori le carte. Nascevano amicizie e antipatie. Si cagava tra rovi e ortiche. Si mangiavano grissini ammuffiti e arbres magiques. Ma si resisteva.

Poi venne, improvviso, il caldo.

Un'afa da Sahara, il sole centrò i parabrezza come un laser.

Le auto iniziarono ad arroventarsi.

Bambini e cani, chiusi dentro, battevano sui vetri in cerca di salvezza.

Nonne morivano e venivano inumate nel bagagliaio per non rovinare la vacanza.

Dai cofani arrostiti e dall'asfalto esalava un vapore che cuoceva sensi e senno. Le gomme si squagliavano in poltiglie fumanti, i sedili erano roghi per le schiene piagate.

Poi un breve istante di speranza.

Improvvisamente, gli sportelli si chiusero a raffica; uno dopo l'altro, i motori si accesero.

La fila si mosse di un metro e sette centimetri.

Tutti scattarono a pieno acceleratore, come se in quel metro potessero recuperare ore di viaggio. Ci fu un tamponamento globale e le auto si unirono in una sola lunghissima auto, un mostro con mille volanti, un'anaconda multicolore, uno stronzone cromato di cui non si vedeva né la testa né la coda. Le auto di dietro spingevano quelle di mezzo, in quelle di mezzo la gente vedeva l'abitacolo restringersi pericolosamente, ma da dietro si continuava a spingere, e le auto di mezzo spingevano a loro volta le auto davanti che rotolavano giù dalla scarpata dentro il mare, ma ne risalivano sgommando e si rimettevano in fila, mentre si cercava invano il motus primus, l'auto che le bloccava tutte.

E apparve una visione.

Da un elicottero con la scritta "Berlangair", piovevano pacchi di sopravvivenza.

Dentro c'erano una bottiglia d'acqua da mezzo litro, un rotolo di crespato e un televisore a batteria.

"Mentre aspetti pazientemente in coda," diceva il biglietto allegato, "potrai vedere tutti i preparativi del concerto, interviste ai cantanti e bombardamenti in diretta. Berlanga è libertà."

Tutti misero i televisori sui tettucci, e ogni rumore si placò. Solo qualche bambino piangeva.

Non era per la sete, voleva cambiare canale.

Poi venne il buio, e si udì un urlo disperato.

– Mi si è scaricato il telefonino!

La notizia della tragica morte di Madoska causò un grande dolore tra i fan e l'acquisto di trentamila poster e altrettante cassette, con grande gioia di Soldout. Mancavano poche ore al Megaconcerto. La salina risuonava del grido "prova, prova", di sibili di microfoni e note laceranti. Si stava provando l'impianto di amplificazione. Una stilettata di chitarra alzò in volo i gabbiani spaventati, e subito risuonarono spari, e tre uccelli caddero. In agguato vicino al mixer, Ciocia godeva e fucilava, col pretesto che i pennuti avrebbero potuto sganciare guano tossico sul palco. I marines avevano già accatastato duecento candidi cadaveri, più due falchi e alcune tortore.

– Tutto sta filando giusto – disse il generale.

– Quasi – disse Soldout – gli operai isolani non sono più venuti a lavorare. Dopo la sparizione dei loro tre colleghi, ci hanno piantato in asso. Ho bisogno di militari per sostituirli.

– Si calmi – disse il generale – non saranno quattro pezzenti a fermarci, ormai. Si goda il clima.

Era una bella mattina di sole e vento fresco. I giornalisti erano andati quasi tutti al mare. Una telecamera solitaria inquadrava i primi spettatori, arrivati con un giorno e una notte di anticipo. Ma avrebbe fatto meglio a inquadrare i box dei Vip, dove era in corso uno scontro politico di grande rilevanza.

– Bella furbata, Berlanga – diceva Rutalini, ironico, spiegazzando il giornale – diecimila televisori sganciati sull'ingorgo. Pura demagogia catodica.

– Bastava pensarci – disse Berlanga. Da qualche giorno l'ordine pubblico era diventato il suo cavallo di battaglia con lo slogan "Non vogliamo diventare il Far West". Perciò vestiva un completo nero da pistolero con stivali e tre pistole: due ai fianchi e una sotto l'ascella. Portava anche un gigantesco sombrero decorato di monete d'oro che i gabbiani usavano volentieri come toilette, tanto che sembrava glassato.

– La smetta con questa commedia del cow-boy – disse Rutalini, che comunque aveva una stella da sceriffo sulla camicia. – Se vogliamo gestire il Megaconcerto con comune intento riformatore, bene. Se no sarà guerra: Rik è roba nostra.

– Vedremo – disse Berlanga – non ho paura di te, straniero. – E fece roteare le pistole con scarsa perizia, tanto che volarono lontano.

– Si fa così – disse Rutalini, estraendo una colt dalla tasca e ruotandola intorno all'indice – e poi perché tre pistole? Non bastano due?

– Illiberale e stalinista – disse Berlanga. – Come sempre, vuoi limitare la libertà di espressione e autodifesa del popolo.

– Avido demagogo – disse Rutalini – ti riporteremo nell'alveo.

Berlanga scrollò le spalle e si allontanò camminando alla John Wayne. Aveva una missione importante da compiere.

Il palco era ormai completato, una cattedrale di casse acustiche, sacre vetrate di neon pubblicitari, altari di riflettori, fregi di sponsor. Il formicaio di sedie attendeva i paganti. Tutto era stato transennato, e i marines vigilavano contro eventuali sbigliettati. Nei box dei Vip, si caricavano casse di aperitivi e champagne. Sul palco, i Bi Zuvnot provavano i passi di un balletto.

– Polli da playback – disse sprezzante Rik, immusonito nella sua roulotte. Attendeva di fare la prova microfoni. Crotalo stava preparando qualcosa a metà tra una canna e un container. Compì l'opera, e la porse a Rik.

– Cos'è? – chiese Rik.

– Libanese, marijuana, scopolamina, ecstasy tritata e capperi – disse Crotalo.

– Assaggiala tu, Pataz – disse Rik.

– Veramente ho mal di testa.

– Assaggia, ti pago anche per questo.

Pataz diede un tiro, iniziò a sudare e crollò su una branda. Crotalo gli misurò le pulsazioni.

– È vivo – disse Crotalo.

– Solo un tiro – disse Rik.

Bussarono discretamente alla porta della roulotte.

– Metti via la droga – disse Rik – chi cazzo è che rompe?

Tremor schiacciò il naso contro l'oblò, facendo vibrare il vetro. Fuori c'era Berlanga, col sombrero parabolico e i quattro zombi della scorta.

– È il bo-boss di Tri-Trivideo – disse Tremor – lo ma-mando a fa-fà fa-fà?

– Sei matto? – disse Rik. – Fallo entrare.

Berlanga lasciò fuori lo schermo ed entrò col suo sorriso migliore. Gli speroni tintinnavano e il sombrero odorava come un letamaio.

– C'è un bel fresco qui. E che buon odorino di erbette... Coniglio in umido? E cosa ne dice di questa roulotte? Ci ho pensato personalmente io a sceglierne una speciale per i cantanti.

– Per tutti i cantanti? – chiese sospettoso Rik.

– Una speciale per i cantanti e una specialissima per lei. La sua è esattamente uguale a quella dove i Bi Zuvnot stanno in tre.

– E quella di Zenzero?

– Be', lì metà è occupata dall'altare.

– Che buffone – rise Rik. – Non so perché l'avete invitato.

– Il pubblico, caro Rik – disse Berlanga – il pubblico è quello che è, non capisce l'arte. Ma nel nostro mestiere dobbiamo andare incontro ai gusti. Siamo un po' troie e un po' preti... e un po' gangster, naturalmente. Il pubblico vuole merda? merda. Vuole sangue? sangue. Vuole lacrime?

– Lacrime – disse Pataz.

– Si vede che anche lei è del mestiere – disse Berlanga offrendogli una mentina – ma vede, Rik, quando si incontra un artista unico e singolare come lei, be', allora il discorso è diverso.

– Io non suono per i soldi né per il pubblico, suono per le mie emozioni – disse Rik.

– Certamente – disse Berlanga – ed è per questo che lei piace. I giovani vedono in lei un idolo. Un idolo di equilibrata intelligente trasgressione. Sanno che lei è come loro, perciò la imitano, fumano con la sigaretta tra medio e anulare come lei, si ossigenano biondoblù, portano gli occhiali neri storti, tengono la scarpa destra slacciata, imitano il suo gergo. È lei che ha inventato "Bimba fatti smazzolare"?

– Sì, anche se i Rappa 3131 dicono che sono stati loro. E io ho inventato la grattata di coglioni entrando in scena, non Glucosio.

– Lei è un innovatore. Sono andato a vedere gli spettatori scendere dai miei traghetti. Sa che molti si rasano al centro della testa per imitare il suo taglio di capelli?

Pataz grugnì dal suo letto di dolore. Sapeva che Rik non amava quell'argomento.

– Via – disse Berlanga – non se la prenda, lei ha ancora una chioma personalissima. Le posso fare una confessione? I capelli che ho sulla fronte sono trapiantati. Capello indiano di Madras. Quando vuole gliene posso procurare cinquemila. Se poi le serve un rene...

Rik sbadigliò ostentatamente. L'interesse di Berlanga lo inorgogliva, ma attendeva di conoscere il motivo della visita.

– Lei forse immagina perché sono qui – disse Berlanga – il suo intervento sarà il clou dello spettacolo. I suoi sponsor fanno tutti pubblicità sulle mie Trivù. Parlo anche a nome loro. Sarebbe giusto che il legame tra lei e i moderati fosse sottolineato. Soprattutto è il suo discorso sociale che mi interessa, quella città ricostruita sul palco. Sporca, degradata, terrorizzata dalla microcriminalità. Proprio come quelle amministrate dai moderisti. Ebbene, non sarebbe male se questo fosse più evidente. Ad esempio, che ne so, una luce rossa, sanguigna. Un monumentino sullo sfondo. E poi quando arriva lei, solo per un attimo, subliminale, si sente l'inno del mio partito e appaio io sul maxischermo. Un decimo di secondo. Gli spettatori non se ne accorgono, ma il loro inconscio sì. Lo stiamo facendo da anni, sulle mie Trivù.

– Io non faccio politica – disse Rik – la politica è roba da vecchi.

– Basta che lei dica: "Baby, mettiti il vestito azzurro", invece che il vestito rosso. Sarebbe grande: le ragazze che piacciono a Rik sono azzurre e moderate. E per favore, tolga il negro dal coro finale. E non arrivi in moto, arrivi dal cielo col mio elicottero. E le prometto che le mie Trivù per tutto l'anno non faranno che parlare di lei.

– Ci penserò – disse Rik.

– Ci pensi – disse Berlanga – tra due mesi su $TV c'è la premiazione per il miglior disco dell'anno. Lei è il favorito, per ora. Intanto ecco un regalino per lei.

Berlanga gli porse un sacchettino di carta e se ne andò. I gabbiani ricominciarono subito a far crepitare merda sul sombrero.

– Bastardo – disse Rik – crede che tutto si possa comprare.

Crotalo esaminò il contenuto dell'omaggio.

– Capo, è cocaina.

– Da-da-dammi qua – disse Tremor.

– No, che infarini tutta la stanza, come fai in albergo. Crotalo, preparami tu una riga.

– Uno o due metri?

– Come il record del salto in lungo – sospirò Rik. – Ho bisogno di tenermi su.

Crotalo si mise a girare col sacchetto, spargendo sul pavimento. Di nuovo bussarono alla porta.

– Metti via, metti via – disse Rik. Crotalo aspirò rapido come un turbo.

Entrò Rutalini, con Pancetta. Fecero appena in tempo a vedere Crotalo che faceva un salto mortale fuori dal finestrino e partiva correndo verso il bosco.

– Com'è stretto, qua dentro – disse il sindaco. – Se si ricorda, la roulotte del Festival era il doppio.

– E aveva anche lo specchio segreto per vagliare le fan – disse Pancetta – si ricorda? Loro non la vedevano, ma lei sì.

– Le donne sono tutte uguali – disse Rik – meno quelle delle mie canzoni. Cosa volete da me?

– Caro Rik – disse Rutalini – mio figlio non ascolta che i suoi dischi. All'università una volta feci fare ai miei allievi una tesina su di lei: *Il concetto di baby in Rik e la rivolta giovanile di Berkeley*. Lei sa quanto è importante per i giovani il suo esempio. Sappiamo tutto del suo intervento al Megaconcerto. Bellissima idea, la musica che entra nel sociale, che aiuta a vincere estremismo, emarginazione e razzismo. Ma dovrebbe essere più didattico. È ovvio che questa città egoista e brutale è governata dai moderati. Ebbene, lo precisi. Metta una banda di giovanotti impomatati, vestiti di azzurro. Metta un monumentino sullo sfondo. E nel momento in cui lei entra in scena, per un attimo, faccia scorrere sul maxischermo delle immagini. Il Che Guevara, una ragazza con un fiore in bocca, il nostro presidente al timone, una colomba della pace. Qualche fotogramma, appena il tempo di accorgersene. E poi la luce da azzurra e patinata diventa rosea, giovani positivi la attorniano, con in mano il nostro giornale. E lei potrebbe arrivare su una Vespa.

– Io non faccio politica e poi...

– E va benissimo "Baby, togliti il vestito rosso". È anche più sexy, blu fa collegiale, azzurro fa hostess, ma rosso...

– E perché dovrei farlo?

– Se lei ci aiuta avrà tutte le piazze d'Usitalia gratis, servizi per un anno su tutti i telegiornali, un premio speciale della presidenza del Consiglio e le verranno condonate quelle piccole multe per rissa.

– La trasgressione non si contratta – disse Rik.

– Capisco – disse Pancetta – ma vede, lei ha una responsabilità rispetto alla cultura del paese. Lei è l'idolo usitaliano, e non Zenzero. Lo dirò a tutti i giornalisti stranieri.

– Ci penserò – disse Rik.

– Ci pensi bene – disse Rutalini, stringendogli la mano – sa che mia figlia sa suonare tutte le sue canzoni alla chitarra?

– Vuole forse dire che gli accordi sono facili? – disse Rik.

– Mia figlia studia al conservatorio – mentì spudoratamente Rutalini.

– Bene, fuori dai coglioni adesso – disse Rik.

– *Bambina bambina, sei la mia adrenalina, dadda ye ye* – cantò Rutalini, agitando l'addome.

– E questo è un regalo per lei – disse Pancetta, e sparirono.

Tremor esaminò il contenuto della busta. C'era un ciuffo spaurito di marijuana.

– Pe-pe-pezzenti – disse.

Intanto Crotalo era rientrato dal tettuccio e aveva preparato un beverone.

– Cos'è? – chiese Rik.

– Ho sciolto due amfetamine dentro un bicchiere di vodka insieme a una roba azzurra che c'era dentro al water...

– Ne voglio un po' – disse Eremo, svegliandosi per alcuni secondi.

– Pataz, assaggia – disse Rik.

Pataz fu salvato da un nuovo toc-toc alla porta della roulotte.

– È Belsito, con un ciccione in bermuda.

– Fallo entrare, quello stronzo.

Belsito entrò.

– Salute, bastardi. Vi presento Gardner, il mio nuovo agente – disse ilare – è il migliore dell'Impero.

– Me ne fotto dell'Impero – disse Rik.

– Via, che una tournée prima o poi ti piacerebbe farla – disse Belsito ridendo sotto i baffetti. – Vedi, noi due abbiamo molte cose in comune. Io sono nato in una casa più piccola di questa roulotte. Perdio, ne ho fatta di strada e ne hai fatta un po' anche tu. Ma non ci siamo montati la testa e siamo rimasti come una volta. Io, da quando ho preso il Big Globe per il mio film, sono rimasto lo stesso. E tu?

– Anch'io, dopo dieci milioni di dischi.

– E io, dopo che il mio film ha incassato cento miliardi, sono andato a mangiare la ribollita da nonna.

– Io, quando mi hanno detto che avevo avuto dodici nomination a $TV, mi stavo rammendando un calzino da solo.

– Io ho fatto mettere il portapacchi per le damigiane dell'olio buono sulla Rolls-Royce.

– Io ho una Ferrari coi sedili di vimini.

Si guardarono a lungo, in cagnesco, poi Belsito parlò pacatamente.

– Diciamoci la verità, Rik. Se saliamo sul palco insieme, dobbiamo ricordare che siamo qui per aiutare la gente, non per metterci in mostra, e quindi dobbiamo lasciare da parte i personalismi.

– Yes – disse Gardner.

– Non c'è problema – disse Rik – hai letto il copione?

– Il copione va bene eccetto un piccolo particolare – disse Belsito – ad esempio, c'è scritto che io sono già in scena quando tu entri. Ma l'ospite d'onore appare sempre dopo.

– Scusa, ma questo è il mio numero – sbuffò Rik –. Sei tu che vieni a partecipare e prendi pure un mezzo miliardino. Sono io la star.

– Oh, carino, stellina, se tu sei la star io cosa sono, la stella cometa? Non ti scordare che qua siamo in mondovisione, e il pubblico americardo mica conosce te, conosce me. E sai cosa succede? Che appena mi vede in scena si mette a ridere e tu scompari.

– Cerca di capire tu, ragazzo. Qua il pubblico è giovane, trasgressivo, non sono le tue famigliole o le tue mummie in smoking. Quando io inizio a pestare rock duro e a lanciare il mio messaggio, vanno in trance, gridano, e se entra qualcuno che non sono io, lo riempiono di lattine, anzi finisce che ti scambiano per uno spettatore che invade il palco e il mio servizio d'ordine ti butta giù.

– Ma scusa Rik, tu fai le tue canzoncine un po' sempliciotte, io invece esprimo concetti, faccio satira, ho appena vinto il Firegag per la battuta più cattiva, anche se entro sul palco dopo di te, ti faccio la controscena e dopo un minuto il pubblico si è scordato che ci sei. In quanto al mio servizio d'ordine, ho due ex marines che ai tuoi Orango e Gibbone gli fanno un culo così.

– Yes boys – disse Gardner – però calmatevi.

– Calma un cazzo – gridò Rik – io vado sul palco da solo e dico: "Ehi sapete, qui con me doveva esserci Belsito, ne sentite la mancanza?".

– Ah sì? E io nel mio numero ti preparo una battuta che ti levo la pelle, rockettaro del cazzo, credi che non lo sappia cosa prendi in nero per questo concerto?

– Vai a cagare. I giovani credono in me – disse Rik.

– Vai a cagare. Ma vengono a vedere me – disse Belsito.

– Ragazzi – disse Soldout, apparendo sul vano della porta. – Ci sono i fotografi. Facciamo le foto insieme?

– Va bene – disse Belsito – ti prendo in braccio, okay?

– No – disse Rik – ti prendo in braccio io.

– Sbrighiamoci – disse Gardner – mi sono rotto le balle.

Aveva nonni del luogo.

32.
LA NOTTE

Una notte stregata calò sull'Isola. Un vento caldo sibilava e portava dalla terra odori di muschio, pelo di verro, sangue e marrana.

Avvolse la fila delle auto, dove a migliaia cercavano di dormire, o guardavano la televisione, o fornicavano con scambi di coppie e cilindrate.

Controllò migliaia di sacchi a pelo e si divertì a far saltare i paletti delle tende ove le belle e i belli dormivano nudi.

Cullò le barche dei pescatori.

Consolò i pesciacci prigionieri nelle reti.

Poi si diresse verso le luci del Napoleon.

Il vento scivolò dentro l'appartamento di Platirron.

– No, lo spiffero no – disse il tenore.

Ma il vento gli si infilò in gola, gli torse la lingua e portò via la bellissima voce del cantante. Platirron, afono, chiese aiuto invano. I suoi levrieri sentirono la notte portare odori di ormoni quadrupedi e saltarono giù dalla finestra, accoppiandosi coi peggiori botoli locali. Platirron si mise a piangere, in silenzio.

Polipone leggeva il poeta:

Dove non potevamo passare
Abbiamo volato
Il nostro cuore ne è ancora segnato.

"Avrò un giorno il coraggio di leggere poesie in pubblico?" pensava. "Svelerò la mia vera natura?"

"Potresti," diceva il sibilo del vento, "ma fa' in fretta. Non c'è tempo, non c'è tempo, il tempo corre uguale per il poeta e per il pescatore, per chi ride e per chi si affanna."

Felina Fox si faceva scrivere le risposte a un'intervista da Bazzara.

Zenzero si faceva scrivere un libro da Pepero.

Crepaldi scriveva un articolo che Polipone avrebbe firmato.

Pataz vendeva via fax malignità su Rik.

I Bi Zuvnot avevano avuto il permesso di fare entrare tre fan, ma le avevano scelte vecchie, una addirittura di vent'anni, e le guardie del corpo lasciavano baciare ma senza lingua per paura di contagio: i Zuvnot erano un capitale.

Nella sua suite rustica di seicento metri, intorno a un autentico tavolo di formica da bar periferico, tra il razzolare delle galline, Belsito aveva convocato lo staff per preparare il suo intervento.

– Voglio fare una roba forte, da cavare la pelle a tutti. Allora, io entro e dico: ragazzi, qua è pieno di marines, bisogna stare attenti, lo sapete che fa un marine incazzato?

– No, Belsito – disse il suo sceneggiatore di fiducia – non facciamo dell'antiamericardismo di comodo. Sei un comico internazionale, adesso.

– Va bene. Allora entro e dico: ragazzi, state strettini vero? Be', certo nei box dei Vip si sta meglio, c'è l'aria condizionata e scoreggian ghiaccioli...

– No, Belsito – disse il suo agente. – Lascia stare il vecchio populismo poveri-ricchi. E poi tra i Vip c'è Grattachecca, il tuo produttore, potrebbe prendersela.

– Va bene, allora dico: signore e signori, ho visto in televisione l'ingorgo delle auto...

– Sei pazzo? – lo interruppe il suo ufficio stampa. – Dimentichi che la tivù di Grattachecca ha trenta miliardi annui di pubblicità di case automobilistiche?

– E allora, ragazzi, che cazzo dico?

– Ecco, ottimo inizio: "Ragazzi, che cazzo dico?".

33.
IL FANTASMA DELLA GROTTA

Salvo e Miriam dormivano. Nella grotta faceva freddo. Si erano coperti con un telo di spugna, solo i piedi spuntavano. La notte li spiava dall'apertura della grotta, il vento sibilava cercando di entrare. Salvo si lamentò nel buio. Sognava di essere alla festa del paese, quando il cavaliere mascherato scappa, e dietro tutti gli altri cavalieri lo inseguono, e la gente spara tra le zampe dei cavalli per farli correre più forte. Gli sembrava di essere lui sul cavallo inseguito, e di dover passare attraverso uno stretto varco nelle mura. La polvere si alzava sulla strada, e non vedeva più nulla, né le mura, né la gente, né gli altri cavalieri. Sentiva solo gli spari vicini. E aveva paura. Poi sentì una fitta a una gamba. Si svegliò di colpo. Sul polpaccio c'era una piccola striscia di sangue. Un granchio l'aveva ferito. Anche Miriam si svegliò. Il granchio era lì sulla sabbia, con la chela alzata, e ballava una strana danza.

Miriam lo vide e gridò:

– Ti ha morso!

– No – disse Salvo, zittendola con un gesto – mi ha voluto avvertire. Siamo in pericolo.

Si alzarono in piedi e subito venne buio. Qualcosa di enorme aveva chiuso l'imboccatura della grotta. Qualcosa che sembrava un velo nero, o una nube. Lo potevano sentire nuotare lentamente verso di loro.

– Non avere paura – disse Salvo.

– Sto tremando per il freddo – mentì Miriam.

Salvo cercò la mano della sorella, ma non la trovò. Ora l'imboccatura della grotta era di nuovo aperta e filtrava la luce delle stelle. Salvo vide che l'acqua ondeggiava e ribolliva in modo strano, non era la marea. E la vide diventare nera.

E apparve.

Il calamaro dai tentacoli fluttuanti come spettri, il viscido gigante che spargeva nell'acqua il suo respiro d'inchiostro. Il mostro che saliva dal pozzo profondo delle sue paure. Ma Salvo non si tirò indietro. Come faceva nei sogni, pensò di avere in mano una spada invisibile, e appena un tentacolo si avvicinò, lo colpì. Il tentacolo si staccò di netto, si contorse a terra. Si udì una risata. Davanti a lui ora non c'era più il mostro, ma una figura ritta in piedi. Aveva occhi enormi e tondi, da creatura degli abissi, e una larga bocca cornea.

– Bel colpo, soldatino – disse – contro le cose che non esistono ci vuole la spada che non c'è!

– Chi sei? – chiese Salvo.

– Sono uno che conosce la tua paura – disse Enoma – sono quello che talvolta ti chiama dal fondo del pozzo. Sono quello che tiene premuta una pietra sul corpo di tuo padre, ogni notte, per impedirgli di tornare da te. Sono gli aerei che non ti fanno dormire. Sono i cassetti di nonna Jana, pieni di foto di morti.

– Sei venuto per uccidermi?

– Molto peggio – disse Enoma – sono venuto per consegnarti ai tuoi simili. I tuoi simili fanno ai ragazzi come te cose che noi spiriti malvagi non potremmo neanche pensare. Seguitemi, tu e la gemella.

– Non c'è nessuno con me – disse Salvo.

Gli occhi di Enoma divennero grandi e fosforescenti e scrutarono nel buio. Gridò di rabbia.

– Non può essere fuggita.

– Può – disse Salvo – lei non ha le mie stesse paure. Non l'hai spaventata come me.

– La troverò presto – disse Enoma. Con un braccio, o un tentacolo, afferrò Salvo e lo trascinò sott'acqua. Il ragazzo cercò di resistere in apnea, lo Spirito nuotava velocissimo. Di colpo, sentì che Enoma lo aveva lasciato. Risalì a bracciate rapide. Lo aspettava una barca piena di soldati. Lo tirarono su con rudezza.

Dopo poco affiorò Enoma. Aveva l'aspetto di un normale sub, con pinne e maschera.

– Dov'è la ragazza, Mister Elmer? – chiese Ciocia.

– Sparita – disse Enoma. – Avete notato qualcosa di strano, mentre ero nella grotta?

– Niente – disse Ciocia.

– Tonni – disse Madigan – dei fottuti tonni. Prima che lei riemergesse un branco di pesciacci puzzolenti ci è passato vicino a tutta velocità, qualcuno ha fatto anche un salto mortale sopra la barca.

Enoma si tolse la maschera, e un sorriso contrariato apparve sul viso di Elmer. Non sarebbe andata lontana, la ragazza. Anche se in quel momento, appesa a una pinna di Musashimaru, era già un miglio al largo, diretta verso l'altro lato dell'Isola.

– Stan – disse il presidente – perché non vuoi dirmi il nome della tua isola natale?

– C'è una superstizione legata a quel nome – disse Stan, strizzandosi un tubetto di maionese in bocca, insieme a un sorso di birra. Sembrava che ingrassasse un chilo all'ora.

– Superstizioni, sortilegi, è ora di svegliarsi da questo sogno – disse Max. – Hacarus mi ha appena telefonato che ora è tutto sotto controllo. Che i fenomeni di suggestione stanno riducendosi. Forse la causa di tutto era un gas che proviene dalla fermentazione sotterranea della salina.

– Non c'era gas alla Villa Bianca – disse Stan, cupo.

– E va bene – disse Max – qualcosa sta impazzendo. Ma perdio, abbiamo la più grande macchina tecnologica e militare del mondo, conosciamo il novantanove per cento di tutto, forse c'è un uno per cento che ci è ignoto, ma può questa piccola zona misteriosa distruggere tutto il resto?

– Lei sbaglia i conti, presidente – disse Stan – lei è troppo abituato a pensare che vinca sempre il più grande. In natura non è così. Il virus uccide il dinosauro, l'alga soffoca il mare, la farfalla fa nascere il tornado. Si modifica di qualche grado la temperatura della terra, e la febbre la divorerà. Si fulmina la lampadina del sole, e non c'è tempo per cambiarla.

– Catastrofe, apocalisse e retrocessione – rise Max – e cosa resterà?

– Resterà chi sa ricominciare – disse Stan – e nel Megaconcerto ci sarà una gran piangianza.

– Una gran cosa?

– Piangianza. È un termine voodoo.

– Chi t'ha detto queste stronzate?

– La signorina Melinda – disse Stan, sognante – la bellissima Melinda.

– Te la fai con lei adesso?

– Io non me la faccio con gli spiriti, anche se hanno dei meravigliosi occhi viola melanzana. Preferisco le donne vere. Anche un po' grasse, ubriacone, che sappiano cantare il gospel e che a letto sappiano fare il waka-waka e la carezza della rana.

– Non oso chiederti particolari – sospirò il presidente – e che altro ti ha detto Melinda?

– Mi ha detto che è delusa da te – disse Stan, e i suoi occhi ebbero un bagliore viola. – Che sarebbe ora di finirla con le tue guerre inutili, col tuo servilismo ad Hacarus. Che dovresti riflettere sul fatto che ogni giorno qualcuno entra nelle tue scuole sparando. Che coltivi profittatori sfruttatori e dittatori uno peggio dell'altro, sei il loro concime.

Max scrollò le spalle.

– È una fighetta viziata e basta, una donna da niente.

– Anche questo mi ha detto. Che oggi l'avresti insultata.

– Be', ho qualcosa che la convincerà. Voleva un quadro, eccolo. È arrivato stanotte, via aerea, l'ho requisito agli alleati. È la *Dama con l'ermellino*, di Leonardo. Ti piace?

– Molto – disse Stan – ma non so se Mister Da Vinci gradirebbe la variazione.

– Quale variazione? – disse il presidente, e la voce gli si strozzò in gola. In mano alla dama non c'era più il roditore, ma un roseo porcellino ghignante.

– Bastardo – disse Max – scommetto che è quel suo amico, quel Bes.

– Sì, a suo modo è un artista – disse Stan – i protodemoni del suo tipo sono molto gelosi e dispettosi. E adesso cosa dirà agli alleati?

– Me ne frego degli alleati – ringhiò Max – quella puttanella, e quel suo drudo, se li avessi per le mani...

– Non sia così volgare, presidente.

– Non occorre che tu riferisca a Melinda il contenuto di questa conversazione, se non vuoi che ti blindi il frigorifero.

– No, per pietà – disse Stan – ma non occorre riferire, lei la sta ascoltando.

– Ah sì? E da dove?

– Dal mio bicchiere – disse Stan, e lo sollevò controluce. Era vero. Dentro il grande boccale di birra, nuotava una figurina. Si issò con le braccia sul bordo, scosse i capelli e parlò con voce sottile.

– Va bene, ragazzi, mi avete ipnotizzato di nuovo – disse Max, cadendo sulla poltrona – allora, cosa ha detto Melinda?

– Ha detto che è triste. Che sua sorella Zelda è in pericolo, che bisogna fare qualcosa per salvarla.

– Be', non esageriamo – disse Max. – Soldout è un porco, ma non può farle niente di peggio che trombarla.

– Se lo dice lei – disse Stan. Prese Melinda e la ingoiò.

– Assassino! – gridò Max.

– Lo vede che continua a credere alle allucinazioni? – disse Stan. – Non era Melinda, era una semplice oliva nera.

Due piani più sotto, Zelda entrò nella suite di Soldout. Al centro del salone c'era un tavolo apparecchiato, con candele e champagne. Uno stereo diffondeva musica fecondante. Soldout uscì dalla doccia, in accappatoio di cuoio. Guardò il vestito attillato di Zelda e fischiò di ammirazione.

– Complimenti per il look, ragazza – disse Soldout.

– Un provino è un provino – disse Zelda, e accavallò le lunghissime gambe sul lunghissimo divano. Aveva un braccialetto a forma di serpente alla caviglia.

– Sai – disse Soldout, sedendole molto vicino, col fiato già pieno d'alcol – ne ho fatti tanti di provini. Ragazzette patetiche, pronte a tutto, senza un briciolo di talento. Ballerine scuotitette, attrici con l'accento dialettale, cantanti stonate. Tutte pronte a infilarsi nel mio letto. Con le madri dietro, o scappate di casa, o con qualche sedicente impresario più porco e disonesto di me. Timide, o troie, impasticcate, ubriache, emozionate. Ma ancora non mi sono stancato. C'è qualcosa che mi piace, nell'essere padrone di una vita, di un'illusione. Puoi chiamarmi sadico. Ma la gente vuole questo. Possedere, o essere posseduta.

– Che bella lezione di filosofia – disse Zelda.

– Certo. Stavolta però il provino è diverso – disse Soldout. I capelli bagnati stillavano acqua sul pavimento. L'acqua era nera.

– Lo credo anch'io – disse Zelda – e forse è meglio che cominciamo subito.

– Va bene – disse Soldout – ricordi la danza che facesti a Micene, con la maschera d'oro?

– Ero più giovane allora – rise Zelda.

– Anch'io – disse Soldout – ricordi quanti ne morirono quella notte?

– Oh – disse Zelda, alzandosi in piedi – non dovresti rimpiangere quei tempi. In tutta quella guerra, ne morirono meno che in questa settimana di bombardamenti.

Soldout le girò intorno, ne contemplò l'alta statura e i capelli dorati. Li sfiorò, poi ci mise la mano dentro come volesse strapparli.

– Spogliati – disse Soldout.

– Prima tu – disse Zelda.

Soldout ghignò. Si levò l'accappatoio di cuoio. Sotto c'era un corpo bianco, piatto, quasi senza sesso. Il volto si tramutò ben presto in quello pallido di Enoma. Due occhi minuscoli, azzurri, in una faccia da vecchio cattivo.

– Ora spogliati tu, Melinda – disse lo Spirito oscuro.

Zelda scosse i capelli e divenne all'istante Melinda.

– Perché sei venuta? Vuoi salvare tua sorella? O forse vuoi sfidarmi?

– Voglio sapere perché sei venuto sull'Isola.

– Perché ogni evo, ogni secolo ha il suo Spirito. Io sono lo Spirito di questo tempo. E sono venuto per prendermi lo scettro, e farla finita una volta per tutte con voi.

– Sono messaggera – disse Melinda – ti porto la voce degli altri. Possiamo non combattere, possiamo restare uniti, questa volta.

– Non sei messaggera di nessuno – disse Enoma – stai solo tentando di salvare i tuoi amici.

– E se fosse?

– Piccolo, virtuoso demone della libertà – disse Enoma – tanti anni di delusioni non ti hanno convinto ad arrenderti?

– No, Enoma. Possiamo ancora evitare una guerra. Parla con noi.

– No – disse Enoma – stavolta è la mia occasione.

Con un balzo fu su Melinda e con la mano la afferrò alla gola. Melinda sembrò non reagire. Lentamente, Enoma la soffocò. Poi prese a mangiare, con appetito.

Addio sorella, addio mia amata e più bella tra gli spiriti, pianse Bes. L'ermellino che donai a quel pittore italiano, e che ora volevo regalare a te, è tornato nel quadro, sarebbe stato così bene tra le tue bianche braccia. Addio, occhi color del vino. La tua libertà era una sfida, correvi troppo forte e facevi nascere troppi sogni. Addio, belle labbra e corpo d'aria e invisibile grazia e quadro dipinto. Addio Melinda.

E Aladino e Kimala e Asmodeo e Behemoth e Carmilla ed Ebenezer e Halkin chiesero vendetta e balzarono nei sogni di tutti.

E nelle tendopoli e nelle auto ferme tutti si svegliarono, si sentiva il rumore della pioggia ma non pioveva, lampeggiava senza tuoni, volavano farfalle nere e i gechi lanciavano strida scivolando sui muri. Il mare era fermo come pietra, i delfini saltavano e urlavano di dolore, le balene battevano la coda, i tonni erano spariti nelle profondità degli abissi. Sulle montagne, brillavano mille falò. L'allocco fantasma, il barbagianni, la civetta, recitavano un singhiozzante rosario.

Addio Melinda, che ho appena conosciuto, diceva Miriam, su una roccia in riva al mare. E vedevano il suo volto sulla luna i bambini del coro, prigionieri nelle camerate, sentivano i suoi passi leggeri e le mani sugli occhi. Chi poteva sapere che tu eri una fata? Chi ti ha condannato, chi ti ha abbandonato?

Stavano silenziosi gli uomini e le donne del villaggio, preparando le esche, o le armi, cigolava la ruota del luna-park, giravano lenti i cavalli della giostra, la carrozza e l'unicorno, la falena e il re cinghiale.

E anche il presidente non dormiva, si rotolava nel letto senza capire perché, ancora non sapeva, mentre gli aerei continuavano a volare nella notte e a bombardare senza rumore, le bombe cadevano e si spegnevano nella polvere senza un suono, poiché Melinda non sentiva più.

E con rumore di ali e di lame, gli spiriti piombarono sul palco, facendolo tremare, sibilando come frecce e coprendolo di una nube di sale, e i ragni lo avvilupparono di ragnatele, e tutto il palco divenne polveroso e vecchio, come fosse abbandonato da cent'anni. Da lì gli spiriti si diressero verso le luci dell'hotel e invasero i sogni degli ospiti.

E Berlanga sognò tutte le sue bugie, e Rutalini tutti i suoi compromessi, e Soldout continuò il suo sonno pesante, che durava da due giorni, senza capire il perché di quelle gocce di sangue sul suo tappeto.

E Frappa e Polipone sognarono che dovevano presentare e non potevano mentire. "Ed ecco a voi quel ladro dell'onorevole Prevola e Crescioni, che è qui perché non sa fare niente, ma sa litigare come pochi, e poi la mia amante e il professor Giannotti che ci ha pagato per partecipare."

E Belsito sognò un pubblico muto che non rideva più, e ripensò ai potenti che aveva deriso un istante e adulato ogni giorno.

E Sapone sognò di essere vecchio.

E Rik sognò una scritta su un muro: "Rik, sei fasullo".

E poi sognò che c'era una partita di pallone, su una nuvola, tra i musicisti. Tutti i più grandi. C'erano Caruso e la Callas, Nat King Cole e la Holiday e i Buckley e Jim Morrison, De André e Brassens, e poi c'era proprio lui, John Lennon, e Monk fischiava un calcio di rigore, e Mozart dalla panchina protestava, ma l'arbitro era irremovibile. "Batto io, batto io," gridava Rik.

Ma nessuno lo ascoltava.

E Felina Fox si trovò in fila nella neve, tra donne imbacuccate davanti a un tetro edificio sorvegliato da soldati. Si lamentava delle scarpe scomode. E diceva: "Che set è mai questo, ho freddo, dov'è la mia roulotte, sono una diva".

E una vecchia sdentata le disse: "Smettila compagna, un po' di rispetto, qua non siamo in un salotto, stiamo portando da mangiare ai nostri figli in prigione, tra poco nevicherà. Un sorso di vodka alla faccia di quella canaglia di Ezov?".

E Zenzero sognava di essere in un monastero tibetano, e un monaco gli passava vicino e gli mollava una gran sberla sulla testa.

"Ignorante," diceva con voce dolce, "non è così che si fa, ci hai messo sulle bancarelle."

E i Bi Zuvnot, che non sognavano mai niente, sognarono di essere pieni di brufoli, ma così pieni di brufoli che sembravano delle mine, e ogni volta che ne toccavano uno esplodeva fuori uno schizzo di gelato.

E il califfo sognò che era un tonno impigliato in una rete.

E Ciocia sognò che era un bambino orientale in una risaia, e arrivavano gli aerei.

E poi c'era quello che non dormiva mai, Sys Req.

34.
IL VIAGGIO DI SYS

Era ormai l'alba e Sys avrebbe dovuto lavorare e preparare lo spot che dava le ultime notizie sul Megaconcerto. Ma non ne aveva voglia. Dopotutto, pensava, anche lui era in vacanza.

Nuotava, nel mare sintetico di cinquanta schermi a cristalli liquidi, ognuno con un colore diverso. Questa è la varietà, pensava Sys Req. Si collegava in diretta col mare hawaiano e coi fiordi norvegesi, e ci nuotava dentro con le pinne sensoriali e la maschera neurotermica, nuotava seduto in poltrona, e sparò a una grossa cernia delle Maldive con il fucile-laser, la prese e la mise nell'apposito file. Risalì il sito fino a Hamalakainakalaheianien Beach, ma c'erano troppi contatti e lui voleva stare da solo, puntò su una spiaggia thailandese, e l'ago delle varianti chimiche gli iniettò una dose di melanina, mentre la maschera si riempiva di odori sintetici di spezie e cocco.

Aprì il file delle massaggiatrici, visini sorridenti sorsero davanti a lui, ne scelse una dagli occhi scuri, consultò le mille opzioni, ma d'improvviso tutto si spense. Si trovò al buio, dentro alla sua goffa tuta di gomma, nella suite sotterranea dell'Hotel Napoleon.

– Accidenti – disse Sys Req, strappandosi la maschera e starnutendo – perché i generatori di emergenza non hanno funzionato?

Tutti gli schermi erano diventati viola e portavano la scritta: "Addio, Melinda".

– Che razza di virus è mai questo? – si chiese Sys. La realtà lo aggredì violenta, sotto forma di un raggio di sole che perforava la schermatura delle finestre e lo feriva alle mani, che divennero rosse e gonfie. Ma qualcuno intervenne. Due figure che fluttuavano nell'aria, un ologramma sofisticatissimo, qualcosa che non sembrava né reale né virtuale. Avevano la plasticità di un vecchio cartone animato un po' sfocato. Erano un uomo e una donna trasparenti come ghiaccio. Dentro al loro corpo si vedeva battere un doppio cuore, insieme a strani organi ruotanti. La donna volò alla finestra e con un rapido gesto passò una pennellata d'ombra sul raggio di sole, cancellandolo. L'uomo inserì un dito in una presa sul muro e la corrente tornò, riaccendendo i cinquanta schermi. Ma non apparve nessuno dei programmi conosciuti. Solo una scritta: "Paradise now".

Pulsava, di un colore azzurro intenso. Sys pensò che in tanti anni di sperimentazione non aveva mai ottenuto un colore vivido come quello.

E vide anche una scritta in piccolo: "Inserire la parola d'accesso".

La coppia galleggiò lentamente davanti a lui. Lui aveva ora l'aspetto di un uomo di affari giapponese, ma con i capelli da samurai. Lei era una bella ragazza bionda con occhiali e aria da manager. Ma le unghie erano lunghe e ricurve, come quelle di certi fachiri, e dipinte di lacca fosforescente. Ogni suo gesto ricamava l'aria di graffi colorati.

– Cosa succede? – disse Sys Req. – Non ho la maschera sensoriale, e non conosco nessun programma virtuale come il vostro. Eppure questa non è...

– Lasci dire a noi la parola che lei detesta tanto – disse l'uomo.

– Non è realtà – concluse la donna.

– Diciamo che lei ha raggiunto un punto lontano, assai lontano, sia dai suoi schermi sia dalle miserie del mondo – disse il samurai. – Un punto dal quale potrebbe prendere una decisione molto importante, e noi siamo qui per consigliarla. Mi presento: sono Toshiro Bes, della ditta Paradise, e questa è la signorina Zelda Monroe, mia assistente nonché cyberhostess patentata.

– Come siete entrati? Siete rappresentanti?

– Sì, siamo rappresentanti, in un certo senso – rise l'uomo, aprendo la bocca e mostrando, in fondo alla gola, una specie di zufolo a canne che sembrava emettere la voce, convincente e melodiosa.

– Ma quello che vendiamo è molto raro, e scegliamo noi i clienti – disse la donna. – Lei è stato prescelto.

– Lo so, dicono tutti così – sorrise Bes – ma è una tecnica di vendita elementare.

– Non temiamo confronti – disse la donna – abbiamo argomenti immediati e verificabili. Avrà apprezzato la perfezione tecnica del nostro lavoro.

– In effetti – disse Sys Req – non ho mai ottenuto dei colori come i vostri. E non capisco come fate a fluttuare nell'aria senza proiettori e senza che io abbia nessun supporto sensoriale. È qualcosa come un'animazione proiettata su micromolecole? Mi avete inteccato un trasformatore virtuale sotto la pelle?

– Oh, quella è roba vecchia – disse il samurai. Si tramutò in un istante in una freccia dorata e percorse a grande velocità la suite, poi si diresse verso Sys Req, lo caricò in groppa come un cavallo e lo fece volare per tutta la stanza a incredibile velocità, quindi lo depose delicatamente sulla poltrona, al punto di partenza.

– Noi non siamo né reali né virtuali – disse Bes. – Noi siamo spirituali. Diciamo che abitiamo una possibilità della materia a cui voi avete dato un sacco di nomi, senza mai avvicinarvi alla verità.

– Aldilà, antimateria, inferno, paradiso, cyberspazio, n-wood, regno eonico, ecoplasma – recitò Zelda – un milione e trecentomila voci circa, consulti il suo computer, e invece è tutto molto semplice, anche se non è semplice spiegarlo a un cervello umano, seppure geniale come il suo...

– Diciamo – disse Bes, avvicinandosi a Sys Req e attraversandogli la testa con il corpo, come un serpente – che noi siamo un programma molto sofisticato e difficile da raggiungere. Un programma a cui lei non arriverà mai attraverso i suoi computerini di legno rosicchiati dal Bug. Un luogo lontano dal mondo, dove tutto è bello e possibile.

– E cosa le serve per entrare in questo nuovo, misterioso programma? – disse melodiosa Zelda.

– Vediamo – disse Sys Req, a cui tutta quella situazione irreale piaceva sempre di più. – Una tessera magnetica? Una carta di credito?

– Molto di più.

– Una supertecnologia? La fede?

– La fede – disse Bes – ecco, ci è andato vicino. Ma una fede molto speciale. Non c'entrano né religioni, né divinità. Diciamo che bisogna avere fede, molta fede, che questa realtà esista davvero, che non sia il solito videogiochetto che voi chiamate civiltà umana, non il miserabile vecchio programma del vostro pluriverso, ma un vero programma superiore nel software del Grande Ordinatore.

– Lei ha questa fede, signor Req – disse Zelda – la sua allergia alla realtà lo testimonia. Ma non ha, ahimè, né le conoscenze, né la tecnologia, né soprattutto una struttura organica decente per arrivarci.

– Le ci vorrebbe un milione di anni – disse Toshiro Bes – e lei, immagino, ha fretta.

– Sì – disse eccitato Sys Req – ma allora qual è l'affare che mi proponete?

– Semplice – esclamò Bes con tono da imbonitore – per accedere a Paradise le ci vorrebbero che dico cento, che dico mille, un milione di anni. Ebbene, con la nostra offerta speciale di oggi noi la facciamo entrare in quindici, dico quindici, secondi. Le vogliamo venire incontro, semplificando tutto in modo assolutamente ridicolo. Cosa ci vuole per entrare in un programma segreto?

– La parola d'accesso, la password – disse Sys Req.

– Perfetto – disse Bes. – Noi le diamo la password e colleghiamo il suo artigianale sistema di computer con il nostro Kombo centrale, dodici miliardi di unità kombit di potenza, un kombit può bastare per far funzionare tutti i computer della terra. E lei si ritroverà nel nostro paradiso.

– E in cambio?

– Anche qui, una cosa ridicolmente classica – disse Zelda – la sua anima.

– La mia anima? Come nei libri? Ma è... antiquato – ridacchiò Sys Req.

– Noi dobbiamo spiegarle tutto in termini terrestri, o lei non capirebbe mai – disse Bes. – Diciamo solo che basta una sua goccia di sangue e lei avrà accesso al programma Paradise, senza mascheroni di cuoio e artigli sensoriali, neuropreservativi o protesi, senza droghe né ipnoprocessori. Lei diventerà un'immensa macchina desiderante di mondi possibili, e tutto le sarà permesso.

– Tutto? – disse Sys Req.

– Tutto quello che lei pensa sulla terra, e cioè un millesimo di quello che potrà pensare e desiderare una volta entrato nel meraviglioso mondo di Paradise.

– Quanto tempo ho per decidere?

Bes fece una serie di capriole che sembravano calcoli.

– Dieci secondi, signor Sys – rispose alla fine.

– E pensi che la prossima offerta sulla terra la faremo tra un milione di anni – disse Zelda – l'universo è grande e la clientela è numerosa.

– Accetto – disse Sys, d'impulso – cosa devo fare?

– Prenda questo ago – disse Bes – è l'unico piccolo particolare reale che le chiediamo. Si punga un dito così, una bella goccia di emoglobina su questo contrattino invisibile.

– Fatto – disse Sys Req – e adesso?

– Prima un piccolo omaggio – disse Zelda, e gli porse uno zainetto azzurro, di un materiale che sembrava zucchero filato, con la scritta “Paradise Travel”, e un buffo cappellino con le ali.

– E adesso la colleghiamo – disse Bes. Fece uscire dalla bocca una lunga lingua a tre punte, e la infilò nel computer centrale di Sys. Tutti gli schermi tremarono come per un terremoto, ci fu un'esplosione luminosa. Dove prima c'erano i cinquanta monitor ora c'era solo un megaschermo ovale, in cui qualcosa turbinava a velocità folle.

– Ecco qualcosa che potrebbe assomigliare a uno dei nostri computer – disse Bes – e ora lo abbiamo collegato alla sua tastiera. Ha paura?

– Un poco – disse Sys Req.

– Non abbia timore – disse Zelda – se ne vada da questa realtà misera. È la sua occasione. Guardi il palmo della mia mano, c'è scritta la password. È il nome di un'isola. Ventitré lettere. Lo digiti. Sulla tastiera. Così, piano, una lettera per volta.

– Così – disse Sys Req, sognante. Gli sembrava, a ogni lettera, di perdere peso.

– Per regolarità le devo dire – disse Bes – che la password funziona solo in un senso.

– Significa che non posso tornare indietro? – disse Sys Req. – Ma questo non l'avevate detto. Dalla realtà virtuale è sempre possibile uscire.

– Vuole rimangiarsi tutto?

– Vorrei discuterne – disse Sys Req. – Comunque, mi mancano ancora sei lettere per completare la password, e quindi non me ne andrò se non mi darete garanzie di reversibilità.

– Abbiamo una certa esperienza nel settore, signor Sys – disse Bes – e siamo abituati a reclami dell'ultima ora. Purtroppo, il nostro livello tecnologico è tale che non sono previsti reclami di alcun tipo.

– Ma non mi potete fregare – disse Sys – mancano sei lettere, e sono ancora qui nella mia bella realtà, sulla mia poltrona, queste sono le mie mani, queste qui sotto sono le mie scarpe...

Sys si interruppe. Non si vedeva più i piedi.

– Signor Sys – disse Zelda – la nostra password è di dodici lettere. Lei l'ha già digitata da un pezzo. Un piccolo accorgimento che ci evita un sacco di discussioni. Buon viaggio.

Si sentì un suono assai poco tecnologico, qualcosa che ricordava la sigla dei cartoni animati di Braccio di Ferro. Poi una regolare esplosione con fumo. I computer si spensero, e Sys Req non c'era più.

* * *

La foto raffigurava l'ingorgo delle auto. Un'altra, gli effetti di un bombardamento su un villaggio dell'interno. La terza, i cadaveri dei tre operai, trovati in fondo a un pozzo. La quarta, i resti dell'incendio. E così via. E il pezzo iniziava: "Questo concerto sta per provocare più danni che un anno di guerra...".

– Questo è stato diffuso stamattina via Cosmonet – disse Hacarus – e Sys Req è sparito nel nulla. Mi sembra che i suoi nemici siano più forti di quanto lei ritiene, Mister Enoma.

Enoma rise. Aveva ripreso le sembianze del fratello di Hacarus, e vestiva elegantemente un completo di lino anni cinquanta.

– La smetta di fare il piccolo uomo spaventato – disse – è ovvio che i miei colleghi spiriti tentino le loro piccole vendette. Meglio. Se perdono la testa, verranno sconfitti prima.

– Manca poco al Megaconcerto – disse Hacarus – non voglio altri inconvenienti.

– Oh sì, fratellino – disse Enoma – se no cosa mi farai? Mi lascerai morire un'altra volta?

– Smettila. – Hacarus impallidì.

– Abbiamo catturato una delle Porte – disse Enoma – la gemella cercherà di salvarlo e prenderemo anche lei. E verranno anche Kimala e Poros.

– È così sicuro di vincere? – disse Hacarus.

– Lo sono – disse Enoma con un buffo inchino – perché lei è il padrone di questi tempi, e io sono lo Spirito del suo tempo. Lei, e quelli come lei, siete la mia garanzia. Respirando la sua aria, mi sento pieno di salute ed energia.

– Perché ha ucciso quella Melinda? E chi era?

– L'ho uccisa perché poteva avere un'influenza buona o cattiva, come preferisce lei, sul presidente. Melinda era uno spirito molto forte e molto libero. L'ho amata molto, anni fa. È il suo destino, essere amata e tradita – rise Enoma.

– È dispiaciuto di averla uccisa, per caso?

– Io non ho rimorsi proprio come te, fratellino, ricordi che il giorno del mio funerale eri su uno yacht, a una cena di affari? Ricordi cosa ti disse mamma? – rise Enoma.

– Non mi turberai con questi ricordi. E tu cosa farai dopo il concerto? Quando uccideremo i gemelli, la Porta sarà chiusa anche per te?

– Che dubbio strano il tuo – disse Enoma – qualunque cosa sarà dopo, quello sarò io.

35.
IL PRESIDENTE SI ARRABBIA

I due giganteschi schermi pubblicitari furono innalzati e accesi.

Quello di sinistra diceva: "Autodif. Libertà e sicurezza". Mostrava il modello della nuova Autodif Toyovolfiaford con la mitragliatrice sul tetto, i rostri, la pala spazzatraffico e la lancia termica per gli ingorghi. C'erano i prezzi nelle versioni Alamo, Ilio e Tutor. Poi l'animazione luminosa cambiava e appariva il pupazzetto Bunker, un simpatico armadillo rosso che diceva: "La mia tana è la Dif". E scorreva il sottotitolo: "Se fai il pieno dal tuo benzinaio con Autodif, puoi vincere un viaggio a Copsiland e diecimila telefonini Tikità".

L'altro schermo era quello della Copsicola e diceva "Copsi, libertà e pace". Nell'animazione un aereo volava sganciando bombe, ma improvvisamente anche il pilota si lanciava con il paracadute e afferrava una bomba al volo. Si vedeva subito che non era una bomba, ma una lattina di Copsimagnum, e il pilota diceva: "Eh no, questa non la lascio al nemico". Dalla lattina spuntava il pupazzetto Rutto, un bacherozzo verde, che aggiungeva: "Guarda dentro la lattina e potrai vincere dieci Autodif e mille telefonini Takitì con revolver incorporato".

Con queste ultime meraviglie, il palco era interamente montato. Come un enorme ragno di acciaio, stendeva le zampe sulla salina. Sulla torre più alta, splendeva la bandiera nerostellata dell'alleanza. Si aggiungevano sedie e nuovi box per i Vip. Erano già stati venduti trecentomila biglietti. Mentre il balletto provava, la grande gru sollevava una gabbia piena di palloncini bianchi. Tutto intorno alle transenne, migliaia di spettatori rumoreggiavano, chiedendo di entrare. Molti erano in fila da quarantott'ore. La polizia ne manganellava pigramente qualcuno. Sulla strada per la salina, la fila di auto era ormai cementata, ma Berlanga e Rutalini si erano dati da fare.

Berlanga aveva sorteggiato cento salvataggi in elicottero tra tutti coloro che possedevano la card delle sue Trivù digitali. Cento fortunati erano stati estratti dall'ingorgo.

Rutalini aveva tentato il colpo a effetto. Erano stati paracadutati duecento volontari salsicciari da festival con griglie e materie prime, ma il vento li aveva deviati sulle montagne e si diceva si fossero uniti ai ribelli.

Anche se sull'Isola non c'era più posto per una lucertola, i traghetti continuavano a scaricare gente, ma c'era l'ordine di rispedirli indietro. Una nave era ripartita con trecento profughi fregati dal destino, mescolati a trecento turisti fregati dell'agenzia Musictour. Altri due traghetti erano stati affondati con siluri.

– C'è un'aria elettrica come prima della battaglia – disse Ciocia stritolando tra le mani il cono del gelato – mi piace.

La transenna cedette in un punto, la folla cercò di entrare, ma una raffica li fermò.

– Vi buco il biglietto direttamente in tasca – urlò Ciocia – tutti in fila, guai a chi entra prima del tempo...

– Mai avuto un servizio d'ordine così efficiente – disse Soldout, finalmente svegliatosi dal misterioso sonno – c'è aria di gran bisnes, ma adesso viene il difficile.

– Paura di attentati? – chiese Ciocia.

– No, di isterismi. Mettere insieme sul palco quei narcisi di cantanti, la scaletta, l'ordine di importanza, le esigenze politiche, Berlanga, Rutalini, voi americardi, sai che casino.

– Per primo deve parlare il presidente – disse Ciocia, severo – e non so proprio che figura farà. È torvo, triste. Gli manca quella Melinda.

– Se è per questo, le due sorprese che gli abbiamo preparato dovrebbero metterlo di buonumore – disse Soldout.

– Quell'elicottero che è arrivato stanotte? C'è dentro qualcosa di speciale?

– Roba grossa – disse Soldout, facendo sfavillare i canini.

– Sono Bottom, Max. Ieri abbiamo lanciato il nuovo missile intelligente Brutus. Colpisce soltanto le cose grosse di metallo come tank, biciclette e pentole a pressione. Poi la sera sono andato in trincea e ho mangiato coi soldati, ostriche, salmone, e torta di fragole con panna. Al ritorno qualche disfattista pacifista mi ha detto che le truppe non mangiano sempre così, ma non gli ho creduto. Sto imparando a montare la baionetta sulla pistola, e domani...

– Non ti sento più, è caduta la linea – disse Max, riattaccando, e scagliò il telefono contro il muro. – Guai a voi se mi ripassate quel deficiente di britanno. Non voglio parlare con nessuno e non voglio sapere le notizie, neanche se hanno massacrato tutti gli asili del mio paese, se sono bruciati i campi di golf, se un tornado ha trasportato la Statua della Libertà al Cremlino. Non me ne frega niente, lasciatemi in pace.

Seduto in poltrona, davanti al mare appena orlato di spuma, beveva un Peto de Diablo, mistura infernale di whisky e liquori caraibici preparata da Stan. Ai suoi piedi Baywatch, col muso spalmato sulle mattonelle, condivideva il suo dolore. Il quadro di Leonardo era diventato un vassoio per i pistacchi. Melinda era sparita. Non un biglietto, non un saluto. Il suo bagaglio era ancora in camera, nessuno l'aveva vista partire, non c'era traccia di lei alle biglietterie dei traghetti o dell'aeroporto.

– Piccola opportunista – borbottò Max, con gli occhi rossi, ingoiando un sorso di Peto de Diablo e ruttando in controcanto – mi ha sempre illuso, si è approfittata di me. E adesso sarà lì a trombare col suo Bes che le regala i girasoli di Van Gogh. Troietta.

Baywatch e Stan, con uno sguardo severo, gli comunicarono il loro dissenso.

– E voi cosa avete da guardare? – disse Max. – Pensate che mi dispiaccia? Sì, è vero, mi dispiace, ma posso avere tutte le donne del mondo, io. Non mi farò più fregare da nessuno, io. Arriva questa top model del cazzo?

– Sta arrivando – disse Stan – però adesso c'è al telefono sua moglie. Devo dire che non c'è?

– Ma no, passamela – disse Max.

Le ultime notizie. Un uomo era salito sulla Statua della Libertà con un fucile di precisione e aveva ucciso sessantadue persone in tre stati diversi. Sconvolte dalla morte di Madoska, dieci ragazze la avevano imitata tuffandosi dal trampolino in una piscina vuota. Riabilitato Göring, era stata una congiura di giudici. Con un agile giro di banche e capitali, il presidente sovieto Kvasny era diventato socio di maggioranza della Copsi. Una petroliera si era squartata davanti a Saint-Malo e la marea nera colava dai rubinetti. Sessanta esecuzioni capitali in Cina. Centonovantasei morti nell'ultimo week-end in Usitalia. L'obiettivo dei duecento morti non è più un sogno. – Come sta la troietta?

– La troietta è partita, Sybil, ma me ne sto facendo una molto più troia – disse Max. – E tu ti fai ancora sbattere dal tuo avvocato?

Sybil riattaccò senza rispondere.
– Mi farò rispettare, oh, se mi farò rispettare – disse Max, alzandosi in piedi un po' incerto, e versando il liquore sul quadro con effetti devastanti. – Intanto basta con questi profughi che impestano l'Isola. Che li fermino con ogni mezzo, di siluri ne abbiamo da vendere. E poi voglio l'attacco a terra, non possiamo continuare a rimpinzare di dollari le industrie missilistiche. È giusto che anche quelle dei tank guadagnino qualcosa. Oh, mi farò rispettare, sì. Sono il presidente dell'Impero e nessuno mi aiuta, non posso neanche sapere dov'è finita quella troietta, paghiamo migliaia di agenti segreti per sapere cosa succede in tutto il mondo, ma non riusciamo a sapere cos'è successo nella stanza vicina...
– Se permette, presidente – disse Stan, oscurandogli il panorama con la sua mole – io posso dirle dov'è finita Melinda. Ma forse le dispiacerà.
– Dispiacermi? Chiuso, finito, stop, storia vecchia. Sei tu che l'hai fatta scappare?
– Oh, non io, signore – disse Stan tristemente – vede, lei non ha mai voluto che Melinda restasse veramente. Non ha mai capito chi era veramente quella ragazza. Lei ha sempre obbedito allo Spirito dei tempi. E Melinda ha sfidato quello Spirito.
– Basta coi tuoi misteri voodoo, negro! – gridò Max. – Dov'è finita?
– È morta, signore.
– Morta? – disse Max. Un dolore che non sentiva da anni lo ferì, una fitta allo stomaco, un'immagine di lei nella grotta, il ricordo del primo sguardo, l'odore dei suoi capelli. Tutto divenne prezioso e lontano, come in una fotografia.
– Morta come? – balbettò.
– Uccisa da qualcuno che la temeva – disse Stan – ma che ci creda o no, gli spiriti non muoiono come noi umani. Restano incantati per lungo tempo, per un tempo così lungo che per noi significa morte.
– Quindi non la rivedrò più.
– Non credo – disse Stan – ora lei è chiusa dentro qualcosa che amava. Una roccia di mare, o un animale, o una bufera di vento...
– Basta poesia, Stan: chi è stato? Manderò quel che mi resta dell'esercito a massacrarlo. Richiamerò i riservisti, i nordisti, quelli dell'OK Corral. Chi è l'assassino?
– Il suo nome è Enoma – disse Stan – e l'esercito non può farci nulla. Ogni volta che un esercito si mette in marcia, lui diventa più forte e felice.

– Non vuoi aiutarmi – disse Max, barcollando penosamente – ma è finito il tempo che mi facevo mettere i piedi in testa. Darò ordine di cercare questo Enoma. Metterò l'Isola a ferro e fuoco. Dov'è quel deficiente di Ciocia?

– Alle sue spalle, signore – disse Stan.

Era vero. Ciocia era entrato silenziosamente. Con lui c'erano Soldout e un tecnico in camice bianco, che spingeva una cassa con rotelle.

– E adesso cosa c'è?

– Una sorpresa per lei, signor presidente: la sua Supermodel.

– Mi prendete in giro? Chiusa in una cassa? Cos'è, un vampiro?

– No – disse Soldout – è una grande idea in collaborazione tra il Dipartimento di Tecnologia e Moda, la Lukas film e il pool delle industrie belliche. Hanno chiesto al computer: qual è la top model più bella del mondo? E il computer ha risposto assemblando le parti migliori delle top model esistenti.

– Una gran bella drizzamorale – disse Ciocia strizzando l'occhio – non vedevo niente di simile dai tempi di Marilyn.

Cominciò ad aprire la cassa. Ne uscì una mano, delicatissima. Poi una testa calva. Poi una chioma e un piedino. Il presidente arretrò di un passo.

– Ecco qua, in scatola di montaggio, la cybercreatura più perfezionata del secolo – disse il tecnico con tono orgoglioso – dodicimila circuiti neuronali, parla e risponde in sette lingue, ha movimenti corrispondenti al novantotto per cento delle possibilità motorie antropoidi, sa mettersi le dita nel naso come un bambino, corre come una maratoneta e scopa come un'acrobata. La pelle è identica alla pelle umana, compreso sudore e odore, e così tutto il resto.

– Peli compresi – disse Ciocia.

– Certamente. Guardi qua, presidente – disse Soldout, tirando fuori altri pezzi. – Il viso di Claudine Durand, il più bel musetto della Gallia, insieme agli occhi di fuoco della Silveira e alla bocca di Lili Schubert. I capelli sono di Ursula Stefensson. Tette dell'usitaliana Carpucci, le gambe della Neola Silver, naturalmente in versione bianca, il culo di Tamara Ghereskova, le mani di Rosita Quellar e i piedi di una chinese di cui non ricordo il nome.

– Ma è un mostro – disse Max.

– Uno splendido mostro. In quanto al sesso, ne ha tre versioni. Biondo, bruno e fulvo. Le modelle sono tre generose attrici che non vogliono essere citate. Poi c'è l'orecchio destro che...

– Va bene va bene, ma questo cocktail funzionerà?

– Funzionerà? – disse Soldout. – Sa perché la teniamo smontata? Perché chiunque l'ha vista ha perso la testa, fermerebbe il traffico se le auto potessero procedere, i soldati non si terrebbero più. È una vera macchina da seduzione, è la Madre di tutte le Fiche, la voce è quella di Sharon Stoole mixata col richiamo sessuale del procione, spara ferormoni come un mitra, ancheggia con sistema basculante Boeing-Volvo, la lingua è di schiuma di silicone azionata da trentasei micromuscoli, può fare cose che nessuna mortale...

– Basta – disse Max – montiamola e non se ne parli più.

– Certo – disse Soldout – veramente l'inventore, lo scienziato Peter Perotsny, avrebbe voluto essere qui per montarla personalmente. Ma ha avuto un incidente mentre cercava di assemblare un tirannosauro. Però ci sono le istruzioni e il tecnico signor Flanagan l'ha già smontata e rimontata personalmente quattro volte, nel laboratorio di Pasadena dov'è stata costruita.

– È facile da montare come una fottuta mitragliatrice Stinger – disse il tecnico Flanagan – e se posso dire, mi fa quasi tirare uguale.

– Zitto ragazzo, un due tre, montare – disse Ciocia.

36.
LA PROVA

– Un, due tre, forza ragazzi, tutti sul palco – ordinò Von Tudor.

A passo di marcia i trecento piccoli coristi con la maglietta sponsorizzata Belebon, salirono e presero posizione. Solo uno si mise due passi avanti.

– Chi è quel cretino? – urlò Von Tudor.

– È un bambino nuovo – disse il coreografo dei ballerini – si chiama Salvo. L'ha voluto il signor Hacarus.

– Qua tutti vogliono qualcosa – disse Von Tudor, sbuffando, e tirò fuori dalla custodia la sua bacchetta da direzione personale, in corno di uro. – Allora, cari passerotti, tra poco dovrete provare col re del rock, il grande Rik. Sappiate che lui è un tipo bizzarro e trasgressivo, ama i giovani ma è assai irascibile. Ciò è prerogativa dei grandi artisti e dei grandi condottieri. Il mio maestro di direzione, il celebre Hackelmann, dirigeva con una frusta lunga sei metri, e non c'era orchestrale che non portasse una cicatrice in faccia. Ora il playback e lo strapotere dei sindacati non lo permettono più...

– Siamo in ritardo – lo interruppe Soldout dalla cabina di regia.

– Era solo un aneddoto – disse Von Tudor – questo per dirvi, cardellini miei, rigoletti adorati, che dovete stare attenti a non sbagliare. E adesso avanti i danzatori.

I cinquanta ballerini si fecero avanti, vestiti da passanti, teppisti e poliziotti. Zippo aveva personalmente disegnato i costumi. Erano neri e si assomigliavano un po' tutti.

– Scusate – disse Von Tudor – quali sono i teppisti?

– Quelli con i tatuaggi – disse Zippo.

– E i poliziotti?

– Hanno gli stivali – disse Zippo.

– E gli altri?

– E gli altri non hanno niente, che domande.

Von Tudor lanciò uno sguardo perplesso in regia. Soldout fece segno che tutto andava bene. La luce illuminò la scena, che rappresentava una città fatiscente, con un cielo scuro sullo sfondo. Non si vedevano monumenti, né segni particolari, a eccezione delle insegne degli sponsor. Questo agitò Rutalini e Berlanga.

– Allora, vediamo di non sbagliare – disse Von Tudor. – Rik, sta guardando?

Dall'alto della cabina di regia, con gli stivali cobrati regalmente stesi sul mixer, Rik grugnì.

– Allora – disse Soldout – ecco la prima scena. I cinquanta ballerini danzano episodi di violenza e microcriminalità. Voi bambini vi coprite gli occhi e poi alzate le mani al cielo come vi ha insegnato il coreografo, a significare la vostra impotenza. Okay?

Trecento testoline meno una annuirono.

– Ehi tu, brunetto, non ci senti?

– Io non ho mai provato – disse Salvo.

– Be', tu hai una parte speciale. A un certo momento tu e Ofelia, tenendovi per mano, cercate di attraversare la strada. Un teppista con un giubbotto a righe rosse e azzurre vi sbarra la strada. Lo fa Jimmy, il ballerino negro.

– Bene – disse Berlanga.

– Ma ha una maschera, una maschera antigas – disse Von Tudor, leggendo perplesso il copione.

– Bene – disse Rutalini.

– Il negro vi afferra. Vi dovete fermare per cinque secondi, il tempo perché possa apparire sul maxischermo la scritta: "Se avessero un telefonino Tikità potrebbero chiedere aiuto". Poi voi due bambini cercate di fuggire, mentre il coro inizia a cantare:

Baby sei come me
La stessa voglia la stessa rabbia che
Baby la città è dura
Non uscire da sola la sera
Da da da dadda da da da dadda ye.

– Non è così – disse Rik – è *da da dadda dadda da da ye*.

– Ma è un po' aritmico – disse Von Tudor.

– Qua non stiamo a cazzeggiare con Beethoven, vecchio crucco, questa è la mia musica, perdio – urlò il cantante.

– Sia più educato, io ho diretto il *Ring* di Wagner – disse Von Tudor.

– Che cazzo c'entra il pugilato! – replicò Rik.
– Non litigate, per favore – mediò Soldout – ve lo ripeto, voi due bambini, scappate sulla destra del palco, dove c'è la rissa e stanno scippando la vecchietta, poi verso sinistra dove c'è lo stupro e il conflitto a fuoco, e intanto voi del coro con la testolina seguite i movimenti. A questo punto c'è l'effetto fumo, e si sente rombare una moto. Il coro canta:

Baby la notte è nera
Ma forse c'è una luce stasera
La la lallla lalla la lalla ehi.

Von Tudor guardò verso Rik, che sbuffò infastidito.
– A questo punto – spiegò Soldout – entra Rik sulla moto con in mano una birra, nell'altra una sigaretta e gli occhiali neri e il cappellino con la scritta ben visibile.
– E con cosa guido, coi coglioni?
– Dovevi pensarci prima di firmare i contratti con gli sponsor. La moto è una Dubango rossa.
– E vai!– gridò trionfante Rutalini.
– Rik ha una tuta e un casco azzurro. Se lo toglie e inizia a cantare. I ballerini, incantati, si fermano. Il miracolo avviene. Ogni forma di violenza cessa. Altri cinque secondi di pausa. Squilla un telefonino. La vecchietta risponde. Appare la scritta: "È così facile far star tranquilli i propri cari con un colpo di Tikità". Poi tu, brunetto, e tu, Ofelia, andate vicino a Rik e lui vi prende per mano.
– Perché? – chiese Salvo.
– In che senso perché?
– Perché ci prende per mano? Ci conosce? È nostro amico?
– È vero – disse Ofelia – mamma mi ripete sempre di non dare confidenza agli sconosciuti.
In cabina di regia Rik bestemmiò e tirò un cazzotto sul vetro. Pataz intervenne al microfono.
– Bimbi, voi conoscete bene Rik. Tutti lo conoscono. È il rocker più famoso del pianeta. Perciò gli date la mano fiduciosi, perché lo avete riconosciuto. Lui vi vuole bene.
– Veramente? – disse Ofelia.
– Se ci vuole bene – disse Salvo – vorrei dirgli che nelle camerate stiamo stretti e la prima colazione è scarsa.
– Cacciate via quello stronzetto – urlò Rik – o scendo e lo pesto! Chi cazzo lo ha scelto?
– Hacarus in persona – gli sussurrò all'orecchio Pataz – ha detto che è una specie di esca, o qualcosa di simile.

– Me ne vado – disse Rik – questa è una prova di merda. Non mi piace, riscrivete il copione o non canto più. In quanto a quei fottuti bambini, date fuoco alla camerata.

Pataz spense il microfono.

– È sicuro che Rik ci vuole bene? – disse Ofelia.

– Sicurissimo – disse Soldout. – Va be', allora proviamo almeno i ballerini. Lo scippo, lo voglio più vero. Riproviamo?

– Non si può – disse la vecchietta – qualcuno m'ha fregato la borsa.

– Eppure l'avevo montata bene le altre volte – diceva il tecnico.

Davanti a lui c'era una specie di scultura picassiana con le gambe sospese in aria, le braccia storte e la testa dondolante su un collo a esse. Per quanti sforzi si facessero, non si riusciva a montare la Supermodel.

– Prova almeno l'audio – disse il generale Ciocia.

– *Siete un pu-blico me-raviglioso* – disse Supermodel. La voce non veniva dalla bocca, ma da un altrove imbarazzante.

– Che disastro – disse Max – scommetto che non cammina neanche.

– Proviamo – disse Ciocia. Azionò il telecomando e la Supermodel iniziò ad avanzare sghemba, poggiando per terra alternativamente una mano e un braccio, poi ruotò sulla testa, fece una capriola e piombò in braccio a Max, assestandogli un gran pugno in faccia.

– *E ora la pu-blicità* – disse.

L'aggressione al padrone suscitò le ire di Baywatch, che saltò adesso alla Supermodel e le strappò una gamba, fuggendo poi rapidamente per i corridoi dell'albergo, inseguito dalla scorta.

– E adesso? – disse il presidente.

– Chiamate quei fottuti culimolli dell'Ottagono. Speriamo che ci sia almeno un pezzo di ricambio – disse Ciocia, frugando nello scatolone. Ne trasse fuori una testa con lunghi capelli. La mostrò a Max, che lanciò un grido. Il volto riproduceva i lineamenti di Melinda.

– Siete dei macellai – urlò Max – dei sadici senza cuore!

– È un'idea dello staff – disse il tecnico – pensavamo le facesse piacere.

– Porti via quella roba – disse il presidente – se entro stasera la Supermodel non sarà montata perfettamente, taglierò i fondi a tutti i laboratori universitari. Ci sono troppi intoppi in questo concerto, e quindi prendo io il comando delle operazioni. Intanto voglio più bombardamenti proseguenti, Bipì, Bipì, Bibibipì! Poi esigo che l'ingorgo sia sciolto, dite alla gente di uscire dalle auto e fatele saltare con l'esplosivo. Terzo, voglio compilare io il programma della serata, minuto per minuto, e se qualche artista protesta, può tornarsene a casa. Quarto, dite agli usitaliani che il loro quadro ce lo teniamo noi. Sesto...

– Ha saltato il quinto – disse Ciocia.

– Se dico che è sesto è sesto, io salto finché mi pare! Sesto, voglio una bottiglia di whisky.

Ciocia, ammirato, si mise istintivamente sull'attenti. Quel mollaccione lo stava sorprendendo, ecco finalmente un presidente coi coglioni.

– E d'ora in avanti, prima di fare le sorprese, avvertitemi – disse il presidente – decido io se devo sorprendermi o no. E non prendo più ordini da nessuno.

– Signor presidente – disse Stan – c'è Mister Hacarus in linea, dalla portaerei *Dread*. Dice che lei deve recarsi subito al palco. Sta per accadere qualcosa di molto importante.

Max strinse i pugni e corrugò il volto. Un tremito d'ira lo scosse, e poi si sgonfiò come un palloncino.

– Obbedisco – disse – ma voglio un altro Peto de Diablo.

37.

LO SCONTRO FINALE

Le luci erano spente, nella camerata militare dove erano rinchiusi i bambini del coro. Il sergente Madigan aveva appena terminato l'ispezione, e controllato che tutti i prigionieri fossero in branda. Ma appena il sergente se ne andò, un gruppo di ombre scivolò verso il bagno, da sempre luogo assembleare e gradito alle congiure giovanili. Là, a lume di candela, i ribelli si riunirono.

Erano Salvo, detto lo stregone.

Ofelia, detta la fatina.

Mangiasassi, così detto per la sua voracità.

Schiantacudruzzi, così soprannominato per la sua abilità con la fionda.

Crocefissa, per la sua magrezza.

Panona, per opposti motivi.

Cammello, per il labbro pendulo.

Neroseppia, per il colore della pelle.

Piedivolpe, per la sua abilità e silenziosità nei furti.

Triciclo, perché camminava con le stampelle dopo che una gamba gli era saltata su una mina.

Mattaz, per la sua abitudine di fumare l'erba stramonia.

Furbogatto, per la sua astuzia.

Cutter, perché girava sempre col coltello.

Sumarnaz, perché faceva sempre battute sceme.

Grigio, perché prendeva tutto sul serio.

Algebra, genio del calcolo.

Lagna, la lamentosa.

Genio, che capiva tutto al volo.

Selenia, la sognatrice.

Sifarà, che rimandava tutto.

Rosarosa, l'ottimista.

Cipolla, che piangeva sempre.
Bagai, soggetto poco raccomandabile.
Scoiattolo, per la sua abilità a scalare alberi.
Pesciolino, che poteva stare sott'acqua anche tre minuti.
Lombrico, per la sua abilità nella pesca.
Tittimanna, per i seni già sviluppati.
Torrone, per i brufoli.
Laccio, specialista di trappole per i conigli.
Ziperò, la precisa.
Vulcanina, che aiutava il padre fabbro.
Talpa, che accompagnava il padre tombarolo.
Metressa, che aiutava la mamma che faceva un mestiere assai antico.
Consolle, esperto di videogame.
Ionò, per il carattere assai libertario.
Iosì, il fratello conformista.
Ioanca, la sorella a cui andava bene tutto.
Ioboh, l'indeciso.
Ioscolto, che stava sempre zitto.

– Signori – disse Salvo aprendo la seduta – propongo di evadere. Ci stanno usando per i loro loschi fini. Non dobbiamo fare i buffoni per quelli che ieri oggi e domani ci spareranno addosso.

– Ieri ci spareranno non si dice – disse Ziperò.

– Il concetto era chiaro. Non c'è motivo per restare qua – disse Ofelia.

– Non si mangia male – disse Mangiasassi.

– Propongo di ammazzarli tutti a pietrate – disse Schiantacudruzzi.

– Io potrei passare attraverso le grate e aprire la porta – disse Crocefissa.

– No, ci sono dodici guardie ogni sedici metri per un totale di centottantaquattro metri da percorrere. Ci vuole un piano più preciso – disse Algebra.

– Diamo fuoco alle brande e poi vediamo cosa succede – disse Mattaz.

– Scaviamo una galleria – disse Talpa.

– Scaviamo anche una platea – disse Sumarnaz.

– Zitto, cretino – disse Grigio.

– Cominciate a scavare voi – disse Furbogatto.

– Cerchiamo di uscire dal lucernario – disse Scoiattolo.

– Cerchiamo la porta segreta – disse Consolle.

– Non c'è niente da fare, dovremo restare qui tutta la vita – gemette Lagna.
– Io scappo anche da solo – disse Ionò.
– Io vengo con te – disse Iosì.
– Anch'io – disse Ioanca.
– Io ci penso un po' su – disse Ioboh.
Ioscolto annuì.
– Cosa volete pensare, questi sono carogne – disse Triciclo – a me mi han portato via una gamba.
– A me han bombardato la casa e ammazzato il babbo, han detto per sbaglio – disse Panona.
– A me han portato via le bestie – disse Cammello.
– A me m'han pestato sul naso – disse Neroseppia.
– Anche a me, sui brufoli – disse Torrone.
– Han fatto bene, sei un kuduin – disse Bagai.
– Ragazzi, siamo sulla stessa barca – disse Lombrico.
– Io potrei preparare una trappola di corda per quando entra il sergente, e prenderlo in ostaggio – disse Laccio.
– E io lo seduco – disse Tittimanna.
– E io ti do dei consigli – disse Metressa.
– E io lo taglio in due – disse Cutter.
– Propongo di mettere ai voti domattina – disse Sifarà.
– Col cazzo – disse Ionò.
– Io voto con la maggioranza – disse Iosì.
– Io pure – disse Ioanca.
– Io non voto – disse Ioboh.
Ioscolto sospirò.
– Si potrebbe scappare da questo water – disse Pesciolino – se mi fate entrare a testa in giù, nelle tubature...
– Potrei scassinare la serratura – disse Vulcanina.
– Ci vuole un piano – disse Salvo.
– Io ho l'armonica, va bene lo stesso? – disse Sumarnaz.
– Zitto, scemo – disse Grigio.
– Io dico che qualcuno ci aiuterà – disse Rosarosa.
– Buahhhhh – pianse Cipolla.
E in quel momento sentirono bussare alla porta del bagno.
– Chi è – disse Salvo.
– Sono io, Miriam – rispose una vocina.
Salvo aprì con cautela. Era proprio la gemella. Salvo stava per abbracciarla, ma un colpo di vento spalancò la finestra della camerata. Un'altra Miriam, identica alla prima, saltò giù.
– Fratellino, stai attento – gridò.

– Qui c'è qualcosa che non quadra – disse il Genio.
– Che bello, un sogno – sospirò Selenia.
– C'è un double track nel livello – disse Consolle.
Le due Miriam avanzarono e si fronteggiarono con aria di sfida.
– Fratellino, non mi riconosci? – disse la prima Miriam.
– Non dargli retta – disse la seconda – lei è Enoma, lo spirito che ti ha rapito.
A quel nome, una nube nera invase la camerata. Tutti iniziarono a strillare. Parte del soffitto crollò, e dal cielo entrò un vento caldo di incendio, e odore di rami bruciati.
– Molto bene – disse la prima Miriam con voce roca – per non confondere le idee, sarà meglio che ci distinguiamo. Che ne dici di una superMiriam?
Con una giravolta, si trasformò in una Miriam grassa come un pallone, col volto coperto di cipria e belletto.
– Non mi piace – disse la vera Miriam.
– Una Miriam alta tre metri? – Ed Enoma si allungò in una bimba-serpente, con una testolina piccolissima.
– Fai una miniMiriam, se sei capace – disse Furbogatto.
– Hai letto troppe favole, ragazzo – disse Enoma, che ora aveva la faccia di una Miriam cattiva, con piccoli occhi da insetto – non è più tempo di giocare. È meglio che questa marmaglia se ne vada.
– Sì, ragazzi – disse Miriam – andate via, è pericoloso.
– Noi non ti lasciamo sola, Miriam – disse Salvo.
– Noi sì – dissero gli altri, e cominciarono ad allontanarsi.
– Chi si allontana lo fulmino coi miei poteri – disse Salvo.
Nessuno si mosse più.
– Bravo, stregoncino – disse Enoma – c'è qualcosa in te del talento di tuo padre. Io lo conoscevo bene, sai? Siamo stati anche amici un tempo. Bene e male ruotano e si cambiano posto a tavola, vento di terra e vento di mare. E adesso venite con me, vi voglio troppo bene per farvi del male.
– Non ho paura – disse Miriam – lo sapevo che saresti stato qui. Ma sono venuta lo stesso. Tanto prima o poi mi avresti trovata.
– Bene – disse Enoma, trasformandosi in Elmer, elegantissimo e con un fiore all'occhiello – allora seguitemi.
– No – dissero i gemelli.
– Se volete un incubo, piccoli sciocchi ostinati, lo avrete – disse Enoma – vi servirò qualcosa di orribilmente classico.
Gonfiò il collo e fece spuntare una cresta membranosa. Il cor-

po si ingigantì, il pavimento scricchiolò sotto il suo peso, un paio di ali enormi si spalancò schioccando, il vento fece volare le lenzuola della camerata, e schiantò le porte. Un colossale drago nero si impennò sulle zampe posteriori, come un cavallo imbizzarrito. Soffiò su Miriam un vapore denso e pestifero.

– Lavati i denti – disse la gemella.

– Fatti avanti – disse Salvo, impugnando la spada invisibile.

– Datemi una fionda – disse Schiantacudruzzi.

– Datemi il joystick – disse Consolle.

– Forse è un drago buono – disse Rosarosa.

– Buaaah – pianse Cipolla.

Il drago si mosse scompostamente, mandando all'aria i letti e sfondando il muro con un colpo di coda. Fece saettare una lingua prensile, da camaleonte. Ma i ragazzi, agilissimi, la schivarono.

Si udì un rumore di stivali, risuonò una serie di ordini secchi e apparve Hacarus, scortato dai suoi uomini.

– Elmer, levati quel ridicolo costume e smettila di esibirti – disse al drago.

– Come vuoi, padrone – disse ironicamente Enoma. La pelle del drago scivolò a terra in un mucchio informe e restò solo il giovane elegante.

– Che travestimento, ragazzi – disse un soldato.

– Non è un travestimento – disse Ziperò – era un drago vero di circa cinque tonnellate.

– Mi ha bruciato i capelli – disse Lagna.

– È un vero bastardo di un drago – disse Cutter, ed estrasse il coltello.

– Tenetemi lontani questi mocciosi – disse Elmer. – Come vedi, tutto è secondo le previsioni. La sorella è venuta per salvare il fratellino, e così ora li abbiamo entrambi. Vieni qui, bimba.

Enoma accostò la mano ancora squamata al mento di Miriam ma ebbe una sopresa: Miriam spalancò la bocca a dismisura e mostrò delle zanne da caimano, tranciandogli di netto il braccio.

– Maledetta! – urlò Enoma. Raccolse il braccio e lo riattaccò. Miriam, o qualunque cosa fosse, rideva sgangheratamente.

– Cosa significa questo? – disse Hacarus.

– Significa – disse Enoma, con la voce piena d'odio – che i miei amici sono astuti. Non hanno mandato la vera Miriam.

– Trucco contro trucco – disse una voce. Il muro della camerata crollò interamente e gli spiriti entrarono, con i lunghi mantelli svolazzanti che sembravano unirsi in un solo grande mantello. C'erano Poros, Kimala, Aladino, Zelda, Bes e un'altra decina di spiriti e demoni. Asmodeo delle legioni di mare, armato di un pescemartello. Ukobacco duca dei guerrieri alati, con uno scudo di farfalle. Balan dal corpo di macigno e Ayperos l'incandescente. Ebenezer con due amici, e tutta la gang di Halkin. Miriam con un balzo fu al loro fianco e si trasformò in Behemoth versione guerriera, un arcidiavolo con artigli fiammeggianti e la schiena irta di spade.

– Ma che bella compagnia – rise Enoma. – Bambini, avete mai visto un filmaccio horror così? Peccato sia roba vecchia, roba da bianco e nero.

– I mostri nascono dove c'è poca luce – disse Kimala – siamo tutti nati nel riflesso del fuoco di una caverna, nel lume di una candela, nei fuochi fatui. Lo hai dimenticato, brutto effetto speciale?

– Ti aspettavamo, Enoma – disse Poros – sapevamo che ti avremmo trovato qui. Be', siamo alla stretta finale. Pensaci bene prima di sfidarci. Se vuoi unirti a noi, sei ancora in tempo.

– No – disse Enoma guardandolo con odio – i ragazzi moriranno, le Porte verranno chiuse e resterò solo io.

– Non resterai – disse Poros – anche se sei lo Spirito di questi brevi anni miserabili, il nostro tempo è milioni di volte più lungo.

– Basta – intervenne Hacarus – distruggili.

– Prendi ordini da un uomo, Enoma? – rise Kimala. – Spirito debole, spirito servo.

– Apri gli occhi, Kimala – esclamò Enoma. – Gli uomini sono diventati più malvagi di noi. Il loro fuoco brucia più del tuo misero vulcano. Hanno incatenato le molecole al loro volere, e nessun uragano può uguagliare il loro vento radioattivo. Sospettavo che il richiamo di Ghewelrode fosse una trappola, che le lotte tra di voi fossero solo una finzione per attirarmi qui, e che alla fine vi sareste uniti. Cosa vuoi fare, Kimala, vendicarti degli uomini e distruggere tutto? È questo quello che tu chiami bene?

– Non hai capito nulla – disse Kimala – noi distruggeremo e ricominceremo. Tu vuoi continuare questa strada senza speranza, fino alla fine di tutto.

– Basta – disse Enoma, facendo apparire nelle sue mani una lunga spada ricurva – non tratto con voi, come non trattai con quella sciocca di Melinda. Vi presento la mia squadra. Per prime le truppe leggere.

Si vide il pavimento muoversi e squarciarsi, come scavato da gigantesche talpe.

– Molti sono andati via, ma molti sono rimasti sulla terra, cari colleghi – disse Enoma – spiriti, spettri e demoni hanno trovato lavoro, presso dittatorelli e servizi segreti, serial killer, o predicatori fanatici. Vi ricordate l'osceno Amon e il fetido Andras, il mostruoso Moloch e l'innominabile Abraxas? Ebbene, eccoli qua, al mio fianco.

Dalla terra spuntarono i demoni. Erano vestiti di blu, portavano cravatte di seta e avevano tutti la stessa faccia. Un volto da manichino, con occhiali neri, e un sorriso sprezzante.

– Certo, prima erano più spettacolari – disse Enoma. – Ora si assomigliano un po' tutti, come si assomigliano i loro padroni. Forse siete delusi, questo nuovo orrore non assomiglia al vostro, ma abbiate fiducia, ho ancora sorprese per voi. Le mie vere truppe celesti. Ascoltate la loro voce!

Si sentì nell'aria il rumore dei bombardieri.

– Voi forse siete più forti di me, uniti – disse Enoma – ma quando le bombe cadranno, in questo villaggio e nei villaggi lontani, quando si respirerà quest'aria di morte, io diventerò dieci volte più potente di voi.

– Non potete – urlò Salvo – non potete bombardare il villaggio!

– Oh, io non potrei – disse sorridendo Enoma – io non sbaglio mai. Ma gli uomini commettono spesso errori fatali.

Enoma alzò la spada e la conficcò nel suolo. Il colpo spaccò in due il pavimento della camerata. Hazel e Ukobacco furono ingoiati dalla voragine. Kimala si salvò con un balzo.

Gli spiriti scomparvero tutti insieme, come risucchiati verso il cielo. Poi risuonarono le prime esplosioni delle bombe. I bambini vennero spinti da un vento furioso fuori, verso la riva del mare. Da lì videro una nube infuocata ruotare e ingrandirsi sopra l'accampamento militare, videro i soldati fuggire, e poi si scatenò l'uragano, la pioggia scrosciò, il vulcano sparò lapilli che cadevano in mare senza spegnersi, il mare ardeva di fiamme danzanti e bagliori sanguigni. Nel cielo, le nuvole correvano in tutte le direzioni, sembrava che tutti i venti del quadrante soffiassero insieme. Poi si unirono in un vortice di tempesta, e assunsero l'aspetto di figure volanti che combattevano e si torcevano in forme mostruose, viluppi di fasmati, nembi e cirri si scontravano come spade, il cielo fu attraversato da una ragnatela di saette, e in pochi istanti sull'Isola caddero più fulmini che in tutta la sua storia. Il rumore era assordante, e la luce così intensa che bisognava distogliere lo sguardo. Alcuni aerei incendiati precipitarono sulle case del villaggio, già divorato dalle bombe. Eppure il mare restava tranquillo, liscio come una lapide di pietra. Un ultimo fulmine illuminò l'Isola a giorno, e incendiò la foresta sotto il vulcano. Il vulcano, di colpo, si spense, come se fosse stato riempito d'acqua. Scese un silenzio irreale, il cielo divenne color eclisse, e si alzò una nube di cenere. Un branco di uccelli cercò di volarne fuori, ma fu ripreso, e ingoiato. Un grande uccello bianco, forse un albatro, riuscì a volare verso la montagna. Portava sul dorso una figurina bionda.

Lenta e fredda, iniziò a cadere una pioggia nera.

E sotto la pioggia, tra le macerie dell'accampamento, si vide spuntare Enoma. Rideva, trionfante, e stringeva tra le mani il mantello insanguinato di Poros.

Quella mattina il presidente si svegliò con una precisa sensazione: non gliene importava più niente di nulla e nulla di niente. Niente di Melinda, niente del bombardamento notturno durante il quale per errore erano stati bombardati tre villaggi dell'Isola e la camerata dei bambini coristi. Dettò meccanicamente un telegramma di scuse. Ciocia venne a dirgli che l'ordine di attaccare era venuto direttamente dai culipesi dell'Ottagono, con orario preciso al secondo. L'unico al corrente del fatto era Hacarus.

– Mi hanno scavalcato ancora una volta, generale – disse il presidente – be', sai cosa ti dico?

– Cosa?

– Non me ne frega niente. Se nessuno ne parlerà troppo, anche questa notte scomparirà. Se nessuno ne parlerà troppo, anche il mondo scomparirà.

– Bella battuta – disse Ciocia, grattandosi la testa.

– Non è una battuta. Cosa ne pensi, fedele Stan?

Stan, chino su un pagliaio di spaghetti al sugo, non rispose. Il presidente notò che aveva un tatuaggio rosso in mezzo alla fronte.

– Ti ho chiesto cosa ne pensi. Sei sordo?

– Lei è diventato cattivo – disse Stan – perciò non può accorgersi che il cattivo voodoo ha vinto. Non vedremo più spiriti, né sortilegi. Tutto andrà bene, il suo Megaconcerto sarà un successo. Lei dimenticherà Melinda. È questo che voleva, no?

– Esattamente questo – disse il presidente – preparami un Peto de Diablo.

– No – disse Stan – vado a pescare. Anche a me non interessa più niente di nulla. Ci sarà gran piangianza e gran ridanza. Saluti, buana.

38.
IL BALLETTO FATALE

– Ok, ragazzi – disse Soldout – adesso proviamo l'entrata in scena di Rik. Tutti ai vostri posti. Il nuovo copione è questo: sullo sfondo il coro, non fate allontanare nessuno, che si piscino pure addosso. E niente dita nel naso, che coprite la scritta dello sponsor sulla maglietta. A sinistra c'è la scena della rissa. Botte vere voglio vedere, con quello che vi pago. Più al centro, lo stupro. Forza, tu con la giacca di cuoio, la stai stuprando, mica ci balli. E tu fuori la coscia, miciona. Al centro c'è la polizia sopraffatta dalla gang. Lì lo spacciatore. Lì il tossico. Dov'è il tossico?

– È andato a bere un tè.

– A bere? Non deve bere tè, deve farsi, che cazzo di tossico è, fatelo tornare sul palco. Poi lì a destra, ecco i due neri che scippano la vecchietta senza telefonino. José, arrota i denti, fai vedere che sei cattivo. Adesso, attenzione. Il chitarrista e il basso arrivano in moto e si piazzano lì. La moto bene illuminata, che si veda la marca. Dalla botola, con effetto fumo infernale, sbucano le tastiere. Fammi vedere il fumo. E lo chiami fumo quello? Non me ne frega un cazzo se lo respirano i bambini del coro. Vai, voglio un effetto da petrolchimico, una nube, così. Invece Crotalo entra da sinistra, con tutta la batteria montata sul carrello. Dov'è Crotalo? È sbronzo che non sta in piedi? Non me ne frega un cazzo, legatelo al seggiolino della batteria, mettetegli dei fili che gli muovano le mani, non abbiamo tempo da perdere. A questo punto il coro intona l'alleluia. Ed ecco la tempesta di luci, e dall'alto della gru, arriva Rik. Rik, sei pronto?

– Porca troia, l'imbragatura mi fa male alle ascelle – disse Rik, appeso a sessanta metri di altezza – ci vogliamo sbrigare?

– Abbi pazienza, Rik – intervenne Pataz – è un'entrata di grande effetto. Zenzero, nel suo concerto, scendeva da dodici metri.

– È il record, che io sappia – disse Soldout. – Io feci fare ventidue metri col trapezio ai Brisa Picerum, ma si schiantarono in prova. Allora Rik, il fascio di luce ti illumina lassù, e tu scendi piano, con la sigaretta e la birra bene in vista. Si fermano tutti, la rissa si placa, gli scippatori non scippano, lo stupratore si smorza, lo spacciatore chiude bottega. E poi tocca ai bambini, avanti Salvo e Ofelia. Voi avrete il costumino da poveri disegnato da Zippo, con le toppe dorate di strass. Avanzate saltellando ignari, come due cornacchiette. Un saltello a destra, uno a sinistra.

Berlanga e Rutalini, in agguato nella cabina di regia, si guardarono in cagnesco.

– Voi dovete saltellare ed essere ilari perché voi siete la speranza in un divano migliore... cosa c'è? Ho letto male? Ah sì, siete la speranza in un *domani* migliore, e scrivete più in grande, porca miseria. Allora, essendo voi la speranza eccetera, mentre gli altri si bloccano, tipo presepe vivente, voi andate incontro a Rik. Dovete fermarvi lì in quel punto segnato col gesso. Rik atterra e subito vi prende per mano e canta:

Baby sei come me
La stessa voglia la stessa rabbia che
Ma sento che stasera cambierà
per me e per te questa città
mettiti il vestito che piace a me
io come te tu come me
stasera la notte non è nera
stasera la notte è più sicura
da dada dadda da daddda da yeeeh.

– E poi c'è il cambio di luce da rosso in azzurro o da blu in rosa, vedremo, e tutti diventano buoni. Okay? Qualche domanda?

– C'è un problema – disse l'addetto alla gru – io non sono sicuro di centrare quel punto del palcoscenico. Se c'è del vento, Rik potrebbe oscillare.

– Va bene, allora voi bambini, attenti a beccare Rik nel punto dove atterra. Pronti? Via col coro. *Baby la notte è nera, baby che paura.* Va bene così. Scippate e stuprate. Urla, Olga, urla. Rissa. Voglio vedere il sangue. Dai con quella spranga. Forza la polizia. Nestor, picchia forte o si capisce che sei frocio. E voi, giù calci alla vecchietta, tanto è imbottita. Avanti il tossico, dai, barcolla. Cazzo, è caduto dal palco davvero. Bell'effetto, teniamolo. In scena il chitarrista e il basso. Piano con quella moto. Cazzo, l'hai messo sotto. Tirati su Jimmy, ti medichiamo dopo. Continuate, continuate. Adesso voglio vedere le tastiere che escono dal cuore della terra, fumo infernale. Su, più veloce. Cristo che testata. È svenuto il tastierista? Nessun problema, è un figurante, le tastiere sono registrate. E adesso spingete la batteria, voglio in scena la batteria. Ma come l'avete legato Crotalo, a testa in giù? Dai, raddrizzatelo. Okay ragazzi, adesso viene il bello, il clou, il top. Tutti fermi. Luce azzurra. Silenzio qui in regia, va bene, luce azzurra ma anche un po' rossa. Prime note di chitarra. Calate Rik: così, piano, piano. I bambini gli vanno incontro. Fatelo oscillare di meno, cazzo. Forza, bambini, cercate di vedere dove scende, così, un po' a sinistra ecco, perfetto, no, cazzo, troppo vicino! Cristo, ha centrato in pieno la bambina. Stop, stop.

– Vaffanculo, non è colpa mia – disse Rik – e poi come faccio con 'sto cazzo di birra in mano? – Era atterrato a piedi in avanti e aveva centrato sul naso Ofelia, che era precipitata giù dal palco.

– Gliel'ho detto, oscilla – disse l'uomo della gru.

– S'è fatta male? Naso rotto? Poco male, proviamo un'altra bambina. Tu che sei robusta, Vulcanina. Allora dai, un'altra volta. Facciamo così. I bambini li inchiodiamo al palco, con un tassello di legno sopra le scarpe, così se Rik li centra non cascano. Che ne dici?

– Col culo – disse Salvo.

– Ve la vedrete col sindacato di mio babbo – disse Vulcanina.

– Zitta, stronza, inchiodateli. Rik, vuoi rimetterti l'imbragatura e risalire, per favore? Vogliamo chiedere agli sponsor della birra se possiamo usare una lattina invece del bicchiere? Pensaci tu, Pataz. Allora, riproviamo?

– Cazzo, sono stanco – disse Rik.

– Tieni duro Rik, sarà grandioso, sembri un angelo vendicatore, e quando ci sarà il buio e la luce inquadrerà solo te e le tue scarpe fosforescenti la gente delirerà. E l'idea dei bambini è forte.

– Non sarebbe meglio una gran gnocca?

– Politicamente è più rischiosa. Le gnocche sono già in stand-by per il dopo-concerto. Dammi retta, i bambini funzionano sempre.

– Ho capito – sbuffò Rik – la speranza in un divano migliore, okay, riproviamo. Ehi, ma non è un fotografo quello là sull'impalcatura? Non voglio fotografie. Ho detto niente fotografie!

– Provvede lei, Ciocia? Okay, fatto. Bastava allontanarlo, non c'era bisogno che lo abbattesse.

– Non abbiamo tempo da perdere – disse Ciocia, riponendo il fucile.

– Chiamate un'ambulanza e ripartiamo. Siete stanchi, bambini? Sì? Non me ne frega un cazzo. La pipì? Qualcuno passi con un vasino a vuotare il coro. Va bene, con dieci vasini, fate in fretta. Allora, facciamo questa seconda prova e se va bene tutti a casa. Siamo pronti? Stavolta sto zitto, non dico niente. Rissa, scippo, stupro, spaccio, ecco. Voglio il tossico che precipita come prima. Se non vuole buttatelo giù, dai Samantha, spingilo, così, ottimo. Calci alla vecchietta. Perfetto. Adesso basso e chitarra. Salgono le tastiere, fumo infernale, non tossite bambini. Ottimo Crotalo, così, sembra che sia vivo, muovete i fili, perfetto. I bambini sono inchiodati bene? Allora, giù Rik. Inizia a cantare, apri le braccia, okay, sei fortissimo, sei un angelo vendicatore, cala, cala, troppo forte, troppo forte, occhio alla bambina. Perfetto! Vedi, l'hai centrata e non è caduta. Adesso prendili per mano.

– Sono inchiodati, Cristo.

– Tira forte, tira per il braccino. Bambini non urlate, è un attimo, così, perfetto. Ecco, adesso carezzali. Tieni su la bambina che è svenuta. Salvo, non divincolarti. Via col playback tre, il coro esulta, i ballerini si abbracciano.

Baby sei come me
La stessa voglia la stessa rabbia che
Cambierà
Per me e per te la città
Stasera la notte è meno scura
È più sicura e non fa paura finché dura
Dadadadda dadda ye ye
Basta coi giorni tristi
Coi giorni già visti
Baby ho un'idea sai cosa c'è
Togliti il vestito azzurro che piace a me.

– Fermi tutti – gridò Rutalini balzando in piedi sul mixer – questo non era previsto. Rik, ti tolgo tutte le piazze di Usitalia. Il pubblico moderista ti mollerà. Questo è un macigno sulla strada delle riforme.

– Si calmi e non mi sputi addosso – disse Soldout.

– Siete schiavi della propaganda – disse Berlanga – credete che il pubblico sia lì a far caso al colore del vestito di una baby? Secondo i miei sondaggi lo noterà solo il quarantatré per cento.

– Era nei patti, la canzone deve dire: "togliti il vestito rosso".

– Ci sono già i poliziotti coi calzini rossi, che è una cosa assurda, e poi Rik dice "giorni tristi" che fa rima con moderisti, perché non dice "sbagliati, sprecati, disperati" che fa rima con moderati?

– Voi due, geni della propaganda – gridò Soldout – andate a litigare in albergo. Rik, te la senti di farne una terza?

– Neanche per il cazzo – disse Rik – mi avete rotto i coglioni, bastardi. E come mai non c'è neanche un fotografo?

– Ma Rik... – disse lamentoso Pataz.

– Sei licenziato. E tiratemi giù. Piano, o ti faccio impiccare alla gru.

Le jeep arrivarono attraverso la pietraia, per non essere viste dalla strada. Il villaggio sulla montagna sembrava deserto. C'era un uomo di sentinella, con un fazzoletto bianco sul capo. Fu fulminato col silenziatore.

Da un blindato irto di antenne, mitragliette e telecamere, un triceratopo verde, Hacarus ed Enoma osservavano la scena attraverso un monitor. Elmer era sempre più elegante e simile a una copia giovane di Hacarus.

– Ti stai trasformando, Enoma – disse Hacarus – vuoi diventare un finanziere?

– Così do meno nell'occhio che come drago – rise Elmer.

– Le tue esibizioni terrorizzanti non ci servono più. Ci serve stanare la gemella. Ci è scappata troppe volte. Se è vero che nessuno spirito la protegge più, dobbiamo prenderla adesso.

– L'ho detto e lo confermo. Saranno in pochi a difenderla. Hanno capito che non c'è più nulla da fare.

In effetti, il villaggio sembrava quasi deserto. Si sentiva solo la voce di una donna che cantava da qualche parte, e il frinire delle cicale. Un ragazzo con la pelle olivastra attraversò la strada polverosa e salutò i soldati. Si avvicinò zoppicando, senza paura.

– Qualcuno vuole bere qualcosa? – disse, mostrando una brocca.

– Fila via, zoppo – disse uno dei soldati – non ci fidiamo di te.

– Vattene – disse un altro – la guerra non è per gli storpi.

Il ragazzo sorrise e se ne andò, senza dire una parola.

Miriam era andata a prendere acqua alla vasca di pietra. Sentì che qualcosa stava per accadere. Una farfalla gialla e nera si posò sul manico del secchio, come se volesse impedirle di usarlo. Un corvo strillò un richiamo di avvertimento, un roco "vai via". Il tattaceri, l'uccello dalla voce di vecchio, lanciò un grido di paura.

"I rumori della montagna sembrano tutti avvertimenti, gioiosi o tristi," pensò la bambina. "I suoni della città, invece, sembrano dire tutti la stessa cosa: vai in fretta. Oppure, la notte, sembrano lamenti di solitudine."

– Chissà se vivrò sempre in quest'Isola, o tornerò in città. E quanto vivrò ancora – disse alla farfalla.

Sentì rotolare dei sassi, nel bosco sopra la fontana.

"Se sapessi fare come Salvo, che legge il futuro nell'acqua." Ma la superficie verde, orlata di foglie della vasca, le rimandava solo il suo volto, e le chiome degli alberi riflesse.

Ora il bosco taceva e si udiva un rumore che Miriam conosceva bene. Il rumore di un motore.

"Pensano che non li senta," si diceva la bambina. "Ma io li ascolto, passo per passo. Ramo di corallo, conficcati nel cuore di chi mi vuole male. Mamma che non ricordo, babbo che non ho conosciuto, ci siete ora? Farfalla, non te ne andare, dimmi cosa vedi. Quanti sono. Due? Giovani? Belli, come i soldatini di Salvo? Hanno zampe di ragno, o il sorriso della pubblicità?"

Si voltò tranquillamente. Due marines le puntavano contro i fucili.

– Vogliamo giocare? – disse Miriam, e puntò contro di loro un bastoncino, come una minuscola spada.

– Abbassate le armi – ordinò Elmer, sbucando dal fogliame – la signorina non farà resistenza. Sa benissimo che, se facesse qualcosa di sbagliato, non rivedrebbe più il fratello.

– Eri più bello e originale da drago, sai? Ne vedo a centinaia come te, in città.

– Non sfottere, piccola – disse Elmer – ti prometto che, dopo il Megaconcerto, potrai tornare a casa.

– Non credo sia vero, signore – disse Miriam.

– Sì, stavolta è fatta – disse soddisfatto Hacarus al presidente. Aveva lasciato il suo bunker sulla portaerei per raggiungerlo nella suite, fatto quanto mai eccezionale, perché Hacarus non faceva mai visite. Si era anche concesso due calici di champagne, e quando beveva diventava particolarmente odioso.

– Abbiamo i due gemelli. La stampa è già avvisata, abbiamo dato a tutti quella vecchia foto. Li porterai sul palco. Un miliardo di persone vedrà che li abbiamo salvati, e non ci siamo dimenticati di loro, come spesso accusano. La nostra pietà va al di là dell'interesse dei media e del consumarsi dell'evento, dirai. Sublime ed efficace menzogna, quella che ci serviva. Le carte di credito piangeranno offerte in diretta.

– E dopo?

– E dopo, i loro amici saranno molto delusi. I figli del loro sciamano, stirpe ribelle, che si mostrano a fianco degli assassini del padre. Si sentiranno traditi. E li uccideranno. O almeno, così diremo.

– È troppo, Hacarus – disse il presidente – non abbiamo bisogno di macchiarci del loro sangue. Portiamoli via, nascondiamoli, incarceriamoli.

– Obbedisci e stai zitto, presidente – disse Hacarus con sguardo spento da ubriaco. – Sono io il padrone. Io controllo la tua politica, la tua economia e anche la tua pietà. Tu sei un nulla, presidente. Dovresti mettere la mia faccia sulle banconote. O quella di mio fratello. Vuoi sapere la sua storia?

– No, non mi interessa.

– Te la racconto lo stesso. Quando ero nei guai con gli strozzini, all'inizio della mia carriera, mi minacciarono di morte. Ci sequestrarono, eravamo in macchina insieme. Ci assomigliavamo molto, e io per salvarmi dissi che lui era me. E lui stette zitto. Lo massacrarono al posto mio, sotto i miei occhi, e io me la cavai. Quel giorno capii che avevo del talento. Come vedi, non tutti i gemelli si amano...

– Smettila di delirare, Hacarus. Elmer è vivo, l'ho visto al tuo fianco, e ci sono almeno trent'anni di differenza tra di voi. Sei ubriaco.

– Ormai tutti e due siamo disposti a credere a tutto. Agli spiriti, ai demoni. Vuoi sapere una cosa buffa? È mio fratello che ha ucciso Melinda.

Il presidente si alzò in piedi.

– Basta Hacarus – gridò – adesso stai esagerando! Sono stufo del tuo cinismo. Sono quelli come te che ci hanno portato in questo inferno. E quelli come me, che obbediscono. Ho sognato un paese una volta, con Melinda... ma è inutile, non capiresti.

Hacarus si inchinò ostentatamente.

– Mi perdoni, presidente. Ma sì, per un giorno puoi fare finta di comandare, tu e i tuoi miserabili alleati, quelli che stanno litigando per salire sul palco insieme a te. Va bene, sono il tuo umile servitore e ti faccio un regalo. Ti avevo promesso i gemelli e te li ho dati. Ti avevo promesso una top model speciale e ce l'hai. Ti avevo promesso un ospite eccezionale per il Megaconcerto, ed eccolo qui.

La porta si aprì. Entrò un signore grasso, con una folta chioma bianca, e lunghe basette.

– Sono onorato di conoscerla, presidente. Il mio nome è Elvis Presley.

39.
CHE LA FESTA COMINCI

Dalla finestrella con le sbarre si poteva vedere un pezzo di cielo diventare giallo, poi rosso, poi viola e argento. Qualche spruzzo di luce riusciva a entrare, e a colorare le lenzuola dei lettini.

– Non è bello vedere i fuochi artificiali così – disse Salvo.

– In città io sono abituata a vedere pezzi di cose – disse Miriam – il tramonto dietro lo spigolo del condominio, un albero da un buco nella rete, una bella nuvola dal vetro di un autobus. Qua sull'Isola, aprite la porta e guardate il mare, tutto per voi. Siete fortunati.

– Quando tutto sarà finito ti porterò a Capo Lupo. Da lì si vede il mare da due parti, da una parte calmo e dall'altra agitato, a destra la laguna e a sinistra la roccia con le tane dei falchi. È come essere sulla prua di una nave, o in groppa a una balena.

– Io ti posso portare in cima alla ruota del luna-park – disse Miriam – se non c'è nebbia si vedono le montagne. Oppure sul cavalcavia dell'autostrada, a vedere le file di macchine, e le gazze che rubano i pezzi dei vetri dei tamponamenti.

– E io ti faccio vedere il pesce volante.

– E io il gatto scavarumenta.

– Io il cinghiale sugherone.

– Io la pantegana verduraia.

– Vogliamo stare zitti? – esclamò una vocina adirata. Nei lettini i bambini dormivano, meno una decina.

Vulcanina, che si era appena svegliata.
Salvo e Miriam, che parlavano.
Cipolla, che piangeva.
Ofelia, a cui faceva male il naso rotto.
Sifarà, che aveva rimandato il sonno alla mattina dopo.

Ionò, perché gli avevan detto di dormire subito.
Mattaz, che contava le ombre.
Due che si baciavano.

– Faremo ancora un sacco di cose insieme – disse Salvo sottovoce.

– Se non finisce tutto qui – disse Miriam.

– Possiamo ancora tentare qualcosa – disse Salvo – proviamo. Chiama gli spiriti di città, se non abbiamo più quelli dell'Isola...

– Gli spiriti di città ricevono su appuntamento – disse Miriam – ho provato a chiamare le farfalle, ma nessuna viene...

– E neanche i ragni. Striccamuri, Zampelunghe, Borgia, Settepunti, Gorillino, Palanca, datemi un segno, un piccolo segno – disse Salvo, con voce rotta – non lasciateci soli.

A quel richiamo dal soffitto scese un piccolo ragno, appeso a un filo. Il vento lo faceva dondolare, sembrava che volasse. Ma quando Salvo lo prese in mano vide che era una pelle secca, era morto stecchito.

– Gli spiriti ci hanno abbandonato – disse Miriam – Enoma li ha incantati tutti.

– Poco male – disse Salvo con fierezza. – Sai cosa diceva papà? Mi diceva: "Il vero coraggio è quando non vedi nessuno vicino a te. Allora devi partire da solo. E poi magari ti volti indietro e c'è qualcuno, in mezzo agli alberi, sulla cima di una montagna, al di là del fiume. E capisci che sta camminando al tuo fianco".

– In città non è così – disse Miriam – però è vero, certe domeniche camminavo da sola, mi sentivo triste. Poi mi accorgevo che c'era qualcuno che guardava dalla finestra. E che qualcuno mi seguiva, chissà se era buono o cattivo. Scoprivo il cancello di un giardino un po' aperto, magari avrei potuto entrarci. E c'erano tante farfalle, se guardavi bene nelle siepi.

– Sali sulla spalliera del letto – disse Salvo – dalla finestra si può vedere un pezzo di strada. Ce la fai?

– Sì – disse Miriam – ma vedo poco.

– Facciamo così: sali sulle mie spalle.

– Non ce la faremo mai.

– Ma sì. Mi appoggio al muro, sali dai, e attaccati alla grata della finestra.

Miriam si arrampicò agile, mise un piede sul fianco ossuto del fratello, poi una mano sopra la sua testa, e riuscì a stare in piedi sulle sue spalle, afferrando le sbarre.

– Vedo bene adesso. Riesci a tenermi su?
– Sì. Chi c'è nella strada?
– C'è un uomo. Alto, coi capelli spettinati dal vento.
– Cosa fa?
– Cammina, va verso il mare. Ha una canna da pesca, e un cestino.
– Un cestino di paglia un po' rotondo, e ha al collo un fazzoletto che sventola?
– Proprio così. Adesso si volta e guarda verso la finestra. Ehi, mi ha salutato.
– Ha i capelli con la riga in mezzo. E c'è un cane, piccolo e nero che lo segue.
– Proprio così. Adesso ha ripreso a camminare verso il mare. Lo conosci?
– Sì – disse Salvo – è nostro padre.
– Non lo vedo più – disse Miriam – mi hai preso in giro, vero?
– No – disse Salvo – lui è venuto. Vuol dire che possiamo ancora farcela. Mattaz, sveglia tutti.
– Canto *Nessun dorma*? – disse Mattaz. – Gli soffio nell'orecchio? Gli scoreggio sul muso?

Il presidente prendeva il tè con Elvis e si faceva raccontare la sua storia. A sessantacinque anni, il cantante era ancora più grasso, ma abbronzato e sorridente.
– Non ce la facevo più, presidente, troppa pressione, il pubblico, i giornalisti, ero esaurito, pieno di pasticche. E come lei sa, avevo buoni rapporti con la Cia. Gli ho detto: fatemi sparire qualche anno, ragazzi. E così hanno messo in scena la mia morte, false foto, falsi bollettini medici. E io sono andato a vivere su un'isola. Non so se la conosce: Hakalaimahakalmafahnaliane.
– Sta scherzando? Ci sono stato un sacco di volte, ho una villa lì. Ma non l'abbiamo evacuata?
– Non del tutto. Dietro il promontorio delle Orchidee c'è una base militare top secret, sono rimasti anche alcuni pescatori e alcune signore, lei capirà che i militari hanno le loro esigenze. Poi c'è la mia casa, un bungalow in riva al mare, qualche volta faccio anche servizio bar, preparo cocktail, Peto de Diablo e Mojito, cucino qualche aragosta. I militari credono che io sia un vecchio generale in pensione. Ho vissuto lì vent'anni pescando, nuotando, e ripensando agli errori del passato. Ogni tanto prendevo la vecchia Fender e strimpellavo sull'amaca.

– Da solo?

– Be' ho ancora qualche fan – rise Elvis – comunque, quando Ciocia mi ha parlato di questo Megaconcerto mi sono detto, ragazzo, è l'occasione buona per tornare in scena. Quando poi mi hanno detto che avrei cantato *I can't stop loving you* con il presidente ho pensato: troppo onore...

– L'onore è mio, Elvis. Ho tutti i suoi dischi.

– E io conosco tutto di lei attraverso Cosmonet. Anche lei ne ha di ammiratrici, presidente.

– Be' non è tutto vero, ma insomma, qualche storiella l'ho avuta anch'io.

– Cinquantasei – disse Stan – cinquantasette se vogliamo contare anche quella morta nella pizza.

– Non gli faccia caso, Elvis – disse Max – è la mia guardia del corpo. È impazzito, l'hanno ipnotizzato troppe volte.

– Bel tipo, sembra Nat King Cole dopo dieci anni di steroidi. Ma mi tolga una curiosità, presidente – chiese Elvis. – Perché quella canzone? Chi è quell'*you* che non può *stop loving*? Chi è che non riesce a smettere di amare?

– La patria, naturalmente – disse a mezza bocca il presidente. – Perché mi fa questa domanda?

– Be' vede, nell'isola ho imparato un po' di voodoo. E lì si dice: "Hai laka me ne ohere leismè": un uomo che guarda il mare in un certo modo, è innamorato cotto.

Dal fondo del salone, Stan si alzò portando due Peto de Diablo speciali. Ne diede uno al presidente, e quando porse il bicchiere a Elvis, fece in modo che la croce di ossi gli dondolasse proprio davanti alla faccia. Elvis rise e tirò fuori dalla camicia una croce esattamente uguale.

– Ehi – disse il presidente – ma è lo stesso talismano.

– Roba da turisti – disse Elvis – ossi di pollo hakaroe.

– Sì – disse Stan – sfregandoli, arriva un pollo gigante e ti trasporta via. Una specie di radiotaxi locale.

– In tanti anni non mi avevi mai detto che eri stato in vacanza su quell'isola, Stan – disse il presidente.

– Non ci sono stato in vacanza, presidente – disse Stan – ci sono nato.

Il Napoleon era in subbuglio. Durante la notte, malgrado tutte le barriere protettive, alcune fan di tipo particolare erano entrate nella camera dei Bi Zuvnot. Si trattava di Greta, Linda e Pussy Anopheles, tre zanzare tigrate con lunghe gambe e vitino snello. Trovatesi a contatto coi loro beniamini dormienti avevano preso a baciarli nel mondo più appassionato che conoscevano, cioè succhiandogli il sangue. Il risultato era che i Bi Zuvnot erano pieni di ponfi rossi e sugosi, assai simili a una orrenda acne giovanile. Il truccatore Balaclan, disperato, si era arreso. I tre ragazzi si grattavano furiosamente e si mantecavano di creme. Si pensava di farli cantare con una maschera, oppure poco illuminati, mentre sul maxischermo sarebbe passato un loro video. Era stata sospesa la conferenza stampa a cui erano stati ammessi per estrazione cinquecento giovani fan che avevano risposto esattamente a milleduecento domande sulla biografia del gruppo.

– Aveva detto Hacarus che non avremmo avuto più problemi – disse Soldout – ma qua le grane non finiscono mai.

– Piccole grane – disse Ciocia – il palco è perfettamente pronto. Dalle sei di stamattina migliaia di persone sono in fila per entrare anche se c'è un caldo torrido, le stiamo annaffiando con gli idranti. Abbiamo sbloccato l'ingorgo con la dinamite, nelle auto arroventate abbiamo trovato solo quaranta cadaveri: ventotto umani, dieci cani, un criceto e qualcosa che potrebbe essere una vecchietta gobba o un venusiano. Le televisioni e i giornalisti sono al completo, abbiamo paracadutato gli ultimi. E ieri abbiamo mitragliato una base segreta dei ribelli. Erano nascosti sulla ruota del luna-park e fingevano di essere turisti.

– Siete sicuri?

– Non del tutto. Inoltre abbiamo montato la Supermodel e funziona benissimo. L'ha collaudata personalmente il sergente Madigan.

– Cosa le ha fatto fare?

– Una sfilata di sedici chilometri di marcia nella palude.

– Io l'avrei usata diversamente – sospirò Soldout. – Questo mi ricorda che devo parlare con Felina Fox. È furiosa, dice che la stiamo trascurando. E Zenzero è ancora più arrabbiato. Ha saputo com'è l'entrata in scena di Rik, e anche lui vuole arrivare dall'alto.

– Possiamo spararlo con un mortaio da ventotto – disse Ciocia.

– È un'idea – disse Soldout estraendo il telefonino. – Glielo proporrò. Pronto, vorrei parlare con le camere di Felina Fox e Zenzero.

– Sono appena usciti – disse il concierge dell'albergo.

– E con chi?
– Con il signor Pataz.

Chissà chi aveva insegnato a Pataz quella deviazione dentro la pineta, quella stradina di sabbia che aggirava le postazioni dei soldati e sbucava dietro al paese, proprio vicino alle ultime case, dove alcune donne vestite di nero stavano sulla soglia, impassibili, guardando passare il fuoristrada verde smeraldo dell'ex impresario di Rik.

– Brava gente tranquilla – disse Pataz.

Una mezza anguria lanciata da qualche finestra si stampò sul parabrezza.

– Certo, dopo dieci anni di guerra...

– Spero che la tua idea non sia una fregatura – dissero quasi all'unisono Felina Fox e Zenzero. Erano stravaccati sul sedile di dietro, e facevano a gara a chi aveva gli occhiali da sole più grandi. Quelli di Zenzero erano gialli e sembravano due fari antinebbia. Quelli di Felina le riparavano dai raggi anche le tette.

– Non è un bidone – disse Pataz – vi voglio aiutare. Quell'ingrato di Rik! Quindici anni della mia vita gli ho dato, era un rockettaro da cantina e ne ho fatto una star, per lui ho leccato il culo al mondo, ho pagato i disc-jockey, ho sopportato le sue isterie di finto trasgressore. È viziato come un principino, non sa neanche accordarsi la chitarra da solo. Tutto gli ho dovuto fare, dal risolvergli gli aborti delle fan a comprare le classifiche. E adesso mi licenzia. Ma io mi vendicherò. Crede che la sua entrata in scena sia clamorosa? Be', vedrete quella che ho pensato io per voi.

Il fuoristrada svoltò in uno spiazzo. Vi era accampato un piccolo, decrepito luna-park. Due baracche di tiro a segno, una giostrina, un calcinculo, un piccolo tunnel degli orrori, una galleria degli specchi. Tutto era polveroso e vecchio, i disegni erano scrostati. Solo qualche ornamento e fregio dorato testimoniavano un'antica nobiltà.

– Di qua – disse Pataz, indicando la galleria degli specchi.

– Io sono claustrofobo – disse Zenzero.

– E io meteoropatica – disse Felina Fox per non essere da meno.

– Il nostro uomo ci attende qua dentro. Se volete fregare Rik, seguitemi.

Entrarono. C'era un caldo soffocante, odore di polvere e cartapesta. Il primo specchio li allungò come elastici, il secondo li rese obesi. Il terzo fece venire a Zenzero un gran testone e il quarto allargò a pera il culo di Felina. Il quinto, invece, sembrava normale. Zenzero ci si mise davanti e disse.

– E questo cosa cambia? Nulla, mi sembra.

Anche Felina si specchiò.

– Proprio nulla. Però vuoi sapere una cosa, Zenzero? Mi vien voglia di dirti che sei un grande ipocrita e anche se siamo momentaneamente alleati, mi piacerebbe che tu facessi una gran brutta figura, tu e le tue panzane sul pensiero positivo, hai cambiato ideologia e look sette volte in sette anni.

– Grazie della sincerità, Felina, e sinceramente ti risponderò. In verità non me ne frega un cazzo né del pensiero positivo né della new age e delle cosmic vibrations. Mi sembrava un buon trend da assecondare. Io bevo, speculo in borsa, sono socio di un'industria petrolchimica, porto i soldi nei paradisi fiscali. Le mie frasi celebri me le scrive un ex professore di filosofia che pago due lire. E detesto il mio pubblico.

– Lo sospettavo. Be', anch'io politicamente non ho mezza idea. Ho letto Marx e Gramsci un pomeriggio sull'enciclopedia, sono diventata moderista di sinistra perché in quel momento era la strada più facile per fare film. A casa ho sedici pellicce, per presentare un festival sono andata a letto con un cugino di Berlanga e sono intimamente razzista. E anch'io detesto il mio pubblico, quei giovinastri spettinati e beceri.

– Be', questo specchio fa venire strane idee. Anche senza consultare il mio agente, ti tromberei qua davanti.

– Non conti abbastanza perché mi faccia trombare da te, e poi lo sanno tutti che ti piacciono le ragazzine di dodici anni.

– Forse è meglio se vi allontanate da quello specchio – disse Pataz. – Il nostro uomo ci sta aspettando.

Percorsero un corridoio buio, con mascheroni di pagliacci, e sbucarono in una sala stile Mille e una notte, con cammelli in peluche, ridicole palme fosforescenti e, come sedili, delle lampadone dorate, piene di ragnatele. Seduto su un pouf, c'era un uomo dall'aspetto zingaresco, con un orecchino a forma di mezzaluna, e calzoni da cavallerizzo.

– Chi è questo, il genio della lampada? – rise Zenzero.

– Non mi sembra un grande esperto di show-bisnes – disse dubbiosa Felina.

– Abbiate pazienza – disse Pataz. – Amos, ti presento i miei due protetti, li conosci?

– Chi non conosce il genio e la bravura di Zenzero e Felina

Fox? – disse Amos con grande sussiego. – È un onore per me ospitarvi nel mio luna-park. Capisco il vostro disagio. Ora questo luogo è triste e malandato. Ma una volta era il parco divertimenti più grande e rinomato del paese. Anche il re e la regina... ma scusate, parlo da vecchio. Stasera voi sarete il re e la regina di questo luna-park.

– Lei è gentile – disse Zenzero, cercando un posto non impolverato dove sedersi – ma non vedo come può aiutarci.

– Questo luna-park nasconde molte sorprese – disse Amos. – Se volete seguirmi...

Uscirono dalla galleria. Nello spiazzo, c'era una gabbia con due piccole scimmie puzzolenti, un'antica insegna che diceva "La Giostra del Paradiso", e, proprio in fondo, qualcosa coperto da un enorme telone.

– Sono anni che non lo usiamo – disse Amos, avvicinandosi all'oggetto misterioso – la sua bellezza è stata dimenticata, ma per voi tornerà a risplendere.

Amos e Pataz si diedero da fare tirando corde, finché il telone non iniziò lentamente a scivolare su qualcosa di enorme e lustro. Il telo cadde, e Zenzero e Felina rimasero a bocca aperta. Davanti a loro c'era un meraviglioso cigno di metallo, alto una decina di metri, decorato con fregi bianchi e dorati, splendente al sole come una gemma. Le ali erano in rilievo, formate da lamine di metallo sottilmente lavorato, il collo si innalzava per quattro metri senza alcun segno di giuntura, sul capo sfavillavano gli occhi di cristallo azzurro, il becco smaltato sembrava sul punto di spalancarsi e cantare.

– Ma è splendido – disse Zenzero.

– Troppo forte – disse Felina.

– È l'ultimo dei Grands Oiseaux della ruota del Paradiso, quattro cigni meccanici costruiti da Geppetto Kroner, il re della meccanica circense. Gli altri sono tutti distrutti. Era l'attrazione del Giardino di Leningrado, del Tivoli di Copenaghen, del giardino pensile di Ninive. Certo, non è pieno di meccanismi sofisticati come quei dinosauri computerizzati di adesso. Ma è un'opera d'arte, e la sua meccanica è prodigiosa. Il re di Montecalvo mi offrì un miliardo, ma io non glielo diedi.

Zenzero lanciò a Pataz un'occhiata interrogativa. Vera o falsa che fosse la storia dello zingaro, il cigno era comunque un oggetto assolutamente unico.

– È bellissimo – disse Felina, sfiorandolo con la mano – i rilievi sembrano proprio d'oro, e queste sembrano perle vere. Nessuno scenografo moderno saprebbe fare di meglio.

Lo zingaro si inchinò, visibilmente compiaciuto.

– Ci salga. È degno di lei.

Come per incanto, da un fianco del cigno uscì una scaletta, e Felina si arrampicò. Sul dorso c'era un abitacolo con una decina di sedili di velluto.

– Zenzero, sali – disse – è incredibile. Si vede il palco da qui.

– Sì, è notevole – disse Zenzero – ma se ho ben capito, lei vorrebbe farci entrare in scena con questo.

– Esatto – disse Pataz – il cantante e la diva, il santo e la peccatrice, Lohengrin e Margherita, insieme sul magico cigno.

– Ma bisognava pensarci prima – disse Zenzero scuotendo la testa – per portare questo mostro di ferro fino alla salina ci vorrebbero tre Tir, e poi metterlo su una struttura, preparare dei binari...

– Niente di tutto questo – disse Amos – se permette, le faccio vedere una cosa.

Girò una maniglia sul fianco del cigno e aprì un portello. Apparve un motore perfettamente tenuto, pieno di pulegge e stantuffi, sembrava il motore di una vecchia locomotiva. La data di costruzione era illeggibile, ma tutto era oliato e lucido.

– Io personalmente lo tengo in funzione e lo faccio andare ogni anno – disse Amos – marcia come un orologio.

– E cammina? Ha le ruote? – chiese Zenzero.

– Molto di più. Si accomodi e le farò vedere.

Zenzero salì e si mise accanto a Felina. Dall'alto del cigno poteva vedere la mole argentea del palco in mezzo al mare della salina. "Non ce la faremo mai," pensò. Ma in quel momento Amos mise in moto, e il motore si mise a rombare. Sembrava di essere su una vecchia cremagliera, dalla coda del cigno uscì un getto di vapore bianco che non odorava di carbone, ma di muschio ed erbe. Il cigno iniziò a rollare.

– Funziona – disse Felina – immagina la faccia di Rik quando arriveremo con questo.

– Non ce la può fare – disse Zenzero scettico.

Sentì che la vibrazione sotto di sé era aumentata, e la struttura cigolava. Vide, con stupore, che le ali di metallo del cigno si aprivano, ampie e ben equilibrate come le ali di un jet.

Pataz anticipò la sua domanda.

– Ebbene sì, cari ragazzi – disse Pataz – questa cosa vola!

– È impossibile – disse Zenzero.

– Capisco che avete bisogno di una prova – disse Amos – be', vi farò fare un volo di prova dietro la montagna, là dove nessuno potrà vedere. Se permettete, faccio salire l'equipaggio.

Sentirono qualcuno che si arrampicava. Erano due nani, con occhiali da aviatore e un buffo casco a testa di papero. Presero posto davanti a un cruscotto di latta che sembrava quello di una automobilina giocattolo.

– Vi presento Poldo e Perla. Il cigno non può sopportare molto peso. E loro sono i piloti ideali. Siete pronti?

– Io ho paura – disse Zenzero. – Ho sempre viaggiato sul mio jet personale, non so se...

– Cretino – disse Felina – se funziona, avremo tutti i titoli dei giornali per noi. Rik avrà un travaso di bile.

– Credo che tu abbia ragione.

– Allora partiamo – disse la vocetta di Perla.

– Motori al massimo – disse Poldo.

Il cigno iniziò a rombare. Videro in basso Amos e Pataz che li salutavano.

– Un voletto e noi vi aspetteremo qui – disse lo zingaro.

– Grazie, signor... come ha detto che si chiama?

– Ameunsis – disse lo zingaro – per gli amici Amos.

– Pronti al decollo – disse Poldo.

Il cigno prese subito velocità sullo spiazzo e decollò in pochi metri. Batteva le ali proprio come un cigno vero, ed era assolutamente silenzioso. Il solo segno del motore era quella striscia di vapore bianco e profumato.

– Tutto bene? – disse Poldo. Si tolse casco e occhiali. Non era un nano, era un bambino di non più di dieci anni.

– Ma tu...

– Sì, sono un bambino, ma ho molta esperienza di volo. E anche Perla.

Anche Perla si era tolta il casco e sorrideva, era una ragazzina con le trecce rosse.

– Esperienza... alla tua età? – balbettò Felina.

– Sì – disse il bambino – ho volato per quarantadue anni. Perla un po' di meno.

– Ci state prendendo in giro, vero?

– No – disse Poldo, compiendo un'ampia virata verso il mare – io dimostro dieci anni perché sono morto a dieci anni, nella guerra del '42. Lei invece è morta nella guerra dopo, è una kuduin...

– Che scherzo è questo e dove stiamo andando? – chiese preoccupato Zenzero.

– Avvertiamo i signori passeggeri di allacciare le cinture di sicurezza e non sporgersi dal Cignomobile – disse Perla, con voce da hostess. – Il tempo sulla rotta è buono e contiamo di arrivare a destinazione entro centosessanta giorni circa. Durante il volo vi verrà servito un solo pasto, ma assai energetico. La boutique dell'aereo è a vostra disposizione per l'acquisto di cravatte, profumi e orologi di marca, anche se adesso non vi servono più.

– Aiuto – disse Zenzero mentre il cigno spariva tra le nuvole, ed estrasse il portatile.

– Ricordiamo ai signori passeggeri che su questo Cignomobile è proibito l'uso dei telefoni cellulari – disse Perla, strappandoglielo con mossa rapida e lanciandolo nel vuoto.

– Qualcuno ci salvi – disse Felina.

– Tenete allacciate le cinture di sicurezza – disse Poldo – stiamo per uscire dall'attrazione della realtà terrestre.

40.
MUSICA, FINALMENTE

Il primo a prendere posto fu il califfo Almibel. Per lui era stata preparata una rampa che portava al punto più alto della tribuna. Su questa rampa il califfo fece la sua trionfale ascesa. Era racchiuso come una perla dentro un baldacchino blindato per la cui costruzione si erano sposati oreficeria e tecnologia, vetri antiproiettile e colonnine di giada, avori e fotocellule, broccati e titanio. Questo ambaradan era trasportato sulla groppa di quattro elefanti, rivestiti, invece che dalla tradizionale bardatura, da giganteschi smoking neri firmati Zippo e Banana. I pachidermi, a testa bassa, sembravano gli unici dubbiosi di questa operazione. Si chiamavano Babar, Shybar, Pianobar e Alobar.

Quando il califfo ebbe preso posto, fu il turno dei vescovi, nel quadro del gemellaggio col Giubileo. Entrarono con le palandrane viola a cui qualcuno aveva audacemente abbinato una maglietta di Zenzero o un taglio di capelli con mèches indaco e oro. Benedicevano gli astanti e distribuivano santini in cui si ricordava che ogni ora di spettacolo senza parolacce e allusioni sessuali valeva dieci anni di indulgenza plenaria. Poi tracimarono i Vip. Salì un coro di anchetuqui, guardachicè, caraseisempretù, inframmezzati da trilli di cellulari in varie tonalità, dal cibernetico al sinfonico, dal flebile al lacerante, da Heidi a Haydn. La vipperia cercò di occupare i palchi in un ingorgo di gorilla, e i salamelecchi iniziali degenerarono in checazzospingistronzo, sitolgadilì e leinonsachisonoio. I box erano duecento, e le personalità di mezzo mondo si sbranavano per accaparrarsi i migliori. Nel box di Ciocia si erano accatastati quaranta generali occidentali e sovieti, e ogni volta che qualcuno si muoveva mostrine e medaglie si incastravano. Nel palco sottostante, il re di Montecalvo e il re del Latte si prendevano a sberle, per via del furto di sedie da un box all'altro. Gli stilisti e gli sportivi litigavano senza alcuno stile e fair play. Nel box dei mafiosi, risuonò una raffica di colpi e un signore baffuto e sorridente uscì spiegando che trattavasi di brindisi. Berlanga e Rutalini avevano due box comunicanti, e tra i cento sceltissimi invitati era tutto un salutarsi e complimentarsi pur nella diversità ideologica. I più calorosamente festeggiati erano i più recentemente assolti. Berlanga e Rutalini però non c'erano, erano chiusi in albergo, per decidere di che colore doveva essere il vestito della baby di Rik.

Sotto i palchi, la folla si accalcava spingendo contro le transenne, gli idranti avevano finito l'acqua e ci si doveva accontentare degli sputi e dei preservativi pieni d'acqua dei simpatici figli del sultano del Brunero, che dall'alto bersagliavano la folla.

C'erano già i primi malori. Una gru ogni tanto faceva scendere il gancio-barella e portava via un collassato o un morto. Spesso sbagliava e ne pescava tre o quattro alla volta, e li doveva mollare. Ma la gente era felice. Si sentivano cori e si innalzavano cartelli. Le televisioni intervistavano.

– È un gran casino – disse un ragazzo – mi piacciono le emozioni forti. Dopo buttarsi in un canyon pieno d'acqua e fare weekending in autostrada, questo è quello che preferisco.

– Sono venuta per Rik – disse una seconda ragazza – lui è come noi. Anche se in questo momento è sotto la doccia nel camerino, idealmente sento che è qui a soffrire il caldo.

– Siamo qui per la pace – disse un terzo – almeno, così c'è scritto sul programma.

– Io sono venuta per i Bi Zuvnot – disse una quarta. – Anche se manca Paul. – E scoppiò a piangere a dirotto.

– Io sono venuta per Zenzero, Zenzero mi ha cambiato la vita – disse una quinta – ero piena di paure, adesso credo in Dio e prendo l'ascensore.

– È uno schifo, ci trattano come bestie – disse un sesto. L'intervistatore lo segnalò con un cenno al servizio d'ordine, che lo portò via.

In cabina di regia Soldout controllava le inquadrature. La diretta Trivù era iniziata, c'erano solo venti minuti di sigla e pubblicità e poi tutto sarebbe cominciato. I cartelloni degli sponsor brillavano come diamanti. Il palco era coperto da un sipario con la scritta:

INSIEME PER

Si era deciso, per non dimenticare e scontentare nessuno, che era meglio lasciare il seguito all'immaginazione degli spettatori.

– Bisogna aprire i cancelli – disse Soldout – non possiamo tener calma tutta questa gente. Sono lì da ore.

– Che soffrano ancora un po' – disse Elmer, in smoking bianco – più soffrono, più dolce sarà lo spettacolo.

– Suo fratello è quasi più carogna di lei – disse Soldout.

– Già – disse Hacarus, ingrugnito – mi sembri troppo allegro, Elmer. Avevi detto che tutto sarebbe andato liscio, ma i Bi Zuvnot sono impresentabili, e sono spariti anche Zenzero e Felina Fox. Sei sicuro che i tuoi amici siano sistemati?

– Abbi fede, fratellino – disse Elmer – è stato soltanto il colpo di coda di un manager frustrato e di un vecchio sciamano. La pagheranno. Niente può impedirci di trionfare. Guarda che luna livida, senti che odore di marcio, la salina sta fermentando, una serata perfetta.

– Non mi fido di te – disse Hacarus – sono preoccupato. Voglio che i due ragazzi entrino in scena adesso. Voglio eliminarli subito.

– Eliminarli? – disse Soldout.

– Intendo dire mandarli a casa.

– Va bene – sbuffò Soldout. – Comincia il coro, poi entra il presidente con la Supermodel. Poi faccio entrare subito i due ragazzi. Ma basta cambiare programma, o la regia ve la fate voi da soli.

– Cominciamo – disse Hacarus.

– Aprite i cancelli – disse Soldout.

Il pubblico franò dentro come un torrente in piena, come una colata lavica, come una spaghettata dalla pentola. I più fortunati riuscirono ad arrivare in prima fila e a conquistare una sedia, i meno fortunati restarono al suolo, e furono pestati come tappeti. Ma quasi tutti si rialzarono. Poi fu aperto l'apposito settore ed entrarono ordinatamente i soldati, a passo di marcia. Li guidava il sergente Madigan con una bandiera, un serbatoio di Copsi e un pacco di popcorn da venti chili. Fioccarono applausi e rari fischi. Ora mezzo milione di persone era schierato sulla salina. Il sipario si alzò e un applauso fragoroso accolse i bambini del coro che cantavano l'inno dell'Impero. Von Tudor aveva fatto un bel lavoro, le bocche si aprivano in perfetto sincrono, i sorrisi erano smaglianti. Ciocia si mise a piangere.

A questo punto era previsto un colpo a sorpresa. Mille colombe, contenute in una gabbia, dovevano alzarsi in volo, a simboleggiare la pace. La gabbia fu aperta. Ma sfortunatamente, nella confusione degli ultimi giorni, nessuno si era ricordato di nutrirle. Se ne alzò in volo una sola, lanciò uno strillo affamato e stramazzò al suolo.

Il pubblico applaudì ugualmente.

Il concerto del secolo era iniziato.

41.
ANCORA GUAI

Nel suo camerino il presidente Max passeggiava nervosamente. Sentiva, fuori, l'ululato della folla. Balaclan gli incipriava amorosamente il naso. La sarta gli sistemava il papillon. Stan rosicchiava biscotti e teneva lontani i curiosi.

– Come sto? – chiese il presidente.

– Splendido – disse la sarta – io ne ho vestiti quattro di presidenti, da vivi e nella bara. Ma nessuno porta lo smoking come lei. Io la seppellirei in smoking.

Il presidente si toccò democraticamente le balle e chiese:

– Arriva o no questa Supermodel?

– Sembra ci sia qualche problema – disse Ciocia, apparendo tutto sudato, col tecnico a fianco. Avevano tutti e due vistosi graffi sulla faccia.

– E cioè?

– Non è in pace con se stessa – disse il tecnico.

– Fatemela vedere – disse Max, deciso.

– È nel camerino a sinistra. Ma sia prudente – disse il tecnico – è un po' nervosa.

Il presidente entrò e vide la Supermodel seduta, anzi aggrovigliata su una sedia. Con una mano si tirava i capelli, l'altra mano graffiava un seno, le gambe tiravano calci tutto intorno, e la bocca cercava di mordere un braccio.

– Qualcosa non va, signorina? – chiese il presidente.

– Qualcosa? – disse una voce acuta. – Le sembrano tette, queste?

– Sono delle signore tette – disse una voce diversa, sempre proveniente dalla Supermodel – il problema è la faccia da culo che ci sta sopra...

– Siete due pezzenti – disse una terza voce – io le mie gambe in questo schifo non le metto.

– Ehm, signorina, o signorine che dir si voglia – disse il presidente – io capisco che forse è stato traumatico unire insieme i pezzi di tante bellezze... ma il momento è grave, storico direi, e bisogna andare d'accordo. In fondo anche il nostro grande paese è fatto di tanti stati diversi, eppure...

– Va bene, presidente – dissero le gambe di Neola – se è per la patria, ci sacrifichiamo.

– Io me ne frego del vostro paese – dissero le mani di Rosita, avvinghiandosi alla sedia – con queste tette e soprattutto con questi capelli non vado in scena. Guardi, sembrano stoppa.

– Ahi – dissero i capelli di Ursula.

– Ragazze, io mi gioco la faccia – disse Claudine.

– Ma va' là, troietta francese – dissero gli occhi della Silveira – se non ci fossimo noi, saresti espressiva come un cadavere.

– Ti proibisco di parlare così alla mia amica – dissero le mani di Rosita, e un dito centrò l'occhio destro.

– Fatti i cazzi tuoi, lesbicaccia – disse la bocca di Lili – io voglio andare in scena, è la mia grande occasione.

– Neanche per sogno, pompinara – disse Rosita, e le sparò un pugno nei denti.

– Io me ne vado, siete pazze – dissero con voce delicata i piedi della chinesina, e si girarono verso la porta.

– Vengo con te – disse il culo di Tamara.

– No – dissero le gambe di Neola – si va in scena per il mio paese!

Il risultato fu che piedi e ginocchia si torsero, le mani cercarono di afferrare le caviglie ma un morso le fermò, la Supermodel perse l'equilibrio e crollò al suolo. Il naso di Claudine si era staccato e cercava di nascondersi in un angolo come un topino.

– Signorine, vi prego, un po' di collaborazione – disse il presidente – siete indecorose.

Si prese un calcio nelle palle, uno sputo in faccia e un peto sovieto. Vedendo che la Supermodel si preparava a un nuovo attacco, il presidente guadagnò la porta.

– Qualcuno vada dentro e raccolga i pezzi – sospirò Max al microfono di servizio – e adesso con chi vado in scena?

– E io che ne so – disse Soldout dalla cabina di regia – che ne dice di entrare da solo?

– Vengo io – disse Belsito, avvicinandosi con un balzo – la porto in braccio.

– Neanche per sogno. Meglio i calciatori – disse il presidente. – Mandateli a chiamare.

Sterlinho, Marchi e Mac Beck erano in tribuna, pronti con le tute sponsorizzate e i palloni per esibirsi. Videro avvicinarsi con stupore un ragazzo zoppo con la maglietta dell'organizzazione.

– Ehi – disse il ragazzo – tocca a voi.

– Dove sono i nostri sponsor?

– Hanno mandato me. Attenti a scendere i gradini della tribuna. Sono ripidi.

Sterlinho lo guardò con commiserazione. Balzò di due gradini, gli cedette il piede e rotolò giù. Precipitando perse il pallone che rimbalzò proprio sotto il piede di Marchi che si afferrò a Mac Beck, trascinandolo nella caduta. I medici di servizio accorsero e rilevarono tre storte esattamente uguali. I tre erano azzoppati per una settimana.

La notizia arrivò a Soldout come una pallonata in faccia.

– Niente numero coi calciatori, presidente. Si sono fatti male e non possono palleggiare.

– Ma io sono sempre qui – disse Belsito.

– Uffa – disse il presidente.

– La prego. Entro insieme a lei e dico una battuta, una sola. La prendo in giro, lei fa finta di arrabbiarsi e io torno dietro le quinte.

– Può essere una soluzione – disse Soldout – il comico va sempre bene. E subito dopo entrano i due gemelli e lei, presidente, li prende in braccio.

– Sono pesanti?

– Leggerissimi. E dice: "Ecco, li salvammo dieci anni fa e ora sono ancora con noi, li amavamo allora e li amiamo adesso". Sul megaschermo appare la foto di dieci anni fa. Il coro e Platirron partono in playback con *La pace è nelle tue mani, o soldato.*

– E io suono l'oboe.

– No, per favore, no.

– O l'oboe o niente – si impuntò Max.

– Vada per l'oboe – disse Soldout. – Pronti con le luci di gala, entrano il presidente e Belsito.

– Mi raccomando – disse il presidente. – Una battuta trasgressiva ma rispettosa, pungente ma lievemente adulatoria, spietata ma complice.

– È la mia specialità – disse Belsito – si fidi di me. Posso leccarle un orecchio? Posso fare un accenno ai suoi amori?

– No – disse il presidente – ai miei amori no. E neanche alla guerra.

– E allora?
– Faccia una battuta sui pellerossa. Tanto non ce ne sono quasi più. O prenda per il culo il suo governo.
– Obbedisco.
Il sipario si spalancò, e si levò un urlo di entusiasmo. Partì il coro in playback, Platirron spalancò la bocca e la sua voce si sovrappose. Ma sentirla così di colpo, ora che l'aveva perduta, fu uno choc troppo grande, e Platirron scoppiò a piangere a dirotto e fuggì dal palco, travolgendo con la sua mole due riflettori, che esplosero.
Il pubblico applaudì.
Diecimila palloncini bianchi dall'alto della gru volarono sopra gli spettatori, ma Ciocia non resistette e sparò a uno. I soldati lo imitarono, ci fu un crepitare di contraerea, e purtroppo fu colpito anche l'addetto alla gru, che piombò sul palco come un uccello impallinato.
Il pubblico applaudì.
Un lampo illuminò il cielo, iniziò a diluviare e un fulmine colpì il cartellone della Copsicola, mandandolo in mille schegge. Ogni spettatore era stato dotato di un ombrello Copsicola, e Soldout allertò la telecamera sull'elicottero per riprendere lo stupendo effetto degli ombrelli aperti tutti insieme.
Ma gli ombrelli, fatti da bambini taipanesi, erano difettosi. Se ne aprirono solo quattro su cinquecentomila, e molte persone restarono con le dita incastrate.
– Questa non ci voleva – disse Soldout.
L'elicottero delle riprese, centrato da un fulmine, si schiantò in una macchia di alberi.
– Questa non ci voleva – disse Soldout.
L'elefante anteriore sinistro del califfo, Babar, svenne per la fatica, e il baldacchino si squilibrò leggermente.
– Questa non ci voleva – disse Soldout.
La pioggia ora era torrenziale, e gli spettatori non potevano muovere un passo, né ripararsi.
– Forse è il caso di sospendere – disse Max.
– Perché? – disse Soldout. – Il palco è al coperto.
– Ma se la salina diventa una palude?
– No, l'architetto Porthos l'ha garantito. Sotto c'è della solida roccia arenaria. Io credo che l'entrata in scena così sia anche più suggestiva. Dica qualcosa di epico, le mando la musica di *Star Wars*. Tocca a lei, presidente.
Il presidente apparve, circonfuso di luce azzurra. I capelli argentei brillavano come un'aureola. Un lampo illuminò le montagne.

– Non saranno quattro gocce a fermarci, vero ragazzi? – gridò Max.

Metà del pubblico rispose nooooo, metà sììììì in segno di approvazione. Ne uscì un colossale snìooooo, comunque trionfale.

– Sono dieci anni che combattiamo anche per voi – disse il presidente – e non ci stancheremo mai di combattere per la pace nel mondo. Siamo qua riuniti stasera. Ci sono io. Ci siete voi. Ci sono i bambini di tutte le etnie che hanno sofferto per necessarie, giuste, terapeutiche guerre. Lassù, sul palco d'onore, ci sono i rappresentanti delle maggiori fabbriche d'armi del mondo. Sono qui insieme a me e a voi, non hanno portato armi ma le loro famiglie, sono uomini come voi, come voi amano la musica, il mare, le bibite ghiacciate come la Copsi. E ci sono i soldati che hanno combattuto, vicino a voi giovani che forse combatterete un giorno. E ci sono gli artisti e ci sono io, felice di essere qui. E voi siete felici di esserci?

– Sììììììì! – rispose il pubblico.

– E a coloro che ci seguono nelle loro case, davanti all'azzurro camino televisivo, e forse trepidano per noi, ebbene noi diciamo: non sarà qualche goccia di pioggia a spegnere il sorriso sui nostri volti!

– Snìoooo!

– Come non sarà qualche inevitabile vittima civile a spegnere il fuoco di giustizia nei nostri cuori!

– Snìooooo!

– E non sarà qualche pazzo che spara su una scuola a impedire che la gente possa comprare liberamente armi per difendersi dai pazzi che sparano sulle scuole!

– Snìooo!

– E non sarà qualche condanna a morte, sedia elettrica, fucilazione o garrotta a turbare la nostra coscienza tranquilla, perché ciò che deve essere fatto noi lo faremo e noi faremo ciò che deve essere fatto!

– Snìooooooo!

– È un grande – disse Ciocia eccitato – come presidente non vale un cazzo, ma sul palco è un fenomeno.

– E ora un breve spot – disse il presidente.

– Questa mi giunge nuova – disse Ciocia.

– Solo cinque secondi sul maxischermo – disse Soldout – è un'idea di Hacarus. Con quei cinque secondi lei potrà comprare missili per un mese.

– È una grande idea – disse Ciocia.

– Allora, ragazzi – riprese il presidente – visto che piove, scaldiamoci il morale. Ecco a voi il vostro beniamino Belsito.

Il comico fece un giro di corsa del palco, saltò sulle spalle del presidente e gli si arrotolò al collo come una stola di pelliccia. Il presidente lo fece cadere.

Il pubblico applaudì.

– Ragazzi fradici, e voi soldatacci – disse Belsito – è un giorno bellissimo per il mondo intero. Vi farò un indovinello: lo sapete cosa fa il presidente dentro il bagno con le mutande rosse in mano?

– Snìooooo! – tuonarono gli zuppi.

– Il presidente... – disse Belsito, ma non concluse la battuta, perché un fulmine cadde a un metro da lui, ribaltandolo con lo spostamento d'aria. Sul palco si diffuse un fumo acre.

– Niente paura – disse il presidente, tirandolo su – ce la fai a proseguire?

– Sì – disse Belsito – dov'ero rimasto?

– Avevi detto: sapete cosa fa il presidente dentro il bagno con le mutande rosse in mano?

– Ah, sì – disse Belsito, con aria confusa – bene, il presidente dentro il bagno (lunga pausa) piange.

– Ah sì?– disse il presidente, con perfetto tono da spalla. – E perché?

– Perché...

– Perché, Belsito? – disse il presidente, un po' irritato perché la gag andava per le lunghe. – Mi sembri un po' rincoglionito (risate) vuoi un bicchiere d'acqua, ce n'è tanta qui (risate) eppure tu di bagni te ne intendi (risate); allora, perché il presidente piange?

– Perché il suo amore con gli occhi viola se n'è andato, e niente più lo consola – disse Belsito, abbracciandolo, e scoppiando in singhiozzi.

– Generale Ciocia, vada a prendere i gemelli nel camerino segreto – disse Soldout – ci vuole qualcosa che tiri su il morale, è dall'inizio che piangono tutti. Belsito dev'essere stordito dal fulmine. Avanti col coro!

Il coro partì con un perfetto playback, e la gente si unì al canto, con voci già roche per l'umidità. Il presidente si unì con voce baritonale. Belsito continuava a piangere, anzi si rotolava per terra. Era un momento strano, ma commovente. Alcuni bombardieri cominciarono a sorvolare il pubblico, per metà fradicio e per metà una maschera di fango. Il presidente tirò fuori l'oboe e iniziò una melodia struggente.

Non aveva mai suonato così decentemente.

– Adesso va tutto bene – disse Soldout.

L'elefante posteriore sinistro, Pianobar, crollò per un colpo della strega e il baldacchino del califfo ondeggiò.

Dietro le quinte, Stan stringeva il suo talismano. Il suo istinto gli diceva che la battaglia non era finita e sarebbe accaduto ancora qualcosa di strano. Vide rientrare Belsito, coi capelli elettrizzati e lo sguardo folle.

– Perdono – disse – ho tradito il dio Hulele, il dio della risata libera e feconda, della varietà dei pappagalli e del mistero della notte. Sono diventato un misero servo della scatola magica. Che tutte le scimmie della foresta ridano di me e della mia miseria...

– Suvvia, non esagerare – disse Stan – gli spiriti dell'allegria ti perdonano.

– Davvero? – disse Belsito.

– Davvero, ma adesso togliti dai coglioni – tuonò un vocione roco. E dalle quinte sbucò una figura impressionante. Anche se indossava una maglietta con scritto "Staff", Stan lo riconobbe subito. Era un nero di proporzioni ciclopiche, con la faccia piena di cicatrici e bruciature, e il corpo interamente ricamato di tatuaggi tribali raffiguranti foglie e frutti. I suoi occhi erano rossi e così le unghie delle mani, laccate col shangara.

– Stanley Cassius Hamalaihani – disse – sai chi sono io?

– Sì – disse Stan – tu sei Kimala Mangoon, re dei vulcani, delle alte temperature, dei tornadi, dei boschi e...

– Conosco le mie competenze. Tu che sei nato nell'isola sacra, hai forse dimenticato che tutti coloro che vi nascono sono guerrieri dello spirito?

– No – disse Stan – ma pensavo che tu fossi morto.

– Io morto? Pagano di poca fede! La battaglia è ancora in corso, e la vittoria incerta. Abbiamo bisogno di te.

– E se tu fossi Enoma travestito? – disse Stan. – Dammi un segno, qualcosa che mi ricordi la nostra isola.

Per tutta risposta Kimala gli assestò un ceffone che fece volare il quintale e passa di Stan contro le casse acustiche, con un bellissimo effetto vibrato.

Fuori, il pubblico applaudì.

– Ecco il segno – disse Kimala – sulla nostra isola siamo molto maneschi.

– Sono il tuo umile servitore – disse Stan, barcollando – cosa devo fare?

– Devi tenere aperte le Porte, cretino. Vai, cosa aspetti?

Il generale Ciocia aprì la porta blindata su cui era scritto "Camerino segreto". Salvo e Miriam lo guardarono spaventati. Non pensavano che fosse già venuto il loro momento. Salvo cercò di fuggire, ma il sergente Madigan lo bloccò.

– Fategli un'iniezione calmante – ordinò Ciocia. – Devono essere tranquilli, molto tranquilli.

– Non vedo che paura dobbiamo avere di questi fottuti pivelli – disse Madigan – che arma segreta possiedono?

– Uno zio – disse Salvo, fiutando un odore di frutti tropicali nell'aria.

– Uno zio grosso, manesco e incazzereccio – aggiunse Miriam, ammonendo i presenti col ditino alzato.

– Ah sì? – rise Ciocia. – Mamma mia, che paura! E dov'è?

La porta del camerino volò in mille pezzi, sfondata da un calcio.

– Sono qui – disse zio Stan. Era nudo e dipinto coi colori di guerra, e sul davanti gli pendeva un birone nero di circa un metro.

– Stan! – gridò Ciocia. – Cosa significa questo?

– Cattivo voodoo per tutti – disse Stan. Con uno schiaffo, intarsiò Madigan nel muro. Prese tre soldati e li mescolò insieme. Ciocia, terrorizzato, gli puntò contro la pistola.

– Traditore! – gridò.

Il generale sparò, ma Stan schivò il colpo passeggiando sul soffitto come un ragno. Atterrò, e assestò un pugno terrificante in testa a Ciocia. Si udì il rumore di un'arachide schiacciata e Ciocia si ritrovò accorciato della metà. Stan si svitò l'uccello, che era in realtà un bazooka legato tra le gambe, fece fuoco contro il muro e aprì un varco.

– Fuori, ragazzi – disse – tra poco qua si scatena gran piangianza.

– E come andiamo via, voodoo?

– No voodoo, Volvo – disse Stan – ce n'è un sacco da rubare nel parcheggio.

42.
GRAN PIANGIANZA

Sul palco il presidente continuava a suonare l'oboe. L'assolo durava già da sette minuti e la gente cominciava a dare segni di impazienza. La pioggia continuava a cadere, e il fondo della salina si stava trasformando in acquitrino. Lentamente, il pubblico iniziò a sprofondare, e in breve tempo affondò fino alla cintola. Il presidente suonava per mezzo milione di torsi immobili. Qualcuno cominciò a urlare e a dimenarsi.

– I gemelli, dove sono i gemelli? – chiese Soldout dalla cabina di regia.

– Spariti – disse Madigan, con un occhio che sembrava un pâté di melanzana. – Un fottuto gorilla cazzuto è entrato e li ha liberati. Nella colluttazione, il generale Ciocia è stato gravemente riassunto.

Entrò il Ciocia alto ottanta centimetri, col mento che sfiorava gli stivali.

– Ci hanno sorpreso e colpito con una magia riduttrice, come i cacciatori di teste del Borneo – disse ansando – erano sessanta, tutti armati di kriss, e con loro c'era un generale vietnamita a cavallo, che se ben ricordo...

– Chiamate un medico – gemette Soldout.

– Il pubblico sta sprofondando nel fango – disse Von Tudor – il coro canta da mezz'ora e gli stanno cedendo le mandibole. Che faccio, fermo tutto?

– Che ne so – disse Soldout, mettendosi le mani nei capelli e ritirandole nere di tintura – cosa può accadere ancora?

L'elefante anteriore destro, Shybar, non cedette ma per lo sforzo mollò un peto di magnitudo sei, che distrusse tre box e ne disperse gli occupanti.

– Mai una buona notizia – sospirò Soldout.

– Pronto? – la voce di Berlanga entrò nel mixer. – Una buona notizia, forse abbiamo trovato un accordo soddisfacente per noi e loro.

– No, per noi e voi – lo interruppe Rutalini.

– Appunto, per noi e voi.

– Sì, ma quando lei intende noi lei intende voi mentre io intendo noi, e quando dice loro intendendo noi...

– Toglietemi l'audio di questi due pazzi – disse Soldout, levandosi la cuffia e scagliandola sul mixer. – Basta, me ne vado, qualcun altro si occupi di questo casino, il concerto è maledetto.

A queste parole, un raggio di luna illuminò la cabina di regia.
Dal mare venne un gospel di tonni.
La pioggia cessò di colpo.
Anche il presidente smise di suonare e guardò il cielo.
Si levò un vento caldo e odoroso di fiori...
Qualcosa che sembrava un cigno gigantesco attraversò la luna.

Il vento caldo disseccò di colpo il fango della salina. Gli spettatori rimasero bloccati in una specie di cemento rosso. Potevano muovere soltanto la testa e le mani.

– Come vedete – disse il presidente cogliendo l'attimo favorevole – è una serata fortunata. Ha smesso di piovere e avete smesso di sprofondare.

Il pubblico dapprima timidamente, poi entusiasticamente, applaudì.

– Cari spettatori – disse subito Soldout al microfono – abbiamo avuto qualche difficoltà ma tutto si sta aggiustando. Ora avremo tre minuti di pubblicità, e poi inizierà la sfilata di moda. Siete felici?

– Snìooooo! – dissero i cementati.

– Abbiamo sete e non possiamo muoverci! – gridò una voce disperata.

Soldout riprese in mano la situazione.

– Signori, ora mille hostess della Copsicola passeranno tra il pubblico e vi offriranno l'ultimo prodotto della Copsicola, la Copsi air, senza zucchero, senza coloranti e senza liquidi. È aria fredda al caramello, scende giù che è un piacere.

– C'è un altro problema – disse Ciocia a Soldout – ho visto alcuni dei soldati agitarsi in modo anomalo. La mia esperienza dice che questo può essere dovuto a due soli motivi: (a) ingestione di gas chimici; (b) si stanno pisciando addosso.

– Bisogna provvedere.
– Posso dare l'ordine di evacuazione? – disse Ciocia.
– Lo dia.
– Fuoco! – intimò Ciocia.
I marines pisciarono tutti insieme. Un rivolo dorato si mise a correre tra gli spettatori, che a loro volta incrementarono il flusso.
– Aiuto – disse una voce – voglio uscire di qui, c'è cattivo odore.
– Qualcuno mi gratti la schiena – disse un secondo.
– Muoio – disse un terzo, e lo fece.
– Spettatori senza fede – disse Soldout – cos'è qualche disagio in confronto ai grandi nomi che ancora vi attendono? Siete felici?
– Snìoooooo! – gridarono gli scompisciati.
– Bene, allora ecco la sfilata di moda. Dodici grandi stilisti hanno disegnato i nuovi costumi da crocerossine. Dove c'è solidarietà c'è stile. Dodici bellissime modelle ci mostreranno come alleviare la convalescenza dei nostri soldati. Ecco il primo modello, Eutanasia, una seta écru firmata da Armandi. E poi, un plotone di esecuzione arcobaleno disegnato da Gualtieri. Basta con le divise tutte uguali! Ed ecco le uniformi di Van Dams, lo stilista che ha unito fatale e futile, letale e ludico. Vi piacciono?
– Snìooooo! – gridarono gli infangati.
– E subito dopo, il momento che tutti attendete. Per voi, i Bi Zuvnot!
L'urlo dei fan fece tremare i vetri della cabina di regia.
– Se me la cavo questa volta – disse Soldout – cambio mestiere. Faccio l'addetto al parcheggio, che è più sicuro.
Con un cigolio sinistro, la gru cadde all'indietro, schiantandosi sul parcheggio.
– E adesso cosa può succedere ancora? – disse Soldout.
L'elefante Shybar, dopo valorosa resistenza, crollò con un ultimo epico peto. Il baldacchino ora ondeggiava paurosamente, retto dal solo eroico Alobar. Il califfo strillava chiedendo aiuto.
Poi, portato dal vento, giunse un rombo stridulo.
– Sembrerebbero elicotteri giapponesi – disse Ciocia.
– No – disse Madigan – sembrerebbe piuttosto un fottuto Messerschmit 40.
– Niente di tutto questo – impallidì Soldout.
Una nube ronzante piombò sul palco. Erano sedici milioni di zanzare giganti, trentadue per ognuno dei presenti. Secondo alcuni, presi dal delirio, la più grossa era cavalcata da un signore peloso e panciuto. E cominciarono a pungere.

* * *

Nel box più alto di tutti, il gigantesco box dai vetri scuri e blindati, Hacarus vide gli insetti turbinare, alla luce dei riflettori come una nera nevicata.

– Enoma – disse Hacarus – mi hai ingannato. Tutto sta andando storto. Spiegami come si fa a licenziare uno spirito.

– Hacarus, permettimi la boutade, non sei un uomo di spirito – disse tranquillo Enoma. – Io sono uno spirito malvagio, in fin dei conti. Non puoi pretendere che, dopo avermi evocato, non mi voglia divertire un po'. Devi soffrire anche tu, fratellino, è la vendetta di Elmer.

– Credi di essere forte eh, bastardo? – ringhiò Hacarus. – Ma io so come domarti. Ho qua un libro di magia, con le parole segrete...

Enoma rise e la sua risata fu udita fino al palco.

– Il geniale razionale re degli affari Hacarus consulta il Necromicon e l'Alcofribas e usa le parole magiche. Stai perdendo il controllo! Non c'è nulla, in quei libri, che sia più oscuro dei tuoi indici economici, delle tue cifre virtuali, delle tue banche. Nessuno è bravo come te a fare credere in qualcosa che non esiste. È vero, sei tu lo stregone, Hacarus, esci dalla lampada e fammi ricco.

– Enoma, sto perdendo la pazienza.

– Tu, piccolo uomo miserabile – ruggì Enoma, facendo uscire lunghi artigli dalle dita. Ma subito li fece rientrare e il suo sguardo divenne torvo.

– Forse non hai tutti i torti, Hacarus. Qualcosa sta andando storto. I gemelli sono scappati.

– Impossibile – disse Hacarus – erano sorvegliatissimi.

– È questa l'abilità dei tuoi uomini? – disse Enoma, e con un pugno colpì il vetro a prova di pallottola, che si sbriciolò in polvere.

– E adesso cosa si fa?

– Vado io di persona a ucciderli – disse Enoma – non mi fido più di voi umani.

Hacarus indietreggiò: il corpo dello Spirito si dilatava e si trasformava, e un gigantesco corvo nero volò via dal box.

Volò alto e invisibile sul pubblico e sul palco, volò sulla pineta e sulle pendici della montagna. In una chiazza di bosco incendiata vide le tre figure che sembravano attenderlo. La sua ombra coprì i fuggitivi. Scese battendo le ali lentamente, i suoi occhi gialli guardarono fisso Salvo, Stan e Miriam.

Appena toccata terra si trasformò.

– Basta con questi trucchi da circo – disse. – La commedia è finita, ragazzi.

Berlanga e Rutalini finalmente avevano stilato un documento comune di sedici pagine su come gestire l'aspetto ideologico-promozionale del concerto, e stavano rilasciando le interviste di rito quando accorse Pancetta, relazionando sulla gravità della situazione.

Tutto il pubblico era inchiodato fino alla cintola in un calcestruzzo naturale. Solo col martello pneumatico si riusciva a portare via i disidratati e i collassati. Dodici soldati si erano feriti cercando di liberarsi da soli a colpi di bombe a mano. La puzza di urina era insopportabile. Le zanzare avevano messo in fuga i Bi Zuvnot e vampirizzato gli spettatori. Il baldacchino del califfo era in precario equilibrio sul dorso di Alobar, e senza gru non si sapeva come rimediare. Metà pubblico era in preda al panico e gridava. Ora soltanto Rik poteva salvare la situazione. Perciò dovevano smettere di litigare e decidere di che colore era quel benedetto vestito.

– Viola – dissero – che come sapete è sintesi di rosso e azzurro.

Ci fu un breve applauso di sollievo.

Nei camerini c'era aria di disfatta. Sul palco da qualche minuto, Polipone stava leggendo i lirici greci a un pubblico stremato e ammutolito. Anche lui sembrava impazzito, ma sul suo volto aleggiava una strana felicità.

– Il vestito è viola, Rik – comunicò dalla regia Soldout.

La notizia sparse un vento di speranza.

– Vai e salva l'Impero – disse Ciocia al rocker.

– No, non vado – disse Rik. – Senza gru non posso fare l'entrata. Il pubblico è stanco. Lo show ha toppato. Non sapete organizzare neanche una recita scolastica. Fottetevi.

– Siamo rovinati – mugolò Soldout.

Ma in quel momento giunse il presidente. Il successo con l'oboe lo aveva eccitato. Sembrava ringiovanito, e si era messo anche dei lustrini sul naso.

– Tutto sta andando a pezzi ma io, John Morton Max, risolleverò la serata – disse. – Non sono più il presidente che non conta niente. Assumo il comando delle operazioni. E voglio la stampa qua, a far da testimone.

– Ce lo teniamo altri sette anni – gemette Ciocia.

– Lei è il presidente ma io sono il re del rock e non vado in scena – brontolò Rik.

– Ragazzo – disse il presidente a Rik, mettendogli una mano paterna sulla spalla – tu sei un mediocre rockettaro e una gran testa di cazzo. Ma il mondo è dei mediocri che sanno raccontarla bene, proprio come me e te. Perciò stasera hai una grande occasione: ora salirai su quel fottuto palco con quei fottuti stivali cobrati e la sigaretta e la birra e il cappellino degli sponsor che reggono la tua e la mia economia. E farai uno storico duetto con qualcuno di molto importante.

– Senta, presidente – sbottò Rik – non c'è nessuno al mondo che possa fare un duetto con me. Perché io sono il numero uno. Io sono il più trasgressivo, il più ribelle, il più musicalmente dotato, io ho centinaia di fan club, io ho venduto milioni di dischi, io sono un idolo, io...

– È questo il ragazzo? – chiese Elvis, apparendo col costume di scena, bianco con arabeschi dorati e un bel fazzolettone di seta al collo. – Ma come è vestito? Bene, io sono pronto.

– Non è possibile – disse Rik. – Assomiglia, un po' invecchiato a...

– Non assomiglia, è lui – disse il presidente.

– Capo – disse Crotalo – non so che viaggio è questo, ma se lui è davvero Elvis io vado in scena, tu fa' pure quel cazzo che vuoi.

– Anche noi – dissero Tremor ed Eremo.

– Scusami, Elvis – disse Rik con tono accomodante – ovviamente tutti ricordiamo che eri un grande, ma se faccio bene i conti adesso hai quasi settant'anni, non so come puoi tenere il ritmo di un concerto di adesso...

– Facciamo così, ragazzo Rik – disse Elvis con calma – tu comincia piano. Lasciami un po' di spazio, fai fare al chitarrista qualche arpeggio vecchio stile. Poi, dopo due canzoni, quando ho fatto la mia figura, tu continui e io mi faccio da parte.

– La sua modestia la onora – disse Crotalo.

– Allora, che ne dite di *Jailhouse Rock* come primo pezzo?

In quel momento, al Comando Operativo delle Operazioni Aeree entrò il generale Ciocia. Non era più rincagnato, anzi sembrava ancora più alto e aveva una sgargiante cravatta di seta amaranto. Dal fondoschiena gli pendeva una coda pelosa fuori ordinanza, ma essendo in corso lo spettacolo, nessuno batté ciglio.

– Nuovi ordini dai fottuti culidicolla dell'Ottagono – disse – dodici aerei subito su questi obiettivi.

– Ma sono tutti molto vicini al palco – disse il colonnello addetto, dopo aver letto le coordinate.

– Non discuta. È un ordine tassativo.

– Devo chiedere la conferma al Comando Centrale.

– Tu hai sete e devi bere subito una granita al tamarindo, anzi una ventina di granite – disse il generale Behemoth piantando due occhi da serpente in quelli del colonnello.

– Signorsì, tamarindo, roger, ricevuto – disse il colonnello con lo sguardo nel vuoto – dia pure lei i piani d'attacco, faccia come se fosse a casa sua.

43.
LA RESA DEI CONTI

Dal cielo, si poteva avere un quadro completo della situazione. La salina, sconfinata, con le luci del palco che si univano alle prime luci dell'aurora. I bombardieri che sganciavano tutto intorno. Le grandi nubi di polvere che soffocavano il cielo, il divampare degli incendi, gli stormi di uccelli in fuga. E lontano, il mare piatto, indifferente, con le tre navi da guerra. Alla portaerei *Dread* si erano uniti due incrociatori, il *Montezuma* e il *Sitting Bull*, pronti a una escalation di fuoco.

Ma con il binocolo si poteva vedere che il concerto proseguiva. Gli spettatori, incastrati nel fango secco, non potevano fuggire dal cuore di quel pazzesco e incomprensibile bombardamento.

Hacarus scese dal grande elicottero bielica, insieme a una cinquantina di militari in assetto da guerra. Qualcosa gli diceva che Enoma avrebbe finalmente dato una spiegazione, ma non era sicuro che sarebbe stata piacevole.

Enoma lo attendeva al centro di una radura color rame, che portava i segni di un incendio recente. Ai suoi piedi c'erano i corpi di Salvo e Miriam. Sembravano addormentati.

Hacarus gli andò incontro. Notò che aveva ancora l'aspetto di suo fratello Elmer, ma sembrava più alto, e col corpo stranamente contorto, come se dovesse spezzarsi da un momento all'altro. Aveva mantenuto le ali di corvo.

– Allora, Enoma, è l'ora della verità – disse Hacarus – il concerto non è andato come volevo.

– Niente è andato come volevi – disse Enoma. – Su, ragazzi, vi presento il signor John Hacarus Chapman, l'uomo che vuole la vostra morte.

Salvo e Miriam si alzarono in piedi e guardarono Hacarus fisso negli occhi. Sembravano due gatti col pelo dritto, pronti ad attaccare. Hacarus aveva affrontato la rabbia e la disperazione di industriali e finanzieri da lui corrotti e rovinati. Ma stavolta non riuscì a mascherare un certo disagio.

– Bene – disse sedendosi su un tronco bruciato – allora, cos'è accaduto veramente?

Dal folto degli alberi, avanzarono le figure coi lunghi mantelli. Alcuni marines sentirono un rumore di passi e puntarono le armi, ma un gesto di Hacarus li fermò.

– Non servirebbe a niente – disse.

– Sì, non servirebbe – disse uno spirito alto e barbuto, dal volto sacerdotale. – Le dobbiamo delle spiegazioni, Mister Hacarus. Il mio nome è Poros il Diplomatico. Questo signore scuro alla mia destra è Kimala Mangoon. Lo spirito con le corna si chiama Bes, questa bella signora è Zelda, al suo fianco lo spirito cacciatore Aladino. Dietro a me il signore un po' squamoso si chiama Asmodeo, coordinatore dei tonni. Quello con la pancia da calabrone è Ukobacco, che ha coordinato gli insetti. Poi c'è un umano, il nostro amico Ameunsis, che lei forse conosce già di nome. Last but not least, vicino a lei, un talentoso attore che da un po' di tempo impersona Enoma, e che ha nome Behemoth.

– Finalmente posso tornare normale – disse Behemoth, e in un attimo si spogliò dell'aspetto di Enoma per assumere una delle sue forme preferite, un gigantesco gatto nero.

– Era Enoma fin dall'inizio? – chiese Hacarus.

– No, Mister Hacarus – disse Poros – il nostro piano era appunto di attirare Enoma qui, su quest'Isola. E attirare lei e gli altri, naturalmente. Il Megaconcerto era una grande occasione per incontrarvi tutti insieme e fare un po' di conti.

– Allora Ghewelrode sapeva.

– Ghewelrode è stato, alla fine della sua vita, un nostro prezioso alleato.

– Maledetti – ringhiò Hacarus – eravate d'accordo dal primo momento, vero?

– Per la verità no – sorrise Poros – all'inizio ognuno ha agito di testa sua, e ho dovuto convincere Kimala, che stava usando maniere più sbrigative. Mio fratello è una testa calda, come è naturale per chi abita in un vulcano, ma ha capito che solo uniti avremmo potuto battere Enoma. E così è stato. Su quest'Isola c'è molto dolore, molto desiderio di libertà, molta fratellanza. Qua lo spirito dei tempi non è forte come nel suo paese, signor Hacarus. E riunire i gemelli ci ha dato forza. Noi li vogliamo veramente insieme, per tutto il resto della loro vita. Non solo per un istante, da mostrare ai vostri spettatori. Per questo lei ha perduto. Per questo Enoma ha perduto. Quando siamo usciti vittoriosi dalla battaglia, Behemoth lo ha impersonato. Con grande abilità, devo dire.

– Grazie – disse Behemoth con un inchino e un ghirigoro di coda.

– E così avete giocato con me come il gatto col topo, proprio come io faccio con le Borse mondiali. Mi avete fatto fare tutto ciò che volevate – disse Hacarus rabbioso – ed Enoma? Lo avete ucciso?

– No, attualmente è a dodicimila metri sotto il mare, sotto forma di nave affondata. Aspetta qualche avido cacciatore di tesori che lo recuperi. Gli spiriti non muoiono. Restano incantati, per molti molti anni.

– Come Melinda?

– Melinda si è sacrificata. Zelda e Kimala volevano sfidare subito lo Spirito oscuro, come già le ho detto sono teste calde. Melinda è andata al posto loro. Aveva paura di questa battaglia, temeva che qualcuno di noi soccombesse. Ha cercato di convincerlo, invano. Lo ha fatto senza avvisarci, lei ha sempre fatto di testa sua. È uno spirito troppo libero per ogni tempo, e soprattutto per questi tempi.

– E i ragazzi? La storia delle Porte?

– Tutto vero. Quello che Enoma non sapeva è che ci sono altre Porte segrete. Ma noi ce ne andremo lo stesso.

– Avete vinto oggi – sibilò Hacarus – ma lo Spirito dei tempi è contro di voi. Ci saranno altre guerre, altre oppressioni, altre distruzioni. Il libro del danaro ha pagine più segrete e seducenti del libro della magia. Tu l'hai detto, Behemoth. Io sono fatto di ciò che non esiste, cifre, segni, propaganda. Voi siete ombre. Io sono un vero spirito, invisibile e inafferrabile.

– No, non lo è – disse Poros. – Lei è un ometto confuso, che vive fuori dalla realtà, un piccolo stregone che non ama la terra dove vive. Lei è fatto d'aria, come quelli che si accapigliano su quel palco, laggiù. L'apocalisse non è quello che credete.

– E com'è?

– Anche dalle apocalissi si può tornare indietro, se uno ha il coraggio di guardarci dentro. Ma voi non avete questo coraggio. Parlate di tutte le apocalissi, meno che della vostra. Lasciate pure a noi spiriti l'ultimo colpo di spada. Non posso spiegarle cosa accadrà, Hacarus. Tutto ciò che è troppo diverso da quello che siete soliti pensare, voi lo chiamate nulla. Bene, dopo di noi ci sarà il nulla. E in questo nulla qualcosa ricomincerà.

Un jet sibilò bassissimo sopra la loro testa. Gli aerei volavano alla cieca. Una tempesta magnetica senza precedenti stava facendo impazzire tutti i sistemi di comando, le radio di bordo trasmettevano un diabolico assolo di violino, le ali sbattevano in nuvole solide che sembravano rocce volanti. Uno a uno i caccia tentavano di atterrare sulla spiaggia, ribaltandosi, impantanandosi, spezzandosi in due. Stormi di uccelli li circondavano e gridavano come se celebrassero una vittoria. Hacarus cercò di riprendere in mano la situazione.

– Siete stati abili – disse – tutto è stato guidato da voi, un affare ben condotto. Immagino che potrei tentare di uccidere i gemelli, in fondo sono solo umani, e i miei marines sono bene armati.

– Non lo farai – disse Kimala.

– Non lo farò – disse Hacarus – ma i loro nomi sono sulla lista di tutti i servizi segreti. Vivranno fuggendo tutta la vita? Non c'è posto per gli innocenti, su questo mondo. Voi avete sabotato i bombardieri, ma io ho fatto di più. Le tre navi stanno per distruggere l'Isola. Potete fermare i duemila missili che pioveranno qui in pochi minuti? Per noi uomini ogni istante, ogni giorno può essere l'apocalisse. È questo che volete, o preferite trattare?

– Proprio non capisci – disse Poros tranquillo – stavolta le cose cambieranno davvero. Ma sì, facciamo una tregua. Sul palco c'è un cantante che mi piace molto. E tra poco ci sarà una gran piangianza.

44.
IL RITORNO DI ELVIS

Sul palco, attendendo Rik, c'erano Frappa e Polipone, che presentavano Berlanga e Rutalini. In verità non erano i politici, ma due attori sosia, che si insultavano e facevano finta di venire alle mani, mentre Frappa e Polipone facevano finta di richiamarli all'ordine. Sotto il palco, c'erano i veri Berlanga e Rutalini che facevano finta di sganasciarsi dalle risate. Intanto sul megaschermo andavano in onda le interviste che Berlanga e Rutalini avevano rilasciato dopo il summit al Napoleon.

– Siamo contenti dell'intesa ritrovata – diceva Rutalini – che potrebbe preludere a un ritorno sulla strada delle riforme, che l'arroganza e l'esibizionismo dei moderati aveva messo in crisi. Questo concerto è di tutti. La scelta del vestito viola nella canzone di Rik è una scelta di unità, nel rispetto degli impegni presi con i nostri alleati dell'Impero. In quanto alle bombe che cadono vicino agli spettatori, sappiamo che un certo margine di errore è necessario nelle missioni umanitarie e siamo convinti che il pubblico ne è serenamente consapevole, lo dimostra il fatto che nessuno ha lasciato il suo posto. Dopo il concerto, renderemo noti i dati di un sondaggio segreto da cui risulta che il settantatré per cento degli usitaliani approva che il Megaconcerto avvenga sul nostro suolo. E ora godetevi il nostro compagno di battaglie politiche Rik.

– L'atteggiamento responsabile dei moderati – diceva Berlanga, roteando un lazo – ha fatto sì che questo spettacolo potesse avere luogo. Senza l'Hotel Napoleon, senza le nostre Trivù e senza il nostro amico Rik, questa manifestazione sarebbe franata sotto l'inefficienza organizzativa moderista. Le bombe intorno al palco sono un entusiasmante effetto speciale che l'Impero ci regala. Solo un grande esercito può colpire così vicino, così come il pistolero western spara sul cappello del nemico. Dopo il concerto daremo lettura di un sondaggio segreto che vede il nostro partito al quarantatré per cento, e per questo vi ringraziamo.

Berlanga e Rutalini salirono sul palco, insieme ai sosia, e subito Rutalini tirò un cazzotto in faccia al suo imitatore, perché era convinto che da mesi gli trombasse la moglie; il pubblico applaudì pensando a una gag, il sosia di Berlanga decise che doveva fare anche lui qualcosa e strappò il toupet dalla testa del leader, quello lo prese a schiaffi e Frappa e Polipone colsero l'occasione per picchiarsi, come desideravano da tempo. La simpatica scenetta però rischiava di andare per le lunghe e Soldout la risolse facendo scomparire tutti dentro una botola. Entrarono in scena cinquanta ballerini tutti vestiti con un giubbotto alla Rik con sigarette e birra in mano. L'urlo della folla atterrì le stelle. Entrarono in scena Crotalo, Eremo e Tremor. Per l'entusiasmo, qualcuno riuscì a liberarsi del piedistallo di fango. Si alzarono cartelli e striscioni. Il palco si fece buio, poi un fascio di luce lo tagliò e si fermò illuminando il centro della scena.

Il grande Rik era lì, su una sedia. Cantava e fumava.

Baby io sono come te
La stessa voglia la stessa rabbia che
Bambina vieni da me
Saremo io e te
E il mondo che forse non c'è
Baby non sentirti sola
Levati il vestito viola
Oggi come ieri e come domani
In questi giorni disperati e tristi
In questi giorni già visti
Baby sbottonami se vuoi
Azzurro è il cielo sopra noi
Dadda dadda ye yeye yye.

La gente urlava impazzita, Alobar barriva rinvigorito, mentre Rutalini e Berlanga si accapigliavano tra le quinte per quel cielo azzurro spuntato all'ultimo momento. La chitarra di Eremo sottolineava gli ultimi concetti di Rik.

Bambina sai cosa c'è
Il mondo se ne frega di me e di te.

Rik si alzò, invitando il pubblico a cantare *dadda ye* con lui, e partirono la batteria di Crotalo e il basso di Tremor. Il riflettore accompagnò l'entrata di un omone grasso vestito di bianco.

– Signore e signori – disse Rik – direttamente dall'antico Egitto, Elvis Presley.

Una risata oceanica accolse l'omone.

– Grande idea questo sosia – dissero in sala stampa.

– One, due e tre – disse Elvis, e attaccò *Jailhouse Rock*. L'età non l'aveva arrugginito. Cantò la prima strofa nello stupore generale. Poi Rik intonò la sua, e fu un boato. Elvis gli rispose, ed ebbe i primi applausi, poi toccò a Rik. Elvis attaccò la terza strofa e sembrò che avesse cambiato marcia, eseguì alcune rotazioni pelviche, una mezza spaccata e salì di ritmo. La gente iniziò a saltare e qualcuno si chiese se per caso quello non fosse proprio il vero Elvis. Rik cantò la sua strofa, ma la voce cominciava a cedergli. Elvis passò direttamente a *Fever* e spaccò il microfono coi bassi, mentre Crotalo sembrava invasato, anche se Rik gli faceva segno di andarci piano. Alla fine ci fu un boato, e Rik ed Elvis si abbracciarono.

– Vacci piano, vecchietto – sibilò Rik nell'orecchio di Elvis – non fare il furbo, se voglio ti straccio.

– Provaci, mezza sega – disse Elvis, sorridendo al pubblico.

– L'hai voluto tu, rottame. Ehi, ragazzi – gridò Rik – vorrei dedicarvi una mia canzone, *Ti amo quando non rompi.* Che ne dite?

Ci fu un attimo di silenzio che preludeva al boato. Ma in quel microsecondo si infilò Elvis e disse:

– Ho una proposta alternativa. Io e Rik, insieme, vi canteremo un vecchio successo americardo: *It's now or never*.

Il boato fu triplo. Prima che Rik avesse potuto dire nulla, il coro era già partito da solo, senza playback, con grande stupore di Von Tudor. Notò che i bambini cantavano levitando, a circa dieci centimetri da terra. Seguì un'altra stranezza. Un negro seminudo e gigantesco entrò in scena portandosi sulle spalle un intero organo Hammond. Lo attaccò all'amplificatore e si mise a suonare come un angelo.

– Ladies and gentlemen – disse Elvis – il mio amico Stan Hakaleimanani.

Stan ringraziò con un gesto della mano. Il presidente Max trasecolò. Aveva avuto nella scorta un grande artista e non se n'era mai accorto.

Elvis iniziò a cantare in cima a un mi bemolle, e Rik provò a seguirlo. Ma fu presto chiaro che non ce la faceva. La voce di Elvis si stendeva regale, il pubblico sentiva i brividi. "È il vero Elvis," gridò una voce, "snìooooooo," urlarono in molti, "è un miracolo," dissero altri. Rik impazzì di gelosia e cercò di cantare a sua volta, ma gli venne fuori uno strillo da gallinaccio.

– Lascia perdere, Rik – lo beccò uno del pubblico.

– Torna dalla tua baby – disse una vocetta femminile.

– Vogliamo Elvis – disse un terzo – *It's now or never* è il nuovo sound.

– Bastardi crudeli e ingrati, che la salina vi inghiotta – disse Rik, e caso volle che in quel momento il suo microfono decuplicasse di volume, cosicché tutti sentirono.

Quando Elvis finì il suo pezzo, nessuno faceva più caso a Rik sul palco. Elvis attaccò *Love me Tender*, e il coro lo seguì. Rik stava seduto in un angolo e fingeva di suonare la chitarra. Per colmo di sfortuna, gli cadde la sigaretta nella birra e i due relativi sponsor lo mollarono via fax.

Stan tornò dietro le quinte con espressione soddisfatta. I bambini del coro erano evasi in massa, e avevano pestato Von Tudor con una gragnuola di spartiti arrotolati. Circondarono festosi il negro e gli chiesero l'autografo.

– Adesso mi devi spiegare tutto, Stan – disse il presidente.

– Il vecchio Elvis in questi anni ha vissuto nella mia isola. Ci siamo conosciuti là. Come vede, grazie al voodoo ha mantenuto un'ottima forma.

– Ma io non vi ho mai visto a Hakalamaikanehuntokoheliare...

– Se lei invece di stare nel suo bungalow di lusso e nella sua piscina privata avesse girato un po' ci avrebbe trovato a suonare insieme al Ludiludi, il locale jazz più frequentato di Halakalaimaneroharenehliatu.

– Ma tu hai sbagliato il nome. Si dice Hakalamaikanehuntowaelenihare.

– No. Questa è una particolarità dell'isola. Tutti quelli che provano a dirne il nome, lo pronunciano ogni volta diverso e sbagliato. È un vecchio sortilegio voodoo, per confondere le idee ai cartografi e a chi voleva colonizzarla.

– Allora qual è il vero nome?

– Non posso dirlo, anch'io lo pronuncio sbagliato, perché esiste un altro sortilegio voodoo, molto più pericoloso. Se una sola volta verrà pronunciato il vero nome di Hakalamaikanehanaimanane, allora lo spirito del vulcano dell'isola verrà liberato. È la più grande e pericolosa forma di energia che esista sulla terra. Il suo nome è Adieu.

– Piantala con queste storie.

– Giuro sui miei ossi di pollo.
– Ti ordino di dirmi quel nome.
– Guardi, Elvis la sta invitando sul palco.
– Come? – disse Max. Era vero: Elvis, chitarra a tracolla, lo invitava a unirsi a lui con un gesto della mano inanellata.
– E ora, visto che il vostro Rik è scoppiato – disse Elvis – invito il presidente dell'Impero a unirsi a me con il suo magico oboe.
Il presidente non perse l'occasione, e si fiondò sul palco.
– Che ne dice di *I can't stop loving you*?
– Proprio quella?
– Quella – disse Elvis – in memoria di una donna che tutti noi abbiamo amato.
– Anche lei? – disse stupito il presidente. – Ma allora era proprio una gran...
Elvis non lo ascoltò e iniziò a cantare, il presidente iniziò a suonare. Dopo pochi attimi, tutti si accorsero che il presidente piangeva come una fontana. Piangeva Crotalo, e la batteria faceva rimbalzare gli schizzi. Tremor mitragliava singhiozzi. Eremo riempiva di lacrime la chitarra acustica. Rik cercò di resistere, ma poi si buttò a terra, scalciando come un bambino. Piangevano come docce Belsito, Polipone e i calciatori azzoppati. Tutto il pubblico si unì alla piangianza, compresi i militari. Piangevano gli addetti al palco e gli uomini della scorta. Piangeva il generale Ciocia, asciugandosi nella manica del durissimo Madigan, che muggiva melanconico come una mucca. Piangeva Alobar, scuotendo la groppa e il baldacchino. Piangevano maîtresse e monsignori, mafiosi e nomenklatura. Piangeva il califfo e chiedeva perdono dei suoi peccati. Piangevano i piloti dei bombardieri. Piangevano quelli dei villaggi, dentro ai rifugi. Piangevano i morti. Piangevano i tonni nel mare.

Solo Hacarus non piangeva.
– Cosa sta succedendo laggiù sul palco – disse, vedendo che gli spiriti avevano gli occhi lucidi.
– Vecchio sortilegio di isola tropicale – disse Kimala – si chiama piangianza.
– In affari non piango mai, faccio piangere gli altri – disse Hacarus, che aveva ripreso un po' della sua baldanza. – Allora, la mia proposta è questa. Voi coi vostri poteri potreste influenzare i comportamenti dei consumatori e degli investitori. Io saprei in anticipo, ad esempio, se li spaventate o li incoraggiate.
– Interessante – disse Behemoth, sbadigliando.

– Se voi mandate vibrazioni di apocalisse, ecco che subito io mi metto nel settore bunker e rifugi antiatomici. Voi mandate in giro un tornado, e io compro tutti gli alberghi nelle zone dove la gente correrà a rifugiarsi. Voi scatenate gli insetti, e io compro fabbriche di insetticidi e medicinali. E possiamo fare scoppiare guerre per superstizione, mettere religioni una contro l'altra, suscitare razzismi. Così, veramente, voi trionfereste. Spiriti e uomini insieme. Non è quello che volevate?

– No. Noi vogliamo distruggere lo Spirito di questo tempo – disse Kimala – e quelli come te. A costo di spaccare tutto.

– Kimala è brutale – disse Poros – ma dice la verità. Alcuni di voi finiranno, altri sapranno ricominciare.

– L'hai già detto, capo – disse Behemoth.

– Sono lo spirito della parola, del silenzio e dell'eco – disse Poros – e poi è bene che Hacarus capisca, l'ultima volta.

– Decido io se è l'ultima volta – urlò Hacarus – non potete dettare le condizioni, dovete trattare, in affari si fa così.

– Cosa vuoi trattare, assassino – disse Zelda, incendiando l'erba sotto i piedi di Hacarus – guardati intorno.

I soldati dormivano, sparsi qua e là. Alcuni avevano una farfalla sul naso, altri russavano sonoramente.

– Sveglia, bastardi! – urlò Hacarus.

– Che c'è? – disse il tenente Korpzynsky.

– Sparate su quei due bambini.

– Su chi?

– Su quelli là, sotto il mantello di quell'uomo alto con la barba, non li vedete?

– Noi non vediamo niente, signor Hacarus. È da quando siamo arrivati qui che lei parla da solo, si agita e fa segni nell'aria. Non so se lei vuole prenderci in giro, ma abbiamo cose più importanti da fare.

– Sparate allo spirito del fuoco e dei vulcani – ordinò Hacarus con gli occhi fuori dalla testa.

– Chiamate un'ambulanza – disse Korpzynsky alla radio della jeep – c'è un caso grave.

– Cosa significa questo? – disse Hacarus, ansando.

– Lei ha cominciato a credere un po' troppo in noi – disse Poros – la sua megalomania la sta portando su una brutta strada. Gli spiriti non esistono, esattamente come il danaro è carta. Solo gli uomini esistono.

– E sono delle gran carogne – disse Kimala.

Hacarus si sentì improvvisamente stanco. Si rese conto di quello che era: un vecchio che delirava su un prato, mentre l'Isola bruciava e il Megaconcerto del secolo era andato a picco. Ma ebbe la forza per un ultimo morso velenoso.

– È stato dato l'ordine alle navi di iniziare a lanciare missili sull'Isola entro le otto, e solo io posso dare il contrordine – disse. – Mancano tre minuti. Trattiamo.

– No – disse Poros, avvolgendosi il mantello sulle spalle – credo che andrò a vedere il concerto. Gli spiriti non esistono. – E si trasformò in gabbiano.

– Ti precedo – disse Asmodeo, e volò via su un tappeto di mezzo milione di api.

– Vengo anch'io – disse Behemoth trasformandosi in un fotografo con pass.

– Aspettami – disse Aladino, e un topolino bianco saltò nella tasca di Behemoth.

– Io voglio gli autografi – disse Bes e sparì.

– Ti lasciamo qui, uomo – disse una falchetta con gli occhi di Zelda – tra un minuto il fuoco ti ucciderà. Morirai esattamente tra tre giorni, senza riprendere conoscenza. Guarda il cielo, i boschi che hai bruciato, guarda quest'Isola che avrebbe potuto essere molto più felice, senza gli uomini come te.

– Datemi un'ultima possibilità – disse Hacarus.

– Te ne sono state date tante – disse Poros – l'ultima è stata quella di rivedere tuo fratello, e poter ripensare al tuo passato. Tutto quello che hanno fatto gli uomini come te, sta per finire. Il mondo riprenderà ciò che gli è stato tolto. Solo chi saprà ricominciare vivrà.

– Ben detto e ben ripetuto capo, andiamo – disse Behemoth.

– Chiudi questa storia, Kimala – disse Poros, con un lampo di ferocia negli occhi.

– Sì, fratello – disse Kimala, con calma sacerdotale. Puntò contro Hacarus un ramo d'albero e disse:

– Non hai imparato nulla, Hacarus. Ero vicino a te sui carri assiri, ai monasteri di Valamo, sulle barricate di Parigi, nei laboratori di Dachau. E ogni volta eri più crudele, e sconfitto.

Il ramo prese fuoco e la voce di Kimala divenne un tuono.

– Per l'innocenza che resiste e l'erba che copre i morti, per la simmetria del limone e l'arte del ragno, per Leonardo innamorato e Melinda uccisa, per il riso e la malattia, per tutti coloro che commettono i loro delitti nei sogni, io ti tolgo al mondo.

– Perché, perché? – gridò Hacarus. Un fulmine crepitò nel buio. Il cielo lo schiacciò.

45.
LA FUGA

Il concerto era terminato, ma la gente non se ne andava. Era come se aspettasse ancora qualcosa. Elvis, dopo il terzo bis, era sparito. Rik prendeva a schiaffi tutti quelli che incontrava.

Gli si fece avanti un bambino, con un viso angelico e un quaderno a quadretti.

– Un autografo, Rik.

– Vaffanculo, stronzetto – disse Rik.

– Allora se non mi fai l'autografo mi prendo tutto Rik – rise il bambino, gli spuntarono due orecchie a punta e corna da bufalo. Toccò Rik e lo ridusse alle dimensioni di un moscone. Lo afferrò delicatamente per una zampetta, aprì il quaderno e chiuse violentemente le pagine.

Rik rimase stampato a pagina trentasei con un'espressione stupita sul volto.

– Bes – disse Poros, travestito da chitarrista anni sessanta, con camicia a fiori e pantaloni a zampa d'elefante – non esagerare con gli spalmografi.

– Tu, piuttosto, cerca di vestire più moderno.

– Ehi – disse Behemoth. – Ho l'autografo di Crotalo. No, soltanto la firma – aggiunse, vedendo l'aria preoccupata di Poros. – E ho anche una dedica di Elvis.

In camerino, il presidente si stava cambiando. Fuori la stampa e i fotografi si accalcavano. Era lui, sicuramente, insieme a Elvis, l'unico ad aver fatto un figurone. Aveva suonato, presentato, duettato, parlato di guerra e di pace, era stato l'anima della serata. Sarebbe stato sicuramente rieletto. Ma sembrava ugualmente nervoso e agitato.

– Cercate Stan – diceva – devo parlargli urgentemente. E andate tutti fuori dal mio camerino.

Si tolse lo smoking e cercò una maglietta. Aprì l'armadietto e sentì un profumo che conosceva. Si voltò. Misteriosa e silenziosa, era apparsa Zelda. La ragazza lo guardò, e il presidente riconobbe gli occhi dell'amata, il loro colore e la loro allegria.

– Melinda, sei tu? – chiese.

– Se lo credi, sono io – disse Zelda – sono venuta ad avvertirti. Puoi ancora salvarti, Max.

– Da cosa? – disse il presidente. – È il mio trionfo, stasera. Ce l'ho fatta, anche se mi hai lasciato solo. Credevi che mi mettessi a piangere e crollassi?

– Max, ascoltami. Hacarus ha dato alle navi l'ordine di radere al suolo l'Isola. Solo tu puoi revocare quell'ordine.

– Se lo ha fatto, ci sarà una ragione. E poi, perché non lo chiedi a lui?

– Non può: Hacarus sta morendo.

– Non ti credo, Melinda – disse il presidente, turbato – mi hai sempre mentito, non mi hai mai amato, non sei mai stata mia.

– Non ti ho amato come tu volevi – dissero gli occhi viola – e tu non mi hai mai visto, né sfiorato, né capito. Ma ora sono qui, e voglio che tu ti salvi, Max. Non ascoltare lo Spirito dei tempi. Ferma l'ordine di attacco. Sali sul palco e di' che questo concerto è una farsa. Che avete usato questi volti e questi bambini, che domani li dimenticherete, che ricomincerete a uccidere, che sarete diversi dalle parole che avete detto e cantato, che siete servi di pochi miserabili potenti. Interrompi questa rovina, Max, lo sai anche tu che domani dovrai accettare cose peggiori, eppure sei rassegnato, perché?

– Non sappiamo trovare altro, Melinda o Zelda, o chiunque tu sia – disse il presidente, col volto tra le mani – non sappiamo immaginare altro. Il potere è questo. Fare l'unica cosa che si crede di poter fare e far credere alla gente che sia l'unica cosa che si può fare. Smettila di tormentarmi.

– Ferma quell'ordine, Max.

– Non posso. Hacarus è più potente di me.

– Come vuoi, Max – disse Zelda – allora chiamerò Stan. Lui può aiutarti.

In quel momento, con un barrito di dolore, Alobar crollò facendo schiantare baldacchino e califfo. Metà del palco d'onore franò e scaricò al suolo alcuni bei nomi, che si ritrovarono con alcune belle fratture. Alle urla della folla spaventata si unì il sibilo inconfondibile di un missile. Il presidente uscì sul retro del palco, e vide che andava a colpire la chiesa del villaggio. La statua lignea di san Fernando decollò come un proiettile e andò a raggiungere i colleghi in cielo. La *Dread* aveva cominciato il suo spietato concerto. Il secondo missile colpì il vecchio luna-park, e la ruota volò in mille pezzi. Un terzo missile polverizzò il palco dei vescovi con laica precisione. L'altoparlante diede l'ordine di evacuare la salina in quattro lingue, e il pubblico cominciò a spingere disperatamente. Ben presto l'uscita dalle transenne divenne una gigantesca rissa, il servizio d'ordine fu travolto e coinvolto nel panico, un'orda di fantasmi infangati e urlanti si disperse in ogni direzione.

– Mantenete la calma – disse Ciocia all'altoparlante – ricordate che questo è un concerto per la pace.

Un ulteriore missile centrò ciò che restava del palco d'onore ed eliminò nell'ordine il secondo, il terzo e il nono uomo più ricco del mondo. Il quarto e il decimo esultarono. Ciocia si prese in testa una trave, ma ormai era così compatto che non ne ebbe danni. Soldout scappò con l'incasso e si infilò in una limousine, ma dopo cento metri scoprì che la strada era franata. Imbottito di soldi, corse verso l'albergo.

Berlanga e Rutalini si erano rinchiusi nella sala riunioni del Napoleon. Stavano stilando un comunicato congiunto che ponesse fine alle polemiche. Un missile scoperchiò l'albergo.

– Forse è meglio che ce ne andiamo – disse Rutalini.

– Tu non accetti il confronto – disse Berlanga – non ce ne andiamo di qua finché non abbiamo risolto la questione dei diritti televisivi. Su tutto quello che è accaduto, e accadrà, l'esclusiva è mia.

– Avido affarista – disse Rutalini, evitando una trave.

– Censore di regime – disse Berlanga, martellato da una frana di mattoni. – Quando sarò io il capo, non farò prigionieri!

– Non trovo più Rik – disse ansante Pancetta.

L'albergo crollò.

Un ennesimo missile polverizzò i resti del palco. La *Dread* decisamente sparava a casaccio. Il presidente vide Stan che stava caricando due bambini su uno strano blindato grigio. Guardando meglio vide che si trattava di Alobar. Ormai rimasto senza scorta, si mise all'inseguimento del pachiderma. Una nube di polvere e sale lo avvolgeva, alcuni lo sorpassavano sgomitando. Non era più il presidente, era un signore grassottello in fuga tra altri mille disperati. Corse tossendo, e gridò rivolto a Stan:

– Non ti mollo, maledetto stregone, tu e il tuo elefante tassista.
– Mi dispiace – ghignò Stan – non carichiamo pachidermostoppisti.
– Per pietà – disse Max.
– Non possiamo lasciarlo qui – disse Miriam – Alobar, prendilo su.

Alobar issò Max con la proboscide e si diresse galoppando verso il mare, superò a tutta velocità le dune e si fermò vicino all'Addolorato. I bambini si infilarono strisciando sotto i cespugli. Dal mare, le navi stavano intensificando il fuoco.

– Seguimi – disse Stan al presidente.
– Mi dai del tu, adesso?

Con un gran calcio nel culo, Stan lo fece entrare nel cunicolo. Il presidente avanzò a quattro zampe, mentre il suolo vibrava e la sabbia cadeva riempiendogli il naso. Alcuni conigli e topi in fuga lo sorpassarono. Poi una specie di coniglio gigante gli mise le zampe sulla schiena e lo scavalcò. Era Baywatch. Finché il cunicolo si inclinò in discesa e il presidente, con una capriola, si trovò in una grotta sotterranea.

– Ma questa la conosco – disse il presidente – è la Grotta dei Granchi Musicisti.

I granchi, in suo onore, suonarono un brano country.

Una processione di isolani scendeva dalle barche, nel mare davanti alla grotta. Attraversavano l'acqua zaffiro, portando sopra la testa valigie e pacchi, e sparivano nella galleria che portava alla Grotta degli Scampati. Il presidente si chiese come facessero a starci tutti.

– Bambini, andate con gli altri, di corsa – disse Stan.
– No, noi restiamo con te, fino all'ultimo – disse Salvo.
– Dove sono gli altri spiriti? – disse Miriam.
– Andate – disse Stan – Poros vi aspetta.

I due corsero nell'acqua bassa, faticosamente. A metà del cunicolo, seduto su una roccia, videro Poros. Era diafano e trasparente, sembrava sul punto di svanire da un momento all'altro, come una goccia d'acqua. Solo gli occhi erano ben visibili e fissavano i ragazzi con tenerezza.

– Poros – disse Salvo – cosa ti succede? Sembri una medusa.
– Niente scherzi – disse Miriam severa – non mollarci adesso.
– Niente più spiriti, ragazzi – disse Poros – noi possiamo farli vivere con il nostro coraggio, i nostri sogni, i nostri delitti. Quan-

te volte vi sono apparso, quante volte vi ho parlato invisibile all'orecchio, quante volte mi avete visto in un riflesso di luce, in un ramo contorto, in un'ombra sul muro. Ebbene, è così che continueremo a parlarci. Ma non mi vedrete più, amici. Per ogni cosa che farete, sceglierete lo spirito che vi guiderà, vi aiuterà, vi perderà. Né bene né male, vento di mare e vento di terra. Ricordate la canzone?

Canta del bene gola ferita
E coro d'angeli annuncia il male.

Non date retta a chi vi dice che non si può scegliere. Disegnate i segni rossi di lotta sul viso, e non abbiate paura di combattere. Nemmeno immaginate come tutto sta per cambiare. Buona fortuna, ragazzi.

Poros si tramutò in una fontana d'acqua, e zampillò altissimo, bagnò i gemelli e poi lentamente scese, e divenne mare.

– Poros – gridò Salvo – non lasciarmi solo, ho paura.

– Anch'io – disse Miriam – ma dobbiamo far vivere Poros, piuttosto che lo spirito della paura.

– Andiamo con gli altri nella Grotta degli Scampati – disse Salvo.

– No – disse Miriam con uno sguardo deciso – dobbiamo tornare indietro, nella Grotta dei Granchi Musicisti.

46.
ADIEU

Centinaia di granchi battevano le chele freneticamente, in crescendo. Un applauso di scheletri che spaventava Max, infreddolito e stremato.

– Cosa succederà adesso – si lamentò il presidente – quale spirito o mostro ci attende...

– Niente più spiriti – disse Stan serafico, assaporando una patella cruda. – Il sogno è finito. Dobbiamo salvarci da soli. Niente più voodoo, né buono né cattivo.

– Eh, no – disse iroso il presidente – mi devi dire il nome della tua isola. Se me lo nascondi, deve essere importante. Parla, mi hai ingannato abbastanza.

– No, presidente – ammonì Stan – se pronuncia quella parola fatale, tutto sarà cancellato, e soltanto uno spirito resterà.

– In nome dell'Impero – intimò Max con tono minaccioso, puntando una pistola – tutto quello che c'è al mondo ci appartiene. Ti ordino di dirmi quel nome, e di consegnarmi quella forma di energia.

– Come vuole – disse Stan, e mise il talismano in mano al presidente. Su uno degli ossi, in caratteri minuscoli, era scritto il nome dell'isola.

– È questo?

– È quello. Non lo faccia, presidente.

Max scrollò le spalle, lesse, e pronunciò il nome ad alta voce. I granchi fuggirono.

Nell'isola lontana ove Stan era nato, il vulcano Ghazid vibrò. Si udì un rumore di gigantesche catene spezzate, l'urlo di mille venti liberati, e dalle viscere infuocate del mondo, uscì Adieu.

Il cielo fu riempito dal più grande dei tornadi, duecento volte più grande di ogni altro mai visto sulla terra. Sibilò altissimo, un serpente di aria nera lungo decine di chilometri, salì in cielo e si capovolse con la grazia di un delfino, poi si tuffò nuovamente nel cratere.

– È sparito dagli schermi – dissero al centro controllo radar del Pacifico – forse è imploso.

– No – rispose un tecnico – ha preso la scorciatoia. Guarda i movimenti tellurici, sta viaggiando sottoterra, verso l'altro emisfero.

Dopo otto minuti il vulcano dell'Isola Rossa tremò, lanciò in aria un tappo di rocce infuocate e lava, e sputò Adieu, che schizzò fuori alla velocità di milleseicento chilometri all'ora, raggiungendo in un attimo il mare. Qua piantò la parte inferiore sull'alto fondale, senza alzare neanche un'onda. Da lì sembrava osservare la situazione. Il presidente lo vide.

– Non è possibile – disse – non esistono tornadi così grandi. È un'allucinazione, vero?

– È quello che lei voleva – disse Stan.

Un missile potentissimo fu sparato contro il tornado, ci fu un'esplosione azzurra e Adieu si mise a barcollare avanti e indietro, come stesse per cadere.

– Sta cadendo – urlò Max – sta per andare al tappeto, il tuo gigante sta per crollare alla prima ripresa, abbattuto dal mio missile.

– Niente di tutto questo – disse Stan – il tornado è venuto dall'emisfero australe, dove roteava in senso orario, nel nostro emisfero, dove deve girare in senso antiorario. Il cambio di rotazione gli ha dato un leggero capogiro, ma adesso si è ripreso. Vede? Adieu!

– So come si chiama – disse Max.

– No, adieu a lei. Addio, presidente...

Il tornado ruggì, si allungò in avanti crepitando fulmini e andò all'attacco. Avvolse la prima nave e la stritolò nelle sue spire di vento nero, le migliaia di tonnellate del *Montezuma* colarono a picco in meno di un minuto. Il bombardiere del generale Ciocia e di Soldout era in volo, per cercare di sfuggire al mostro. Con una virata, fintò a destra e cabrò a sinistra, superandolo.

– Ti abbiamo fottuto, bastardo – disse Ciocia.

Quella che avevano superato era la testa del tornado. La coda gli si parò davanti, come un punto interrogativo.

– E adesso? – disse Ciocia.

– E adesso addio incasso – disse tristemente Soldout, contemplando le valigie piene di dollari.

La coda scattò e il bombardiere andò in pezzi. Ciocia, buttatosi col paracadute dentro l'imbuto, fu centrifugato in una maionese di generale. Soldout si inabissò dentro a una nube di banconote. Tutti gli altri aerei furono stritolati. Poi Adieu si avvicinò al *Sitting Bull*. La nave cercò di congelare il tornado con missili criogeneranti, ma ottenne come solo risultato una bufera di neve sul mare. Dalla base del mostro partì una raffica di fulmini. Il *Sitting Bull* divenne incandescente e rosso come un ferro da fucina, l'acqua intorno iniziò a ribollire, finché il carburante esplose e l'incrociatore colò a picco tra le fiamme. Gli squali festeggiarono: da tutta la vita sognavano carne cotta.

– La *Dread* no – disse il presidente – quella non la può abbattere, è costruita per resistere alla bomba atomica.

Il mostro d'aria e quello di metallo si fronteggiarono. Dai lati della grande portaerei spuntarono delle paratie d'acciaio, la nave si rinchiuse in un guscio blindato, come una gigantesca tartaruga. Alcuni settori si riempirono di schiuma antiaffondamento, le batterie di artiglieria vomitarono una pioggia di fuoco da distruggere un pianeta.

Ma Adieu era un tornado vecchio e astuto. Piantò la coda sulle rocce del fondo, e girò come una vite. In fondo lo attendeva lo spirito più timido e misterioso, Necton, spirito dell'acqua abissale. L'aria, l'acqua, la terra si abbracciarono e fecero nascere un terremoto marino. Cominciarono ad apparire onde sempre più alte. Il tornado, immobile, restò in attesa.

– Cosa fa? – chiese il presidente.

Il vento sibilò forte dentro il voltone della grotta, le onde iniziarono a entrare minacciose. Il tornado si era gonfiato, e aveva ora l'aspetto di un volto gigantesco. I granchi avevano ripreso a suonare le loro funebri nacchere.

– Ora capisco – disse il presidente – un solo spirito resterà. Lui, il grande mostro d'aria.

– No, non hai capito ancora una volta – disse Miriam – gli spiriti non esistono, ma ci guidano.

I gemelli sembravano avvinti in un solo corpo tanto erano vicini e luminosi, il vento non sembrava sfiorarli, una luce sottomarina vaporava intorno a loro.

– Non il tornado, presidente – disse Miriam, prendendogli la mano – io resterò.

– Tu? Chi sei, che spirito sei? Sei una ragazzina, di quelle che abbiamo sepolto sotto le macerie, tante volte. Un volto piangente tra i mille di un compassionevole reportage. Cosa puoi fare tu? – disse rabbioso il presidente, mentre le onde lo schiacciavano contro la roccia.

– Io sono l'inarrestabile inizio – disse la bambina. – Sono ciò che ricomincia ogni volta, sono il mondo che sarà dopo di voi.

Sono ciò che guarisce, ciò che rinasce e riappare.

Io sono il silenzio che annuncia che l'incendio è finito, e fa tornare gli animali.

Io sono la pioggia dopo una lunga siccità.

Io sono più spaventoso e grande di tutte le morti che avete accettato e di tutti i delitti che avete inventato.

Io sono ciò che guarderà la vostra fine. Ascoltatemi, almeno questa volta.

Io sono l'unico dio che non ha mai chiesto il vostro sangue, il dio che non avete mai compreso, né amato. Ma ora è tardi.

Io sono l'inizio. Guarda fuori dalla grotta, presidente.

La mano della bambina lasciò quella dell'uomo. Il terremoto squassava il fondo del mare. La grotta tremava, ma resisteva. Un'onda altissima, nera, coprì la portaerei. Era una montagna d'acqua e schiuma, popolata in trasparenza di alghe, relitti, e creature marine. In cima, era orlata da un riflesso di sole, e la cavalcava lo scheletro di una balena; nel sole sfavillavano i salti dei tonni e dei delfini. Si arrestò un istante, poi si abbatté con fragore di tuono sulla portaerei, e la piantò sul fondo, mille metri più sotto. L'arma più potente dell'Impero era cancellata.

– Quando la *Dread* finirà, l'Impero finirà – disse Max, a occhi spalancati. Vide in mezzo al mare una morgana, un fascio di luce viola, un arcobaleno livido, nella rugiada di spruzzi che saliva dal gorgo ove la nave era scomparsa.

L'acqua continuò a salire. Il presidente continuò a gridare. La sua voce echeggiava tra le volte della grotta. Il rumore del tornado si stava spegnendo in un brontolio tranquillo.

Poi non si sentì più nulla.

Un rumore di gocce.

Dalla volta della caverna, cadevano stille di acqua salata. Sembravano voci sottili.

Quello era l'unico rumore.

INDICE

Ultimi volumi pubblicati in "Universale Economica"

Charles Willeford, *Tempi d'oro per i morti*
Ángeles Doñate, *La posta del cuore della señorita Leo*
Davide Longo, *Un mattino a Irgalem*
Ervin Laszlo, *Risacralizzare il cosmo*. Per una visione integrale della realtà
Emiliano Gucci, *Voi due senza di me*
Tito Faraci, *La vita in generale*
Antonio Tabucchi, *Un baule pieno di gente*. Scritti su Fernando Pessoa. Nuova edizione rivista e accresciuta. A cura di Timothy Basi. Con inserto fotografico
Marco d'Eramo, *Il selfie del mondo*. Indagine sull'età del turismo. Nuova edizione rivista e aggiornata
Christophe Carré, *Le armi nascoste della manipolazione*. Come smascherarle, disinnescarle e farne buon uso
Caterina Soffici, *Nessuno può fermarmi*
Yu Hua, *L'eco della pioggia*
Olga Chiaia, *Uscire dalla solitudine*. Dietro le nuvole, l'amicizia e l'amore
Alexandra Reinwarth, *Fregatene!* Piccole decisioni che danno qualità alla vita (e liberano dai rompiscatole)
Erri De Luca, *In nome della madre*
Giovanni Testori, *Gli Angeli dello sterminio*. Prefazione di Walter Siti
Alejandro Jodorowsky, *Manuale pratico di psicomagia*. Consigli per guarire la tua vita

Christina Berndt, *La scienza della contentezza*. Come raggiungerla e perché conviene più della felicità

Doris Lessing, *Sotto la pelle*. La mia autobiografia. 1919-1962

Massimo Birattari, *Come si fa il tema* (e la nuova prova scritta d'italiano alla maturità). Nuova edizione totalmente rivista

Marco Damilano, *Un atomo di verità*. Aldo Moro e la fine della politica in Italia

Daniel Kehlmann, *Fama*. Romanzo in nove storie

Claudia Piñeiro, *Un comunista in mutande*. Traduzione di Pino Cacucci

Giorgio Napolitano, *Europa, politica e passione*

Chögyam Trungpa, *La via della liberazione dalla sofferenza*

Pietro Grossi, *L'acchito*. Nuova edizione riveduta

Jörg Fengler, *Non ce la faccio più*. Guida rapida per non esaurirsi

Virgile Stanislas Martin, *Non ci sono problemi, solo soluzioni*. Cambiare il punto di vista ti cambia la vita

Christoph Ransmayr, *Atlante di un uomo irrequieto*

Karl Ove Knausgård, *La pioggia deve cadere*. La mia battaglia 5

Aneesha Dillon, *La pulsazione tantrica*. L'energia umana. Dalle radici umane alla fioritura spirituale

Manning Marable, *Malcolm X*. Tutte le verità oltre la leggenda

Doris Lessing, *Sotto la pelle*. La mia autobiografia. 1919-1962

Elsa de' Giorgi, *I coetanei*

Antonio Tabucchi, *Sostiene Pereira*. Una testimonianza. Introduzione di Andrea Bajani

Carlo Cottarelli, *I sette peccati capitali dell'economia italiana*

Mick Herron, *Un covo di bastardi*

Jennifer Ryan, *Il coro femminile di Chilbury*

Daniel Glattauer, *Terapia d'amore*

Manuel Vázquez Montalbán, *Millennio*. La grande saga di Pepe Carvalho

Malcolm Lowry, *Il traghetto per Gabriola*

Giovanni De Luna, *La Repubblica inquieta*. L'Italia della Costituzione. 1946-1948
Lucio Russo, Emanuela Santoni, *Ingegni minuti*. Una storia della scienza in Italia
Leonetta Bentivoglio, Lidia Bramani, *E Susanna non vien*. Amore e sesso in Mozart
Eugenio Borgna, *L'arcipelago delle emozioni*
Howard Gardner, *Intelligenze creative*. Fisiologia della creatività attraverso le vite di Freud, Einstein, Picasso, Stravinskij, Eliot, Gandhi e Martha Graham
Gioconda Belli, *L'intenso calore della luna*
Melissa Dahl, *Che figura!* La scienza del perché ci sentiamo ridicoli, imbarazzati e profondamente umani
Osho, *Su la testa!* Nietzsche e lo Zen
J.G. Ballard, *Sogno S.p.A.*
Virgile Stanislas Martin, *Non ci sono problemi, solo soluzioni*. Cambiare il punto di vista ti cambia la vita
Michel Foucault, *La società punitiva*. Corso al Collège de France (1972-1973)
Amos Oz, *Tocca l'acqua, tocca il vento*
Daniela Mattalia, *La perfezione non è di questo mondo*
Piero Colaprico, *La strategia del gambero*
Yoshida Shūichi, *L'uomo che voleva uccidermi*
Roberto Saviano, *Bacio feroce*
Rosa Luxemburg, *Lettere di lotta e disperato amore*. La corrispondenza con Leo Jogiches. A cura di Feliks Tych e Lelio Basso
George Saunders, *Lincoln nel Bardo*
Banana Yoshimoto, *Another World*
Chiara Gamberale, *La zona cieca*
Antonio Albanese, *Lenticchie alla julienne*. Vita, ricette e show cooking dello Chef Alain Tonné, forse il più grande
Isabel Allende, *Oltre l'inverno*
Vanessa Montfort, *Donne che comprano fiori*
José Saramago, *Il Quaderno*. Testi scritti per il suo blog. Settembre 2008-marzo 2009
Volker Kutscher, *Babylon-Berlin*
Lorenzo Marone, *Magari domani resto*
Enrico Deaglio, *Patria 1967-1977*

Ezio Mauro, *L'anno del ferro e del fuoco*. Cronache di una rivoluzione
Etgar Keret, *Pizzeria Kamikaze*
Claire Cameron, *L'ultima dei Neanderthal*
Michele Serra, *La sinistra e altre parole strane*. Postilla a 25 anni di amache
Michael Terman, Ian McMahan, *Il buon sonno*. L'orologio della salute
Giorgio Bocca, *Miracolo all'italiana*. Prefazione di Guido Crainz
Miguel Benasayag, Angélique del Rey, *Elogio del conflitto*
Yu Hua, *Cronache di un venditore di sangue*
Charles Willeford, *Miami Blues*
Irene Bignardi, *Le piccole utopie*. Prefazione di Paolo Mauri
Lieh Tzu (Liezi). Il classico taoista della perfetta virtù del vuoto. A cura di Augusto Shantena Sabbadini
Rupert Sheldrake, *La mente estesa*. Il senso di sentirsi osservati e altri poteri inspiegati della mente umana.
Sara Kim Fattorini, *La chimica dell'acqua*
Richard Ford, *Tra loro*
Henry Emmons, David Alter, *Una mente sempre giovane*. Nove chiavi per ritornare vitali, brillanti, acuti e concentrati
Erri De Luca, *Pianoterra*. Nuova edizione ampliata
Eva Cantarella, *Non sei più mio padre*. Il conflitto tra genitori e figli nel mondo antico
'Ala al-Aswani, *Se non fossi egiziano*
Adolfo Ceretti, Roberto Cornelli, *Oltre la paura*. Affrontare il tema della sicurezza in modo democratico
Che colore ha il vento? Insegnamenti zen per questi tempi terribili. A cura di Marina Panatero e Tea Pecunia
Stefano Benni, *Prendiluna*
Hans Morschitzky, Thomas Hartl, *L'arte di stare con gli altri*. Superare timidezze e paure sociali
Björn Süfke, *Quello che gli uomini non sanno dire*. Le emozioni nascoste dell'animo maschile
Angelo d'Orsi. *Gramsci*. Una nuova biografia. Nuova edizione rivista e accresciuta
Eugenio Borgna, *L'attesa e la speranza*

Paul Watzlawick, *Il codino del Barone di Münchhausen*. Ovvero: psicoterapia e "realtà"
Mike Davis, *Olocausti tardovittoriani*. El Niño, le carestie e la costruzione del Terzo Mondo
Biagio Goldstein Bolocan, *Il traduttore*
Giovanni Testori, *Il dio di Roserio*. Prefazione di Fabrizio Gifuni
Malcolm Mackay, *Bastardi*
Marcella Danon, *Il potere del riposo*. Ottenere di più lavorando di meno
Bärbel Wardetzki, *Egoisti, egocentrici, narcisisti & Co*. Guida per non soccombere a capi e colleghi "tossici"
Lola Beccaria, *Basta non dire ti amo*
Osho, *Lettere d'amore all'esistenza*. 150 messaggi personali scritti da Osho resi universali dallo Spirito del Tempo
Miguel Benasayag, Angélique del Rey, *Elogio del conflitto*
Gabriele Romagnoli, *Coraggio!*
Maurizio Maggiani, *Mi sono perso a Genova*. Una guida
Rosella Postorino, *La stanza di sopra*. Nuova edizione rivista dall'autrice
Fernando Pessoa, *Il secondo libro dell'inquietudine*. A cura di Roberto Francavilla
Rolf Sellin, *Le persone ferite sanno ancora volare*. Un nuovo metodo per curare le nostre emozioni
David Harvey, *L'enigma del capitale* e il prezzo della sua sopravvivenza
Nicolas Barreau, *Il caffè dei piccoli miracoli*
Pietro Grossi, *Il passaggio*
Gaia Servadio, *Mozia*. Fenici in Sicilia
La grande regressione. Quindici intellettuali da tutto il mondo spiegano la crisi del nostro tempo. A cura di Heinrich Geiselberger
Daniel Pennac, *Il caso Malaussène*. Mi hanno mentito
Alessandro Baricco, *Il nuovo Barnum*
Paolo Rumiz, *A piedi*. Illustrato da Alessandro Baronciani
Andrea Bajani, *Mi riconosci*
John Cheever, *Lo scandalo Wapshot*
Giuseppe Morici, *Fare i manager rimanendo brave persone*. Istruzioni per evitare la fine del mondo (e delle aziende)

John Kampfner, *Storia dei ricchi*. Dagli schiavi ai super-yacht, duemila anni di ineguaglianza
Howard Gardner, *Personalità egemoni*. Anatomia della leadership
Donna J. Haraway, *Manifesto cyborg*. Donne, tecnologie e biopolitiche del corpo
Ermanno Rea, *Nostalgia*
Louise Erdrich, *LaRose*
Vātsyāyana, *Kāmasūtra*. A cura di Genevienne e Tea Pecunia
Massimo Recalcati, *Il segreto del figlio*. Da Edipo al figlio ritrovato
Bernhard Moestl, *Kung-Fu per la vita quotidiana*. I 13 principi Shaolin per vincere senza combattere
Ivana Castoldi, *Piccolo dizionario delle emozioni*
Charles Bukowski, *Il ritorno del vecchio sporcaccione*
Jerry Thomas, *Il manuale del vero gaudente ovvero il grande libro dei drink*
Aki Shimazaki, *Il peso dei segreti*
Piernicola Silvis, *Formicae*
Roger Dalet, *I punti che guariscono*. Una semplice pressione delle dita sui punti d'agopuntura per ridurre disturbi e dolori
Zohar, *La Luce della Kabbalah*. A cura di Michael Laitman
Salvatore Veca, L'idea di incompletezza. Quattro lezioni
Peter Linebaugh, Marcus Rediker, *I ribelli dell'Atlantico*. La storia perduta di un'utopia libertaria
Iaia Caputo, *Era mia madre*
Carlo Cottarelli, *Il macigno*. Perché il debito pubblico ci schiaccia e come si fa a liberarsene
Krishnananda, Amana, *Vivere con gioia, gioire della vita*. Ritrovare autenticità, passione e meraviglia
George Saunders, *Nel paese della persuasione*
Hans Morschitzky, Thomas Hartl, *L'arte di stare con gli altri*. Superare timidezze e paure sociali
Buster Keaton con Charles Samuels, *Memorie a rotta di collo*. L'autobiografia
Zeruya Shalev, *Dolore*
Caroline Vermalle, *Due cuori a Parigi*

Livia Manera Sambuy, *Non scrivere di me*. Racconti intimi di scrittori molto amati: Roth, Ford, Wallace, Carver
Daniel Glattauer, *Un regalo che non ti aspetti*
Piersandro Pallavicini, *La chimica della bellezza*
Banana Yoshimoto, *Il giardino segreto*. Il Regno 3
Wlodek Goldkorn, *Il bambino nella neve*
Erri De Luca, *La Natura Esposta*
Jonathan Coe, *Numero undici*. Storie che testimoniano la follia
Marcela Serrano, *Il giardino di Amelia*
Roberto Saviano, *La paranza dei bambini*
Alessia Gazzola, *Non è la fine del mondo*
Stefano Benni, *Teatro 3*
Jerry Brotton, *La storia del mondo in dodici mappe*
Etgar Keret, *Le tettine della diciottenne*
José Saramago, *Quaderni di Lanzarote*
Sarah Thornton, *33 artisti in 3 atti*
Chiara Gamberale, *Adesso*
Michel Foucault, *Sicurezza, territorio, popolazione*. Corso al Collège de France (1977-1978)
François Jullien, *Essere o vivere*. Il pensiero occidentale e il pensiero cinese in venti contrasti
Marcella Danon, *Il Tao del disordinato*. Perché l'ordine non dà la felicità e il disordine sì
Umberto Galimberti, *Paesaggi dell'anima*. Nuova edizione
Charles Bukowski, *Storie di ordinaria follia*. Erezioni Eiaculazioni Esibizioni
Suad Amiry, *Damasco*
Harper Lee, *Va', metti una sentinella*
Mario Mieli, *Elementi di critica omosessuale*. A cura di Gianni Rossi Barilli e Paola Mieli
Stanislav Grof, *L'ultimo viaggio*. La coscienza nel mistero della morte. Dalle antiche pratiche sciamaniche alle nuove cartografie della psiche
Roberto Perotti, *Status quo*. Perché in Italia è così difficile cambiare le cose e come cominciare a farlo
Eugenio Borgna, *L'indicibile tenerezza*. In cammino con Simone Weil
Daniel Kehlmann, *I fratelli Friedland*